Aux délices de
Miss Caprice

Guy Saint-Jean Éditeur
3440, boul. Industriel
Laval (Québec) Canada H7L 4R9
450 663-1777
info@saint-jeanediteur.com
www.saint-jeanediteur.com

• • • • • • • • • • • • • • • •

**Catalogage avant publication de Bibliothèque et Archives nationales
du Québec et Bibliothèque et Archives Canada**

Gauthier, Evelyne, 1977-
Aux délices de Miss Caprice
ISBN 978-2-89455-372-5
I. Titre.
PS8563.A849A99 2015   C843'.6   C2015-941506-3
PS9563.A849A99 2015

• • • • • • • • • • • • • • • •

Nous reconnaissons l'aide financière du gouvernement du Canada par l'entremise du Fonds du
livre du Canada (FLC) ainsi que celle de la SODEC pour nos activités d'édition. Nous remercions
le Conseil des Arts du Canada de l'aide accordée à notre programme de publication.

Financé par le gouvernement du Canada | **Canadä**   **SODEC** Québec   Conseil des Arts du Canada   Canada Council for the Arts
Funded by the Government of Canada

Gouvernement du Québec – Programme de crédit d'impôt pour l'édition de livres –
Gestion SODEC

© Guy Saint-Jean Éditeur Inc. 2015
Révision : Eva Lavergne
Correction d'épreuves : Émilie Leclerc
Conception graphique et mise en pages : Christiane Séguin
Photo de la page couverture : ©iStockphoto.com/Massonstock
Dépôt légal – Bibliothèque et Archives nationales du Québec, Bibliothèque
et Archives Canada, 2015

ISBN : 978-2-89455-372-5
ISBN ePub : 978-2-89455-382-4
ISBN PDF : 978-2-89455-391-6

Imprimé et relié au Canada
1re impression, septembre 2015

Guy Saint-Jean Éditeur est membre de
l'Association nationale des éditeurs de livres (ANEL).

Evelyne Gauthier

Guy Saint-Jean
ÉDITEUR

« La vie est telle une pièce de théâtre,
mais sans répétitions. Alors chantez, pleurez,
dansez, riez et vivez avant que le rideau
ne se ferme et que la pièce se termine
sans applaudissements. »

Charlie Chaplin

Remerciements

Fidèle à mon habitude, je veux remercier tous mes proches, qui me soutiennent encore et toujours dans ce que je fais… même dans mes projets d'écriture, laquelle est très exigeante en fait de temps, et sans doute de sacrifices aussi.

Je veux adresser des mercis particuliers à toutes les personnes qui m'ont aidée, de près ou de loin, dans cette entreprise et pour ce titre en particulier.

Merci à Sandrine Duplessy, pour ses réponses très généreuses et ses anecdotes savoureuses (même si je n'ai pas pu tout garder) ainsi qu'à son mari Olivier (merci en passant à Julie Philippon, qui m'a mise en contact avec elle).

Merci à Catherine Bélanger, pour les cours de fondant et de décoration de *cupcakes*, ainsi que pour sa disponibilité et ses connaissances, qui m'ont été bien utiles.

Merci aux lecteurs, lectrices et amies des réseaux sociaux, qui ont répondu à mes sondages express quand je cherchais de l'information absolument cruciale (oui, oui !).

Merci à Sara, éditrice toujours aussi encourageante et juste, à Marie-Claire, la super-directrice littéraire, ainsi qu'à l'équipe dynamique de chez Guy Saint-Jean Éditeur, qui a toujours confiance en moi et est l'une des meilleures qu'on puisse avoir.

Prologue

— Je ne veux pas te faire de peine, Melissa, mais je pense que Jean-François ne viendra pas.

Melissa toise son amie Mylène, celle qui vient de lui parler. Elle soupire en consultant sa montre. Mylène a probablement raison. Melissa ressent un pincement au cœur. Toutefois, elle aurait dû s'en douter. Son mari, Jean-François, avait dit qu'il passerait peut-être avec les enfants pour le grand dévoilement, mais comme d'habitude, il a dû trouver une raison pour se défiler. Pourquoi en aurait-il été autrement ? Il a toujours été comme ça.

Même Pierre-Luc, l'époux parfait d'Anne-Marie, son autre amie, est présent. Leo, son petit frère, est là aussi. Puisqu'il a un sens aiguisé de l'esthétique et qu'il connaît sa sœur aussi bien que s'il était sa mère, Leo a eu le rare privilège d'émettre une opinion concernant une des créations de Melissa : le panneau du magasin. Pourtant, cette boutique, c'était *son* projet à elle. Jean-François aurait pu faire un effort pour lui faire plaisir. Ça aurait été bien que les enfants voient ça.

Surmontant sa déception, Melissa hausse les épaules. Et tant pis pour lui ! Elle ne va quand même pas attendre éternellement après Jean-François et s'en remettre à lui pour passer de bons moments.

— Tu as raison, Mylène. Bon, bien alors… tadam !

Melissa empoigne fermement un coin du drap blanc qui recouvre l'enseigne, au-dessus de l'entrée de la future boutique. Jean-François lui avait proposé de prendre le drap de sa grand-mère pour l'occasion ; Melissa avait refusé. Prendre un vieux drap fleuri beige et bleu pour un tel dévoilement, quelle idée ! Et puis, Melissa aime le blanc, symbole de perfection et de pureté. Excellent pour un tel moment. Melissa ne laisse jamais rien au hasard. Avec elle, chaque détail, si infime soit-il, est étudié. Elle regarde ses deux amies et complices, Anne-Marie et Mylène, qui attendent sagement à ses côtés, avec des sourires à la fois indulgents et un brin moqueurs. Leo attend sagement, toujours aussi discret. Pierre-Luc, l'époux d'Anne-Marie, est d'un flegme quasi britannique, comme à son habitude.

Dans un geste qui se veut théâtral, Melissa tire sur le drap, fin prête pour le dévoilement tant attendu. Ce moment qu'elle a souhaité si longtemps, dont elle a rêvé pendant des mois. L'assouvissement de ce désir qu'elle a caressé en elle comme on cajole un nouveau-né contre son sein. Elle, si fébrile qu'elle n'en dort plus depuis trois nuits ! C'est le temps, enfin !

Le drap se tend, commence à glisser vers le sol avec un bruit soyeux, puis se coince subitement dans un relief de la pancarte, à peine au quart dévoilée.

— Eh, merde !

Un morceau du fond pastel turquoise à pois blancs apparaît derrière le tissu, mais sans plus. On devine vaguement des formes rondes en dessous. Et dire que Melissa rêvait tant de cet instant ! Elle soupire, dépitée. Tout aurait dû être parfait ! C'est quoi, cette connerie ?

— Ben là, c'était quoi l'idée d'avoir un écriteau avec des reliefs où tout va se coincer ? lance Mylène. Pis en passant, as-tu songé que les pigeons risquaient d'aller s'y percher et de chier dessus ?

— Ça risque plus d'être des mouettes, tu sais, lui répond Anne-Marie. Les pigeons, c'est rendu pas mal *out*.

Melissa grogne en leur jetant un regard assassin. C'est bien le moment de parler de chiures d'oiseaux !

Cet instant, elle l'a imaginé, repassé en boucle dans sa tête tant de fois, frémissant de joie à tout coup, comme on s'imagine la sensation du meilleur bonbon au monde sur sa langue. Son moment de pur bonheur ne va pas être gâché par un stupide drap ! Furieuse, elle l'agrippe et tire brutalement de gauche à droite pour le dégager. Mylène, Pierre-Luc et Anne-Marie la regardent, incertains à savoir s'ils doivent intervenir ou pas devant l'agacement de leur amie – au risque de se prendre un coup de coude au passage ou quelque chose du genre. Leo ne bronche pas, il est habitué de ne pas s'immiscer. Avec Melissa, on ne sait jamais : elle a tendance à dramatiser et à en faire un peu trop.

Elle serait bien capable, dans un accès de colère, de tirer assez fort pour s'envoyer accidentellement l'écriteau sur la tête et s'assommer avec lui. Et si cela se produisait, elle serait probablement d'avis que le blâme doit être jeté sur les ouvriers qu'elle a engagés pour poser la pancarte. Une tuile de plus sur sa tête – dans tous les sens du terme.

— Hem… tu sais qu'on l'a déjà vue, l'enseigne, hein ? risque Anne-Marie. On a vu le montage de ta graphiste à l'ordinateur. Au fond, c'est pas exactement le *scoop* du siècle.

— M'en fous ! lâche Melissa, hors d'elle.

Elle tire encore et, dans un craquement, le drap se déchire, tombe sur le trottoir et découvre enfin la pancarte dans son intégralité. Un peu échevelée, Melissa soupire, satisfaite.

L'écriteau de la boutique Miss Caprice apparaît enfin dans toute sa splendeur. Les lettres d'un turquoise « eau de piscine olympique » luisent sous l'effet du doux soleil d'avril.

Des lettrines au look vintage, comme Melissa les aime. La jeune femme a soigneusement choisi une police de caractères ornée de fioritures et de jolies courbes, volontairement inspirées du mythique logo de la marque Coca-Cola.

Les lettres se découpent sur un fond texturé rose bonbon, dans un cadre en accolades au style rétro, dont le contour est décoré d'une rangée de perles blanches. Derrière ce cadre, un deuxième fond, de forme rectangulaire, turquoise pâle – un rappel de la couleur des lettres – et à pois blancs, complète le tout.

Finesse, douceur, raffinement, et un subtil appel à la nostalgie de l'enfance, grâce aux couleurs feutrées et aux formes vieillottes. Tout cela, dans une même enseigne. Melissa a songé à tout. L'exaltée, émotive, artistique et perfectionniste à l'os qui ne laisse rien au hasard a mis beaucoup de temps à fignoler ce concept avec sa graphiste. Et puis, Melissa n'est pas idiote. Elle sait très bien qu'une boutique qui vend des *cupcakes,* des *cake pops,* des friandises, des macarons, des bonbons et autres trucs du genre attirera essentiellement une clientèle féminine. Ce n'est pas demain matin qu'un groupe de *truckers* risque de s'arrêter devant sa vitrine et de s'extasier sur ses petits gâteaux velours rouge et confettis en sucre.

Miss Caprice, en fait, c'est Melissa. C'est le surnom que Paul, son père maintenant décédé, lui a donné lorsqu'elle était enfant. Un surnom gentil, affectueux et mignon, en dépit des apparences. Melissa a toujours été enflammée, sensible, mais sérieuse. Comme une douce tornade qui déplaçait de l'air sur son chemin puis s'assurait de tout réordonner soigneusement au passage – à sa manière, bien sûr, qui est la meilleure.

Melissa n'a pas que la douceur, elle en a l'apparence

aussi. Avec ses cheveux bruns cuivrés et bouclés ondulant sur ses épaules et ses yeux verts, Mylène lui disait souvent qu'elle pourrait incarner Belle dans *La Belle et la Bête* de Disney. Melissa est toujours habillée de manière féminine, mais discrète et décente. Elle a également un faible pour les jupes paysannes à motifs délicats, pas trop longues et qui dévoilent ses mollets bien galbés.

La boutique, c'est d'abord et avant tout son idée, son projet, son rêve. Il a donc été unanimement décidé par les trois amies, dès les premières discussions sur le sujet, que la boutique porterait ce nom.

Mariée dès l'âge de vingt-trois ans avec Jean-François, l'amour de ses seize ans, Melissa a commencé une carrière dans l'enseignement des arts plastiques au primaire. Puis l'appel de la maternité s'est tôt fait sentir et Melissa, friande depuis toujours des enfants autant que de la bouffe et des arts, a eu sa première fille, Florence, deux ans plus tard.

Son fils Raphaël et son autre fille Rosalie ont suivi peu après, chaque fois à deux ans d'intervalle. Grâce aux conditions de travail avantageuses de son poste, dont le retrait préventif en raison de la fameuse cinquième maladie – dangereuse, malgré son nom ridicule –, Melissa a enfilé congés de maternité et congés préventifs, si bien qu'elle n'est presque plus retournée travailler pendant près de six ans.

C'est lors de ses nombreux et longs congés passés à se flatter la bedaine – dans le sens littéral du terme – à donner le sein, à faire des nuits blanches, à préparer des centaines de plats pour son mari et ses enfants, que son goût pour la gastronomie, surtout si elle est sucrée, s'est développé davantage.

Bientôt, les bricolages en carton, en feutre ou en cure-pipes ainsi que les dessins de bonshommes allumettes des bouts de chou du primaire ont fait place à un fort penchant pour les glaçages, les fondants, les petits gâteaux, le chocolat et les décorations en sucre.

L'idée de lancer un commerce spécialisé dans la vente de petites pâtisseries et confiseries a germé dans l'esprit de Melissa et bientôt, celle-ci y a pris toute la place. Bien que Melissa adorât ses enfants, elle n'arrivait plus à s'accomplir dans ses tâches de mère. Oui, elle aimait leur rire cristallin, leurs petites mains collantes, leur sourire lumineux et leurs yeux innocents. Mais la routine du ménage, de la lessive et de la vaisselle lui donnait l'impression que son cerveau se desséchait de jour en jour comme un vieux raisin, par absence de stimulation. Même les jeux mignons, les bricolages, les moments de bonheur passés avec ses rejetons dans les bras ne la comblaient plus. Du moins, plus assez longtemps.

N'était-elle que cela, une mère ? Une personne dont le rôle est d'empêcher les minous de poussière de s'accumuler dans la maison, d'oblitérer les taches de purée sur les bavettes à grands coups de jus de citron ou de mettre des pièces en forme de girafe dans un casse-tête ? D'attendre que ses enfants vieillissent et deviennent plus autonomes pour recommencer à avoir une vie ? N'avait-elle pas d'autres facettes à sa personne ?

Melissa voulait plus, beaucoup plus. Quelque chose qui l'animerait, lui donnerait envie de se réveiller le matin. Quelque chose qui réponde à son besoin criant de création – outre la procréation, bien sûr. Elle n'a pas mis beaucoup de temps à comprendre que lorsqu'elle se plongeait les mains dans la farine, qu'elle mélangeait des œufs avec de la cassonade, qu'elle se retrouvait le visage couvert de sucre en poudre, c'est là qu'elle se mettait vraiment à vibrer. Qu'elle rayonnait de tout son être, qu'elle se sentait vivre.

Cet appel se faisait encore plus pressant et plus audible depuis le décès de son père, survenu trois ans plus tôt. Emporté par un cancer fulgurant en à peine deux semaines, sa mort rapide a laissé Melissa, son frère Leo et leur mère Veronica déstabilisés. Melissa ne s'en est jamais totalement remise. La disparition subite de son père a déclenché une immense remise en question chez elle, qui s'interrogeait déjà sur son avenir dans l'enseignement. Son père, plutôt terre à terre, avait été le genre d'homme à faire ce qu'il aimait. Il était donc parti sans regret, mis à part peut-être celui d'avoir quitté cette planète trop tôt.

Melissa ignorait encore ce qu'elle voulait faire, mais savait que le foyer n'était plus sa place. Elle se projetait dans l'avenir et ne se voyait plus faire le travail d'enseignante. L'heure du bilan avait sonné. Elle ne voulait pas arriver à la fin de sa vie amère de ne pas avoir suivi son instinct, peu importe ce que celui-ci lui dicterait. Que lui disait-il, au fait ? Elle a longtemps cherché avant d'avoir une « révélation ».

Un besoin s'est imposé à elle : celui de vivre intensément, de trouver un sens à son existence, une vocation, et de ne pas juste vivre une vie ordinaire. Depuis qu'elle a compris ce qui l'animait réellement, elle veut vivre sa passion. Plus que jamais.

C'est Anne-Marie qui lui a fait remarquer pour la première fois le bonheur qu'elle irradiait lorsque, après trois heures de travail acharné, elle déposait fièrement sur la table une volée de *cupcakes* à la vanille, couverts de glaçage torsadé bleu, de confettis blancs scintillants et de flocons de neige de fondant. Même si ces derniers étaient engloutis à la vitesse de l'éclair par sa famille, qui s'en régalait en prononçant tout juste un merci entre deux bouchées et en s'extasiant à peine devant la complexité du travail accompli.

Mais de cela Melissa ne se souciait pas. Quand elle cuisinait, elle oubliait tout. Et quand elle offrait enfin le fruit de son labeur aux autres, la joie qu'elle voyait dans leur regard, leur délectation quand ils mordaient dans la pâte sucrée lui suffisaient.

C'est donc grâce à Anne-Marie que Melissa a véritablement pris conscience de sa passion pour les desserts, laquelle, en fin de compte, dépassait le simple « hobby de madame », comme aurait dit Mylène.

Après beaucoup de discussions avec Jean-François, inquiet à l'idée que sa femme ouvre un commerce – une activité on ne peut plus hasardeuse et exigeante –, incertain à savoir si son amour des friandises et des gâteaux serait sérieux ou même rentable, et indécis à l'idée de la voir passer de nombreuses heures à l'extérieur, Melissa l'avait convaincu, et il avait fini par céder. Le bonheur de Melissa lui tenait quand même à cœur, et il voyait bien que l'idée de retourner en enseignement lui puait au nez autant que les couches de la petite Rosalie.

Les médias, qui ne cessaient de parler de coupures, de *burnout* d'enseignants, de désillusion, de personnel à bout de souffle, de réforme scolaire ratée et de situations frôlant la catastrophe dans le domaine de l'éducation, achevèrent de pulvériser les derniers doutes de Jean-François. Même les pâtisseries semblaient avoir un avenir plus prometteur que l'éducation des enfants; c'était peu dire.

Melissa allait finalement utiliser une partie de l'assurance-vie ainsi que l'héritage reçu de son père pour lancer sa *business,* et prendre en parallèle un prêt bancaire, pour éviter de tout dépenser. Tout d'abord, elle ne voudrait pas gaspiller le précieux argent de son père, et si les choses tournaient mal et qu'elle devait tout perdre, cela rendrait sa mère furieuse. Et sûrement son mari aussi.

Melissa a alors réussi à convaincre d'abord Anne-Marie, puis Mylène de prendre part à son projet. Anne-Marie était mariée depuis plusieurs années à Pierre-Luc, PDG assez fortuné d'une compagnie pharmaceutique, qui la faisait pratiquement vivre : elle n'avait jamais réussi à se trouver un emploi dans le domaine du design de mode, qu'elle avait étudié. Sa douce moitié lui avait donc proposé de tout prendre en charge sans qu'elle ait à se sentir coupable. Elle pouvait faire ce qui la tentait. Depuis, elle travaillait à temps partiel comme vendeuse de produits Mary Kay pour se désennuyer et faire semblant d'avoir un revenu à elle.

Et puis, vendre du maquillage, des crèmes et du parfum lui donnait l'impression d'être encore *glamour* et de ne pas s'être trop éloignée de son milieu naturel, même si les tissus demeuraient sa seule véritable passion. C'était bien mieux qu'être une simple secrétaire-réceptionniste. Dans son esprit, en tout cas.

Elle et Pierre-Luc n'avaient jamais pu avoir d'enfant, mais puisque la parentalité ne figurait pas dans leur top 10 des choses à accomplir dans une vie, ils n'avaient pas investigué plus pour connaître la cause de cette infertilité et ils avaient vite fait leur deuil des biberons et des couches pour se consacrer plutôt aux voyages au Mexique ou en Italie. De plus, Nathalie, la sœur d'Anne-Marie, avait trois enfants et la présence de neveux et de nièces était suffisante pour combler le besoin d'enfants dans leur vie.

Anne-Marie a toujours eu une nette préférence pour le blanc et les couleurs pâles, comme le crème, le rose pastel et l'écru. Avec ses cheveux châtain blond courts et frisés, son teint hâlé, ses yeux bleus intenses, elle a des airs angéliques un brin agaçants, mais charmants néanmoins. Pour la taquiner, Mylène la compare souvent au personnage de

Sugar, la lumineuse compagne de Double-Face, dans *Batman forever*, interprétée par Drew Barrymore.

Gentille, *bubbly*, un peu tête en l'air, superficielle et souvent en grand manque d'attention, Anne-Marie n'en demeure pas moins une personne généreuse, agréable à côtoyer et avec qui il est facile de se lier et surtout, de rire.

Quant à Mylène, elle s'est surtout jointe au projet pour aider ses amies, «deux têtes folles» qui, selon elle, ne sauraient même pas comment trouver Trois-Rivières sur une carte sans son aide. Elle s'est décidée à garder son emploi de réviseure juridique à temps partiel et à accorder le reste du temps au projet de Melissa, qui lui permet aussi de sortir de sa propre routine et lui donne l'impression qu'il y a des choses plus excitantes dans la vie que l'accord des verbes.

Mylène, c'est la cynique au franc-parler inégalable qui, aux yeux de certains, peut parfois sembler brusque. Mais c'est une personne fiable, disponible et pleine de bonnes intentions. Elle est douée pour analyser les gens, pointer du doigt leurs défauts avec la précision du chirurgien et les confronter gentiment. Avec elle, on a toujours l'heure juste. Réviseure juridique pour un riche cabinet d'avocats, elle répète souvent à la blague qu'elle est payée une fortune pour changer des virgules de place dans des documents légaux.

Mylène a connu plusieurs hommes dans sa vie, mais l'heureux élu qui pourra chausser son grand pied ne s'est toujours pas pointé. Pour ajouter à sa personnalité colorée et peu conservatrice, Mylène possède une abondante chevelure auburn, épaisse, folle et frisottée telle une crinière, assortie de grands yeux noirs perçants. Généralement habillée chic pour le travail, elle enfile souvent ses vêtements *casual* dès qu'elle le peut.

Lorsque le film *Brave* de Pixar est sorti en salle,

Anne-Marie y a vu une belle occasion, en apercevant la fougueuse princesse rousse irlandaise, de se venger gentiment en traitant Mylène de Princesse Merida dès qu'elle le pouvait.

Avec le désir de changer leurs vies un peu trop stables et ordinaires pour leur goût –, mais surtout pour faire plaisir à Melissa – les trois jeunes femmes ont donc monté leur fameuse boutique où elles vendraient confiseries, cadeaux, *cupcakes* et café. Et c'est ainsi que Miss Caprice est née.

— Alors, tu l'aimes, ton écriteau ? demande Mylène. Il est aussi beau que ce à quoi tu t'attendais ?

— Évidemment, et même mieux maintenant qu'il est en 3D !

— Comme si Melissa pouvait produire quelque chose de laid, rigole Anne-Marie. N'est-ce pas, les gars ?

Pierre-Luc et Leo sourient sans dire un mot. Sous le soleil d'avril et malgré sa déception quant à l'absence de Jean-François et des enfants, Melissa sourit en se disant que c'est le début d'une nouvelle partie de sa vie et que les choses ne pourraient mieux aller.

Chapitre 1

Sept heures trente, le soleil est levé depuis longtemps. Melissa est debout, à travailler dans la cuisine depuis quatre heures du matin. Pourquoi a-t-elle décidé d'ouvrir la boutique aussi vite, déjà ? Elle est pourtant du genre organisé d'habitude, mais là, il lui semble qu'une tonne de choses restent à faire avant l'ouverture. Elle jette un œil à l'horloge murale ornée de fioritures métalliques et de faux vert-de-gris. Plus qu'une heure trente ! Aussi bien dire minuit moins cinq. Anne-Marie devrait arriver d'un instant à l'autre pour finaliser les derniers détails et tout installer dans le présentoir. Mylène sera là plus tard dans la journée – elle ne pouvait se libérer plus tôt : un contrat urgent et très important.

Melissa ferme les yeux et respire un grand coup pour se calmer. La sonnerie du four retentit brusquement, la ramenant à la réalité. Elle se précipite pour sortir les gâteaux. Juste à temps, une odeur louche de roussi commence tout juste à se pointer.

Le four fonctionne à plein régime depuis un bon moment, il doit sûrement être trop chaud. Melissa baisse légèrement la température. À travers les moules en papier des *cupcakes* à la vanille, Melissa devine que le fond a commencé à brûler. Peut-elle vraiment servir des pâtisseries qui ne sont pas impeccables à son premier jour ? Ou n'importe quel jour, à ce titre. Inadmissible, selon les critères de perfection de Melissa. Pourquoi ne pas servir de la bouffe à chien aux clients, tant qu'à faire ? D'un autre côté, elle ne peut se permettre de ne pas servir quelque chose qui figurait déjà au menu !

Une saveur aussi classique que la vanille, en plus. Inacceptable. Melissa grimace devant son dilemme. Avoir des produits préparés le matin même a certainement l'avantage de la qualité, mais il ajoute la difficulté et le stress de devoir tout produire à la perfection dans un délai très court !

Melissa, qui, en son for intérieur, se maudit d'être toujours aussi perfectionniste, sait bien que c'est plus fort qu'elle. Si elle ne sert pas des produits impeccables, elle va passer la journée à angoisser et à ruminer sur les implications possibles d'un tel geste, susceptible de provoquer une catastrophe nucléaire. Même si elle tente de relativiser, qu'elle se doute que ça ne causerait pas un tsunami et qu'elle est peut-être la seule à se soucier de ce détail, Melissa ne peut s'en empêcher. Combien de fois son père l'a-t-il agacée avec ça ? Son tempérament artistique prend le dessus chaque fois qu'elle produit quelque chose. Mieux que ça : il lui procure de la fierté quand elle atteint ses objectifs.

Melissa consulte une nouvelle fois l'horloge et ses aiguilles. Si elle se contente d'une demi-recette pour les petits gâteaux à la vanille, il y en aura deux fois moins que ceux des autres saveurs, mais elle aura le temps de les préparer, de les cuire et de les décorer sans mettre tout le reste de la production du jour en péril. Oui, elle a trouvé son compromis. Elle se dépêche d'amorcer une nouvelle fournée.

Les notes endiablées de Bon Jovi, qui joue à la radio, lui redonnent de l'énergie. Elle se surprend à fredonner les paroles de *Livin' on a prayer*. *Whoaaaaa… we're half way theeeeeere… Whoaaaaa… livin' on a prayeeeeeer…*

Fidèle à son intuition, Melissa voit encore un bon présage dans ces paroles. Elle aime voir des signes de bon augure dans tout. Melissa tient bien de sa mère, toujours à la recherche de signes de toutes sortes.

Rapidement, elle a préparé son mélange et l'a mis au four. Une affaire de réglée. Melissa fait une nouvelle fois le décompte des *cake pops* et des biscuits en les installant dans le grand présentoir de verre. Tout va bien de ce côté-là. Il faut dire que Mylène les avait déjà comptés la veille et que là-dessus, elle est d'une fiabilité sans nom.

Pour la troisième fois depuis le matin, Melissa révise le menu écrit sur le grand tableau en ardoise noire vissé au mur. Être sûre qu'il ne manque de rien. Elle passe mentalement en revue les saveurs de tous les *cupcakes*, les glaçages, les *cake pops,* les biscuits, les cafés, les macarons et les bonbons.

Les sacs de dragées blanches et argentées, dans des emballages de tulle, qui doivent être donnés en cadeau pour la journée d'ouverture, sont posés près de la caisse. En espérant qu'il y en aura assez.

Elle soupire. Et dire que son fournisseur de café et de chocolat chaud n'est toujours pas arrivé alors qu'elle aurait dû les recevoir il y a deux jours! On lui avait promis qu'il devait être là tôt ce matin. En retard deux fois plutôt qu'une. Ça va être brillant, se dit-elle, d'offrir des gâteaux et des biscuits sans café! La compagnie lui a assuré que pour remédier au retard, elle prendrait un sous-traitant, son propre livreur étant visiblement débordé. Melissa soupire en se disant que dans le pire des cas, elle enverra Anne-Marie en acheter au magasin le plus proche. Pas la meilleure solution, mais c'est mieux que rien.

Le long du mur en face du comptoir, les boîtes de plexiglas contenant les bonbons en vrac et les grandes cuillères en métal sont bien installées. Les menthes côtoient sagement les réglisses, les arachides enrobées de chocolat, les jujubes multicolores et autres confiseries. Tout est en ordre de ce côté-là.

Les sacs, les boîtes pour emporter, les serviettes jetables, les tasses en grès et en carton ciré, les soucoupes, les ustensiles, il semble qu'il ne manque de rien. Et puis, comme dit sa mère, Veronica : « On nagera rendus à la rivière. » Reporter indéfiniment l'ouverture du commerce n'y aurait rien changé, rien n'aurait jamais été assez parfait pour Melissa, de toute façon. Elle doit simplement plonger et espérer que tout ira pour le mieux.

Le bruit de la clé dans la serrure de la porte d'entrée, suivi du tintement de la sonnette, la tire de sa rêverie. Anne-Marie arrive, les bras chargés d'accessoires et de tissus. Par chance, il ne reste pas trop de détails à finaliser dans la vitrine.

— Bon matin ! lance Anne-Marie, toujours aussi joviale.

— Ça reste à voir ! rétorque Melissa.

— Qu'est-ce qui se passe encore ? soupire Anne-Marie, habituée aux angoisses de Melissa. Les sacs-poubelle ne sont pas de la bonne couleur pour s'harmoniser avec tes teintes de glaçage ?

— Ah… rien de particulier, répond Melissa, en secouant les bras dans les airs. Il me semble qu'il y a plein de petits détails qui me restent à régler. J'ai l'impression que je ne serai jamais prête !

— Ouvrir un commerce, c'est comme un accouchement, tu auras beau te préparer autant que tu veux, tu ne seras jamais parfaitement prête. C'est toi-même qui l'as dit.

— Ça, c'était il y a une semaine, quand j'avais encore du temps et que je pouvais encore m'imaginer relaxer. Me semble que si je pouvais aller me cacher dans le trou du lavabo et faire semblant que je n'ai jamais annoncé l'ouverture aujourd'hui, je le ferais.

— Trop tard, on a mis des affiches partout dans le quartier pour l'annoncer.

— Je sais! Tu m'énerves!

— T'inquiète, on est lundi matin. C'est pas comme s'il y avait une foule de gens qui allaient se précipiter dans la porte comme une marée humaine et dévaliser nos biscuits. On sort tout de même pas le dernier modèle d'iPhone.

— C'est sûr.

Comme à son habitude lorsqu'elle est anxieuse, Melissa ferme les yeux et prend une grande inspiration. Elle se sent comme au premier jour de son stage en enseignement, alors qu'elle devait parler devant une classe de troisième année. Elle n'avait qu'une envie: que le sol s'ouvre sous ses pieds et la fasse disparaître à tout jamais dans un gros trou de lave bouillante.

Elle se sent exactement comme cela en ce moment: prête à disparaître à la première occasion. L'entrée d'oxygène dans son cerveau la calme instantanément. Elle utilise les exercices de visualisation qu'on lui a enseignés et s'imagine être à un endroit qu'elle aime. La plage de Floride, à Tampa Bay, où elle allait avec sa famille lorsqu'elle était enfant, avec un coucher de soleil digne des affiches de motivation, lui redonne du courage. « Merci, cours de yoga maman-bébé », pense-t-elle.

— Bon, on termine l'assemblage de la vitrine? lance Melissa.

— J'ai ce qu'il faut, répond Anne-Marie.

Elle sort alors de son sac des bandes de tissu jaune pastel et vert pâle, des fausses tulipes jaune serin et des boîtes de bois rustiques à la peinture faussement écaillée.

— Excellent! Ce sera génial pour notre spécial « Fête des Mères ».

Comme d'habitude, Anne-Marie a de véritables doigts de fée pour transformer n'importe quelle pièce de textile en grosse boucle ou en rideaux ornés de plis savamment disposés, une simple feuille de papier en collerette dentelée ou de la paille en rubans décoratifs.

Elle s'est occupée presque entièrement seule de la déco de la boutique. Pour plaire aux goûts d'Anne-Marie, les planchers de tuiles et les murs sont d'un blanc immaculé. Des lustres noir et rose, ornés de perles de verre, pendent au plafond. Les bancs capitonnés et les tables en vinyle n'échappent pas à la dominance de blanc. De grandes boules couvertes de fausses fleurs blanches et des orchidées roses complètent le tout.

— Plus *girly* que ça, tu meurs! s'était écriée Mylène en riant.

Les deux femmes s'attellent aussitôt à la tâche dans la vitrine, toujours invisible de l'extérieur cachée par des tentures opaques. Le temps continue de passer à une vitesse folle. Mais la vitrine est mise en place avec efficacité.

Elle est rapidement décorée de tulipes jaunes dans des vases de verre, de tissus verts et jaunes disposés en arrière-plan et tombant par terre, de boîtes similirustiques sur lesquelles sont posés des présentoirs avec de faux *cupcakes* et de faux macarons blancs, jaunes et verts.

— Tu as apporté la monnaie pour la caisse? demande soudain Melissa.

Anne-Marie fige brusquement, alors qu'elle place des pots remplis de bonbons près des boîtes. Melissa voit son regard vide, comme la grosse ligne verte qui traverse l'écran d'un moniteur cardiaque en faisant « biiiiiiiiiiiiiiiiiiiiiiiiiiiiiiii iiiiiiiiiip... », et se dit que c'est mauvais signe.

Un regard qui dit très clairement « Crotte! J'ai complètement oublié! »

— Dis-moi que tu l'as apportée ! s'écrie Melissa, pani-quée. Bon sang, mais il faut que je pense à tout !

— Euh… j'ai comme un peu oublié.

— Un peu ? On ne peut pas « un peu oublier » !

— OK, bon, tu ne vas pas me fatiguer avec le sens des mots, là ! En tout cas, j'ai pas le temps de retourner chez moi chercher les rouleaux de sous avant l'ouverture.

— Merde, mais qu'est-ce qu'on va faire ? La banque ouvre seulement à dix heures ! Et nous, on ouvre à neuf heures !

— Attends, je vais regarder dans mon porte-monnaie, peut-être que j'en ai.

Melissa soupire à nouveau alors qu'Anne-Marie se dirige vers sa sacoche. Elle décide d'aller aussi vérifier de son côté pour aller grappiller les quelques cents qui s'empoussièrent probablement dans la pochette de son porte-monnaie.

— J'ai un deux dollars, deux cinq sous, trois dix sous et un vingt-cinq sous, dit Anne-Marie.

— Mouais… moi, j'ai un dollar, trois cinq sous et deux vingt-cinq sous, rétorque Melissa.

— Ça devrait être suffisant pour aujourd'hui, non ?

— Meh… on n'ira pas loin avec ça.

— Ben là, tout le monde paye avec sa carte, maintenant, dit Anne-Marie. Presque plus personne ne paye comptant.

— N'assume surtout pas ça ! Tu ne sais jamais qui peut franchir les portes de la boutique. Il faut toujours parer à toute éventualité.

Anne-Marie a envie de grogner. Qu'est-ce que Melissa peut lui tomber sur les nerfs, des fois, avec son côté mélo-dramatique ! D'un côté, Melissa est toujours aussi intransi-geante, mais d'un autre, elle a probablement raison : il suffit qu'une personne ne parvienne pas à réunir la monnaie exacte pour qu'elle prenne toute l'équipe pour une bande de zoufs amateurs. Et si un client sort mécontent du commerce, il risque de ne jamais y remettre les pieds. La première impression est souvent celle qui reste. Les gens peuvent être des chialeux impénitents de niveau olympique.

Anne-Marie sort son téléphone cellulaire de sa sacoche.

— Qu'est-ce que tu fais ? demande Melissa.

— Je vais essayer de joindre madame Pinson. Elle a les clés du *penthouse,* elle pourrait passer chercher les rouleaux et venir nous les porter rapidement.

— Euh… c'est pas ta voisine de soixante-dix ans qui se demande encore où sont passés les Expos ?

— Oui, mais elle est super serviable.

— Tu es sûre qu'elle est capable de se rendre de Ville Saint-Laurent jusqu'ici sans se perdre et aboutir au lac Nominingue ?

— Tais-toi donc, elle n'est pas si pire que ça, réplique Anne-Marie tandis que ça sonne à l'autre bout de la ligne.

Melissa lève les yeux au plafond. Leur dernier espoir d'avoir assez de monnaie à temps réside entre les mains d'une femme qui a du mal à faire la différence entre une télécommande et une lampe de poche.

— Bonjour, madame Pinson ? C'est Anne-Marie ! Oui, je peux vous demander un petit service ? Vous pourriez aller dans notre maison et aller chercher les rouleaux de monnaie qui sont sur la table du salon ?

Anne-Marie fait une pause, écoute attentivement la réponse de madame Pinson sous les yeux écarquillés et attentifs de Melissa, qui attend comme si on lui promettait la confirmation de la découverte de vie intelligente sur la planète Mars.

— Non, dit Anne-Marie dans le combiné, pas des

rouleaux de printemps, des rouleaux en plastique contenant de la monnaie. Oui, sur la table du salon. Celle qui est brune.

Melissa ravale son envie de dire des gros mots. Encore une heure avant l'ouverture : jamais elles n'auront ce qu'il faut à temps. Pas de monnaie, pas de café, pas de chocolat chaud ! « Pas de panique ! » se répond-elle intérieurement. « Relativise. Personne ne va mourir de ça. Il y a pire ailleurs dans le monde. Tu n'es pas en Afghanistan, ici. »

— Oui, vous les avez ? Vous pouvez venir nous les porter ici ? poursuit Anne-Marie à voix très haute avec sa voisine, dure de la feuille. Ce serait assez urgent. Je vous donne l'adresse. Je vous assure que je vous revaudrai ça. Tiens, je suis sûre que mon amie acceptera de vous donner une boîte de *cupcakes* pour vos efforts.

Au même moment, Melissa sursaute. Ses *cupcakes* à la vanille n'ont pas été glacés ! Elle les a complètement oubliés ! Elle bondit vers la cuisine pour s'y mettre. Anne-Marie devra se débrouiller seule avec sa vieille voisine fêlée et ses rouleaux de monnaie.

— N'oublie pas de lui dire qu'on est à Sainte-Rose de Laval, murmure Melissa à l'oreille d'Anne-Marie. Et puis tant qu'à faire, dis-lui aussi que Laval, c'est une île.

Anne-Marie la chasse d'un geste agacé de la main comme on éloigne un moustique.

Melissa se précipite en cuisine pour terminer sa brassée de gâteaux et étendre le glaçage, des fleurs en sucre d'iso-malt – ça fait tellement printanier – ainsi que des petites perles de sucre nacré. En attendant, Anne-Marie, qui en a fini avec sa voisine, est montée sur un escabeau, et installe des collerettes en papier coloré ainsi que les derniers cadres à fioritures où les prix des bonbons en vrac sont affichés. Plus que quarante minutes avant l'ouverture.

De derrière le comptoir, Melissa a cru apercevoir quelques personnes qui semblaient passer et repasser devant la porte d'entrée, comme si elles rôdaient autour et attendaient effectivement l'ouverture des portes. Son estomac se noue et ses mains se mettent à trembler. Ses premiers clients !

Soudain, la sonnette de la porte arrière retentit.

— Bon sang, ne me dis pas que madame Pinson s'est trompée de porte ! Qu'est-ce qu'elle fout à l'arrière ? s'exclame Anne-Marie.

— Non, je parie que c'est le livreur de café et de chocolat chaud. Il était temps ! Tu peux t'en occuper ? Il me reste encore plein de trucs à installer pour le moment.

— Pas de problème. Et évite de te faire éclater une veine dans le front en attendant, d'accord ?

— Ouais… et n'oublie pas de vérifier toute la commande avant que le livreur reparte ! Et que tout est en bon état avant de signer quoi que ce soit !

— Pfff… tu me prends pour qui ?

Anne-Marie se dirige vers l'arrière-boutique et slalome entre les boîtes pour aller à la porte arrière. Elle ouvre la porte à un homme d'un certain âge, vêtu d'un uniforme bleu et portant une casquette de la même couleur. Il pousse un diable où s'empilent des cartons qui semblent peser trois tonnes chacun.

— Bonjour ma p'tite dame !

Anne-Marie fait un sourire forcé pour cacher la grimace qu'elle a envie de faire. *Ma p'tite dame.* Ce n'est pas mal intentionné, mais elle n'aime pas se faire appeler ainsi. Il y a quelque chose de vaguement paternaliste dans le fait de se faire qualifier de p'tite, et associé au mot « dame », en plus, comme si elle était une personne du troisième âge. Pour Anne-Marie, une p'tite dame, ça a soixante ans passés, et ça joue au Bingo dans un jogging vert menthe en faisant bouger son dentier dans sa bouche.

— Alors, je vous mets tout ça où ?

— Mettez ça ici, s'il vous plaît, dit Anne-Marie en désignant un espace libre.

« Melissa va peut-être pouvoir respirer, maintenant ! » se dit Anne-Marie en songeant que si son amie ne se calme pas le pompon, elle va finir par lui faire avaler un paquet de Valium avant la fin de la journée.

Avant de signer le bon de livraison, Anne-Marie vérifie les boîtes, histoire d'être bien sûre que tout est beau et de ne pas se faire passer un savon par madame la perfectionniste.

— Mais… ce n'est pas la bonne chose ! s'exclame-t-elle.

— Ah non ? Vous êtes sûre de ça ?

— Ben là… ce sont des boîtes de clous !

« Où est-ce qu'il a vu qu'un commerce de pâtisseries et de café vendait des clous, espèce de sombre crétin ! »

— Ah… ben…

Le livreur reste planté là, à se gratter la tête et à fixer les cartons du regard, comme si, en se concentrant bien, cela pouvait transmuer leur contenu comme par magie. Mais l'homme est loin d'être Jésus et d'avoir le pouvoir de changer l'eau en vin. Et encore moins les clous en sachets de café.

— Vous savez, moi, je livre toutes sortes de trucs. Je fais pas tellement attention à ce qu'il y a dans les boîtes.

« Ça paraît ! » pense Anne-Marie, sans oser le dire, de peur de mettre le bonhomme en rogne.

— Bon, mais alors, allez les chercher dans votre camion, nos affaires ! lance-t-elle, alors que la moutarde lui monte au nez.

— Euh… ouais. Hum… une minute.

L'homme sort avec son diable et ses cartons. Légèrement inquiète de voir la vitesse de réaction du livreur, comparable à celle d'un escargot paralytique, Anne-Marie suit ce dernier jusqu'à son camion.

Lorsque ce dernier ouvre la porte arrière du véhicule, Anne-Marie manque d'avoir une attaque! Le véhicule est plein à craquer de marchandises à livrer! Elle prie intérieurement pour que leur livraison soit située vraiment très proche de la porte et non pas dans le fond, prise entre les trois palettes de siphons de toilette, de tapettes à mouches ou de scies sauteuses, empêtrée dans les sangles qui tiennent le tout en place et l'empêchent de bouger, rendant le reste des caisses aussi inaccessibles que le temple maudit d'Indiana Jones au milieu de la jungle.

Le livreur se déplace lentement dans son camion, sortant ses lunettes puis les déposant sur le bout de son nez, s'approchant le visage à trois centimètres des étiquettes de chaque carton. Anne-Marie regarde sa montre : dix minutes avant l'ouverture. Elle soupire et se passe la main sur le front et les yeux.

Comme elle connaît Melissa, celle-ci doit bien être au bord de la crise d'apoplexie à se demander pourquoi la livraison est si longue. Elle est sans doute aussi en train de s'inquiéter à savoir si Anne-Marie n'aurait pas été enlevée par le livreur, ne serait pas tombée dans un conteneur à déchets par accident ou n'aurait pas été écrasée sous une colonne de sacs de farine.

Anne-Marie désespère en regardant son livreur se promener dans le camion, déchiffrer chaque étiquette comme s'il devait à tout coup percer le secret de la Caramilk. S'il en allait ainsi de toutes ses livraisons, l'homme pouvait bien être en retard d'une bonne heure. Sans compter le retard de deux jours.

— Pourriez pas m'aider, ma p'tite dame ? demande-t-il enfin.

Anne-Marie fige sur place. D'abord, parce qu'il l'a encore appelée par ce surnom ridicule et hideux. Ensuite, parce que, fidèle à son habitude, Anne-Marie est vêtue de blanc. Or, l'intérieur du camion est rempli de saleté. Et puis, est-ce qu'elle a l'air d'un lutteur sumo ? La plupart des caisses doivent bien peser aussi lourd que cinq ou six boules de quilles.

Elle hésite. Elle a le choix de ne rien faire et de risquer que Melissa fasse une crise d'angoisse parce que le chocolat chaud n'arrive pas assez vite et que l'ouverture a lieu dans peu de temps, devant des hordes de clients affamés et enragés. Et comme elle connaît Melissa, l'idée d'ouvrir avec ne serait-ce qu'une minute de retard la première journée serait à la limite du blasphème dans son univers hyper-contrôlé. Elle a aussi le choix d'aller dans le camion rempli de poussière pour risquer de salir sa robe blanche.

Après une courte réflexion, elle se dit que faire une tache sur ses vêtements est moins dangereux que subir une crise d'hystérie de Melissa. Et puisque ce sera en partie de la faute de son amie si elle devait se salir, elle n'aurait qu'à lui réclamer le remboursement des frais de nettoyeur, tiens. Ça lui apprendrait à être hystérique et à avoir des attentes démesurées envers ses amies. Avoir su que de faire ce travail pouvait être salissant à ce point, elle aurait apporté des vête-ments de rechange. Monter des vitrines occasionne sa part de salissage, mais pas autant que monter dans ce bazou poussiéreux ! Elle avait naïvement pensé que de ne pas œuvrer dans la cuisine la protégeait de la possibilité de se tacher. Elle se dit qu'elle devrait renégocier cela dans son contrat avec Melissa et faire ajouter une « clause de non-salissage » ou garantir une compensation financière en cas « d'outrage aux vêtements ».

Faisant contre mauvaise fortune bon cœur, Anne-Marie grimpe, grâce à ses échasses, avec l'agilité d'un hippopotame. Elle maugrée contre la situation, la marche du camion trop élevée, ses talons trop hauts et sa robe qui, vu les circonstances, paraît subitement trop courte. Elle espère qu'un coup de vent n'en profitera pas pour se manifester malencontreusement, comme dans les comédies, et dévoiler ses sous-vêtements.

C'est vrai qu'à part le livreur, il n'y a que les chats et les sacs-poubelle qui verraient ses petites culottes, mais elle sait que son ego en prendrait un petit coup.

— Alors, vous n'avez toujours pas trouvé ? demande-t-elle, vaguement découragée.

— Vous pourriez regarder dans le coin là-bas ? Moi, j'ai mal dans le dos, j'ai du mal à passer par-dessus ces palettes…

« Bon sang, mais qu'est-ce qu'il fout à être livreur, lui ? Pourquoi n'est-il pas à la retraite, s'il n'est même pas fichu de fouiller dans son propre camion ? Je commence à croire que Melissa a raison : on n'est jamais mieux servi que par soi-même ! »

Continuant de grommeler entre ses dents, Anne-Marie enjambe les palettes et les cartons. Elle tente maladroitement d'escalader le tout et de toucher les boîtes et les étiquettes de livraison du bout des doigts, pour se donner l'impression qu'elle peut encore faire tout cela sans se salir.

Anne-Marie est grimpée sur une caisse, accroupie et agrippée à une sangle comme Tarzan à sa liane, tentant de décrypter les inscriptions sur les boîtes et maudissant l'univers entier du même coup. Il y en a, des informations, sur un aussi petit morceau de papier. Quelle idée stupide de s'embarquer là-dedans, aussi !

— Mais qu'est-ce que vous foutez ?

Anne-Marie glisse et perd l'équilibre en entendant la voix de celle qui lui crie dessus. Elle attrape une courroie de justesse pour éviter de tomber sur le livreur-escargot. Lequel ne détesterait pas qu'une femme telle qu'Anne-Marie lui tombe dessus. C'est Melissa qui, comme prévu, s'est fatiguée de piaffer dans sa cuisine et s'est pointée pour voir si le monde n'était pas en train de s'écrouler ou d'être aspiré dans un trou noir derrière sa boutique.

— Mais ne hurle pas comme ça ! J'ai failli m'estropier, moi ! rétorque Anne-Marie.

— J'ai trouvé votre commande, madame ! s'écrie le livreur.

« Sauvée par la cloche ! Ou plutôt par le livreur ! » songe Anne-Marie.

— En passant, dit Melissa, Professeur Tournesol est arrivée.

— Hein ?

Anne-Marie met quelques secondes à piger qu'il est question de sa voisine.

— D'accord, j'arrive.

Elle se précipite pour s'extirper de ce milieu poussiéreux et s'élance dans la boutique, comme si elle avait un chien à ses trousses. Elle n'est pas fâchée d'être sortie de là. Le livreur prend enfin les bonnes boîtes et les apporte dans l'arrière-boutique, sous le regard toujours aussi vigilant de Melissa.

Plus que quelques minutes avant l'ouverture. Anne-Marie peut enfin ranger sa monnaie dans le tiroir-caisse.

Melissa sent des bouffées de chaleur et la nausée l'envahir. Pourquoi fait-elle ça, déjà ? Elle a soudain l'impression de se tenir au bord du précipice, et de devoir sauter sans parachute. Et si ça ne marchait pas ? Si quelque chose allait tout croche ? Et si elle perdait tout ?

Non... ne pas penser à ça. Une chose à la fois, un jour à la fois. Ne pas songer au malheur. C'est bien ça qu'elle voulait faire. Elle est précisément là où elle voudrait être en ce moment. Se concentrer là-dessus et plonger, espérer le meilleur.

Elle envie son amie Mylène, qui ne semble jamais nerveuse, à qui rien ne fait jamais peur, et qui voit le positif dans presque toutes les situations. Si elle était là, elle la rabrouerait sûrement en lui disant quelque chose comme : « Arrête de t'imaginer que la Terre tourne autour de toi ! Que veux-tu qu'il arrive ? Que la foudre tombe sur ton magasin ? Te tourmenter ne te servira à rien. Maintenant, go ! Fais une femme de toi et vas-y ! »

Au moment où Anne-Marie déverrouille enfin la porte d'entrée, Melissa embrasse du regard cet endroit dont elle a tant rêvé et qui enfin voit le jour ; ses yeux s'arrêtent soudain sur l'escabeau qui traîne encore, appuyé contre le mur, entre deux tables. Elle s'empresse d'aller le chercher, mais n'a pas vraiment le temps de le traîner jusqu'à l'arrière-boutique, à l'autre bout. Elle se dépêche de le cacher derrière un des rideaux, sur le rebord de la vitrine.

Elle prend une grande inspiration. C'est le moment de briller.

✿ ✿ ✿

L'ouverture s'est faite de manière pas trop chaotique. Melissa et Anne-Marie ont dû chercher des articles un peu partout, ayant oublié où elles les avaient rangés. La caisse a hurlé sa vie à quelques reprises lorsque les deux femmes, qui n'ont pas encore apprivoisé ce monstre couvert de chiffres et de boutons, appuyaient sur la mauvaise touche. Mylène est arrivée vers midi.

Pierre-Luc est venu faire une visite sur l'heure du lunch, et a même apporté un splendide bouquet de fleurs aux trois femmes pour célébrer cette première journée.

En fin d'après-midi, Melissa ramasse des trucs en cuisine pendant qu'Anne-Marie inventorie le contenu de la caisse. Tout s'est relativement bien passé. Évidemment, il n'y a pas eu de foule gigantesque, comme l'avait prédit Anne-Marie. Mais les affiches partout dans le quartier, avec la promotion d'ouverture annonçant rabais et cadeaux, ont manifestement attiré l'attention.

Madame Pinson est restée quelques heures, afin de déguster – avec un rabais accordé par les filles – quelques sablés avec son café, qu'elle trouvait par ailleurs très *fancy*. Et elle est repartie peu de temps après avec sa boîte gratuite de *cupcakes*.

— Est-ce que mademoiselle Lachance vous a déjà dit comment j'ai eu un aussi beau condo que le sien alors que je n'ai jamais été riche ? lance madame Pinson à Melissa, à la faveur d'une accalmie.

— Euh... non.

— Il y a une quinzaine d'années, je me suis fait opérer à la hanche. Le médecin devait me poser une prothèse. Mais il a oublié un instrument dans ma hanche avant de refermer et ça m'a causé des problèmes de santé terribles ! Je l'ai poursuivi et j'ai obtenu un bon petit magot qui m'a permis de me payer un bel appartement tout luxueux avec une mise de fonds extraordinaire ! Je serai confortable jusqu'à la fin de mes jours là-dedans !

— Ah… euh… intéressant.

— En plus, ils ont dû m'opérer une seconde fois pour tout arranger et ils m'ont fait une cicatrice vraiment moche ! Moi qui ai été une danseuse étoile aux Grands Ballets Canadiens ! Une de leurs premières élèves ! Regardez ça !

Sur ce, madame Pinson se lève et baisse son pantalon pour exhiber à Melissa la cicatrice honnie, mais si lucrative.

— Euh… non, non, ça va ! s'écrie Melissa en se cachant presque le visage. Vous pouvez remonter votre pantalon !

Madame Pinson s'exécute, alors que Melissa rougit, soulagée qu'il n'y ait eu qu'un autre client, trop occupé à lire les prix des bonbons pour s'apercevoir de quoi que ce soit. Melissa espère qu'elle n'aura pas souvent la visite de madame Pinson si elle prévoit se déshabiller ainsi.

Le moment le plus rempli d'action a été quand un enfant plutôt turbulent a aperçu l'escabeau derrière le rideau et l'a fait tomber sur une table, faisant voler des miettes de biscuits, des jujubes et des ustensiles ici et là.

Avant que Mylène, peu habituée au chaos de la vie avec des enfants, ne perde patience et n'assène une bonne mornifle en arrière de la tête du fautif – ce qui ne serait pas très bon pour la *business*, surtout un premier jour –, Melissa s'est rapidement interposée. Bien qu'elle aussi ait eu la brusque envie de prendre le petit garçon et de le lancer tête première par la porte, avec sa mère qui ne levait pas l'ombre d'un doigt pour le contrôler alors qu'il plongeait allègrement ses mains crottées dans les conteneurs de bonbons en vrac, elle a su se contenir.

Elle a gentiment et poliment parlé à la mère, laissant

Anne-Marie fulminer en ramassant l'escabeau et le dégât. Elle a réussi à contrôler le petit démon en l'assoyant sur une chaise et en lui donnant des petits Lego, qu'elle conservait secrètement sous la caisse, et en lui promettant de lui donner un cadeau s'il parvenait à lui construire un vaisseau spatial avec à peine dix morceaux.

La tactique a fonctionné à merveille. Peu de temps après, la mère et sa petite tornade chevelue sont parties, laissant tout le monde pousser un soupir de soulagement et une pyramide de Lego difforme.

En une journée, Melissa, Anne-Marie et Mylène ont vendu une bonne partie de leur production du jour, mais ont dû se départir d'une partie des bonbons en vrac, « contaminés » par le petit diable en culottes courtes et quelques autres personnes peu scrupuleuses, qui se sont amusées à piger d'un contenant à l'autre sans faire trop attention. Melissa a songé à une solution pour rendre les friandises en vrac moins aisément accessibles aux petits.

Bien entendu, Jean-François ne s'est pas pointé le bout du nez avec les enfants, mais Melissa commence à avoir l'habitude. Jean-François n'a jamais été une personne très sociable, préférant rester à la maison, confortable dans son cocon et ses pantoufles. Un peu déçue, elle ne lui en veut toutefois pas trop, elle sait comment il est. Elle a de moins en moins d'attentes à son égard et a appris à accepter cet aspect de sa personnalité, même si elle aurait souhaité qu'il fasse un effort.

— Et la première journée est faite ! s'exclame Mylène en rangeant son balai. C'est pas si mal, non ?

Anne-Marie sourit. Une chance que Mylène et son indécrottable optimisme sont là. Melissa et Anne-Marie sont littéralement fourbues.

— On a survécu ! lance Melissa en sortant et en verrouillant la porte derrière elle. Un premier pas est fait.

— Dormez bien, les filles ! répond Anne-Marie.

— À demain !

Le sort en est jeté, la roue a commencé à tourner. Demain est un autre jour.

Chapitre 2

Presque un mois s'est écoulé depuis l'ouverture de la boutique Miss Caprice. Les filles ont fini par apprivoiser leur caisse enregistreuse, qui a cessé de constamment leur hurler dans les oreilles comme une sirène de pompier en délire. À force de se présenter tous les matins aux aurores, Melissa a perfectionné la technique de production de ses pâtisseries, si bien qu'elle a reculé son arrivée au magasin de presque quarante-cinq minutes. Une nouvelle situation qui plaît beaucoup à Jean-François, qui se retrouvait à s'occuper seul des trois enfants le matin et était épuisé avant même d'entamer sa journée de travail. Et Melissa continue ainsi d'avoir des pâtisseries fraîches quotidiennement – un *must* pour elle, bien entendu.

Mylène a pris les rênes de la gestion des stocks et de l'argent avec brio. Elle a secoué les puces à la compagnie de livraison qui avait fait défaut à l'ouverture et la situation ne s'est plus reproduite. On s'est empressé de corriger le problème, car Mylène est capable d'être carrément terrifiante quand elle s'y met. Certaines mauvaises langues à l'école secondaire l'avaient d'ailleurs surnommée Mylène-la-hyène, et elle a repris ce sobriquet avec une fierté un soupçon malsaine et provocatrice, dans le but de désamorcer les critiques. Ses détracteurs sont des gens peureux ou trop sensibles, selon elle, incapables d'apprécier sa force de caractère.

Elle a donc obtenu de la compagnie de livraison d'avoir toujours le même livreur : un certain Régis Lafontant, un

Haïtien né au Québec, le type le plus travaillant de son service, infatigable et ponctuel comme le geyser Old Faithful. Mylène est d'une efficacité redoutable, une femme d'affaires dans l'âme. Elle pense à tous les aspects pratico-pratiques avant même que les problèmes ne se pointent à la porte. Elle a beau exercer son métier de réviseure juridique à temps partiel, sa présence au magasin est devenue absolument indispensable et permet à Melissa de se concentrer sur les aspects qu'elle aime vraiment, dont la création culinaire.

Elle met au point des nouvelles saveurs pour chaque mois à venir : de citron-chocolat à citrouille et cannelle. Elle pense aux produits nouveaux et originaux qu'elle pourrait ajouter à son répertoire. Aux nouvelles formes décoratives qu'elle pourrait donner à son crémage ou à son fondant. Et Melissa s'amuse comme une enfant derrière son comptoir et devant ses fourneaux.

Dès que Pierre-Luc a entendu parler des inquiétudes de cette dernière quant à la survie de ses vêtements – et contemplant sans doute les nombreuses factures de nettoyeur à sec qu'elle devrait payer –, il a pris les choses en main. Pierre-Luc s'est aussitôt mis en tête de faire fabriquer des uniformes pour les trois demoiselles. Anne-Marie n'a pas manqué de prendre le contrôle des opérations, s'assurant que ces derniers ne seraient pas que des simples tenues moches et sans personnalité.

Son côté *fashion maniac* d'ex-étudiante en mode a vite pris le dessus. Pas question d'avoir l'air d'employées d'entrepôt dans ces trucs ! Dans le livre d'Anne-Marie, la mode vestimentaire ne doit être sacrifiée sous aucun prétexte, ni même l'utilitaire. Elle s'est donc assurée que les tenues mettaient bien en valeur les attributs physiques féminins de celles qui allaient les porter. La coupe est donc ajustée au niveau de la taille par une mince ceinture noire et rehausse la poitrine, permettant du coup de ne pas restreindre la cage thoracique. Le tissu des chandails roses tombe juste parfaitement, et pas mollement telle une guenille, comme le font les uniformes des traiteurs. Un tablier rose et blanc avec une poche sur le devant peut être porté également, au choix de la propriétaire.

Le nom « Miss Caprice », avec ses fioritures en broderie blanche, se découpe sur le côté gauche du buste. Même les chapeaux blancs, obligatoires dans les commerces du genre, ont du cachet.

Si Musset avait déclaré qu'« on ne badine pas avec l'amour », Anne-Marie, elle, affirmait qu'on ne badine pas avec la mode. Pierre-Luc, toujours aussi empressé de satisfaire sa belle, s'est plié à toutes ses exigences, un sourire en coin. La voir heureuse – et surtout calme, ce qui ne lui arrive pas souvent – a toujours été dans ses priorités. Qu'importe le prix, il pouvait le payer. Cela compense les nombreuses heures qu'il passe au bureau et où Anne-Marie se retrouve seule.

Pierre-Luc n'épargne rien pour faire plaisir à Anne-Marie et la gâter. Sorties au resto ou sur les pentes de ski, voyage en Italie, bijoux, abonnement avec un entraîneur privé au gym, bouquets de fleurs : rien de trop beau pour rendre sa princesse heureuse. Il a tellement son bien-être et son bonheur à cœur, on a rarement vu un homme aussi empressé envers son épouse.

Parfois, Melissa envie un peu la relation entre Anne-Marie et Pierre-Luc, qu'elle qualifie souvent de « lisse ». Les nombreuses attentions spontanées entre eux, leur présence mutuelle semblant leur suffire et leurs conversations en apparence si simples et paisibles la font rêver. De plus,

Pierre-Luc laisse une liberté entière à Anne-Marie. Bien sûr, ils n'ont pas d'enfants et bien moins de responsabilités, mais tout de même : la compréhension et l'entraide règnent dans leur couple. Pour Melissa, depuis quelques années, la vie semble si compliquée avec Jean-François !

Chaque demande que Melissa formule, ne serait-ce que pour qu'il lui passe le sel à table, paraît agacer Jean-François et presque chaque conversation finit par tourner au vinaigre. Un peu plus et ils finiront par s'obstiner sur la façon de couper les carottes. À un point tel que Jean-François semble s'être replié dans son univers et que Melissa se demande régulièrement comment retrouver la bonne manière pour lui parler.

Comment se fait-il que Pierre-Luc accueille toutes les exigences d'Anne-Marie avec le sourire alors que Jean-François semble déterminé à ne jamais lui donner quoi que ce soit, à elle, pas même un nouveau balai ?

Parfois, Melissa a l'impression de jouer dans une mauvaise pièce où les acteurs tiennent leur rôle sans se soucier du texte de l'autre, dans une sorte de chaos ambiant causé par les enfants. Elle se dit qu'un jour, elle devra trouver le moyen d'aborder le sujet avec son compagnon et de prendre le taureau par les cornes avant d'avoir l'impression de vivre avec un inconnu. Seulement, elle ignore encore comment.

Au magasin, Anne-Marie s'amuse de plus en plus avec les tentures, les nappes, les bocaux colorés, les boîtes et les présentoirs en verre ou en grès. Chaque mois aura son thème en vitrine et Anne-Marie a presque l'impression de renouer avec son ancien milieu. Ses compétences en couleurs, tissus, textures et lumières sont mises à profit. Les douces teintes du printemps ont fait place aux tons plus francs et estivaux tels que le bleu royal – pour évoquer la

Saint-Jean qui arrive bientôt –, le jaune serin et l'orangé.

Le mois de juin amène chaleur et soleil de même que la fin de l'année scolaire, qui approche à grands pas. Pour Mylène et Anne-Marie, que cet aspect ne touche pas vraiment, c'est très différent que pour Melissa, dont la vie a changé depuis que son aînée Florence est entrée en maternelle.

Dès la rentrée en septembre dernier, Melissa et Jean-François ont eu droit aux lettres traitant d'une épidémie de poux, à de nombreuses journées pédagogiques qui ont demandé acrobaties dans le calendrier et dépenses supplémentaires pour les sorties lors de ces journées, à la confection de collations exemptes d'allergènes, de sucre ou d'emballage trop polluant, etc.

Une chance que Melissa avait déjà travaillé dans ce domaine il y a quelques années et était déjà familière avec la plupart des aléas vécus par les parents d'enfants d'âge scolaire. Jean-François s'arrachait déjà les cheveux lorsqu'il a lu la liste des nombreux effets scolaires de Florence, songeant qu'elle n'allait même pas encore apprendre à écrire! Parfois, Melissa a l'impression que Jean-François fait une montagne avec tout et pour un rien. Pourquoi dramatise-t-il tout?

Par chance, la mère de Melissa est retraitée depuis déjà plusieurs années et s'occupera des enfants pendant les vacances d'été, alors que l'école sera fermée. Un casse-tête de moins sur la très longue *to-do list* de Jean-François et Melissa.

Dans une semaine, la petite Rosalie célébrera son deuxième anniversaire. Déjà! Elle aura droit à un mégagâteau avec figurine de fondant en forme d'Hello Kitty géante, le tout confectionné par maman, bien sûr.

❈   ❈   ❈

Mardi matin, alors que la boutique n'est pas encore ouverte, le téléphone sonne. Melissa, en train de terminer sa dernière fournée de gâteaux aux carottes, les mains pleines de fécule de maïs, peste. Elle va jeter un œil à l'afficheur. C'est Jean-François. Elle soupire. Que lui veut-il encore ? Il veut savoir où sont les boîtes de céréales, ou quoi ?

Melissa coince le téléphone entre son épaule et son oreille le temps de se laver les mains.

— Melissa, j'ai un problème ! La garderie est fermée !

— Quoi ? Ah, merde !

— Florence est à l'école, mais je ne peux pas m'occuper de Raphaël et de Rosalie. J'ai une réunion importante, je ne peux pas me désister.

— Oui, mais je ne peux pas retourner à la maison, c'est la journée de congé d'Anne-Marie et Mylène arrive seulement à dix heures. Je peux demander à ma mère de s'en occuper.

— OK, mais je ne peux pas aller les porter chez elle, c'est trop loin. Je viendrai te les amener au magasin et ta mère viendra les ramasser.

— Euh… attends… ce serait compliqué un peu…

— Ben non, ce serait comme quand tu t'en occupes à la maison ! Je vais te les reconduire dans un instant, il faut que je me dépêche ! À tout à l'heure !

— Quoi ? Mais…

Jean-François a déjà raccroché. Melissa rage. Comment ose-t-il lui faire cela ? Elle est censée s'occuper des enfants en plus du magasin ? Ben oui, c'est comme à la maison, voyons ! Parce qu'elle n'a rien à faire, à la boutique, encore. Mais dans quel univers vit-il ? Elle se dépêche d'appeler sa mère.

— Maman, j'ai un service urgent à te demander ! La garderie est fermée et Jean-François doit venir me porter Raphaël et Rosalie incessamment à la boutique ! Peux-tu ramasser les enfants au plus vite et t'en occuper pour le reste de la journée ?

— Oh... d'accord. Je serai là, disons, dans une quarantaine de minutes. Ça va ?

Melissa jette un coup d'œil à l'horloge. Elle aura les enfants pas trop longtemps à la boutique, ce sera gérable. Entre ça et le petit monstre qu'elle a eu à l'ouverture, ce n'est pas si mal.

— D'accord, ça va. Merci encore, maman ! Je te revaudrai ça.

— Pas de problème, ma chérie. Ça me fait plaisir.

Elle raccroche. Moins d'une dizaine de minutes plus tard, Melissa aperçoit Jean-François arrivant avec Raphaël et Rosalie. Il est de l'autre côté de la rue, les bras pleins des sacs à dos des petits, essayant de leur tenir la main. Les trois sont visiblement à la course et Jean-François paraît à bout de nerfs. Rosalie, qui a sûrement choisi ses vêtements, ressemble à un sapin de Noël et Raphaël est encore vêtu de sa cape et de son masque de superhéros. Jean-François a-t-il renoncé à l'idée de les lui faire enlever ? Melissa sort de la boutique pour aller lui prêter main-forte.

En la voyant arriver, Raphaël lâche la main de son père et se précipite vers elle. Melissa le voit courir vers la rue avec horreur.

— Raphaël !

Elle se lance vers lui, non sans avoir regardé s'il y avait des voitures, et lui attrape le bras un peu brusquement.

— Bon sang, ne traverse jamais la rue comme ça ! On te l'a déjà dit, pourtant !

— Eeeehhh... maman ! Lâche-moi ! s'écrie Raphaël, fâché.

— Ben oui ! Excuse-moi de t'avoir sauvé la vie ! répond Melissa, ironique. Allez, suis-moi.

Jean-François et Rosalie les suivent jusqu'au magasin.

— Je dois y aller, dit Jean-François en lançant les sacs au sol.

Sans même dire au revoir, il repart aussitôt. Melissa serre les lèvres d'irritation. Il vient lui porter les enfants au travail, comme si elle n'avait que ça à faire en plus de tenir le magasin, et repart à toute vitesse comme un voleur ! Même pas un merci. Il s'en est débarrassé comme d'une nuisance, presque. Un peu plus et il aurait lancé les enfants par la fenêtre de l'auto.

— Alors, les enfants, grand-maman Veronica va venir vous chercher bientôt. Vous allez être sages en attendant, d'accord ?

— Est-ce qu'on peut faire semblant d'être en avion ? demande Rosalie.

— Hem… oui, oui. Allez dans le fond du magasin, là. Ça va être correct.

— Je peux monter sur le dossier de la chaise pour jouer au superhéros ? demande Raphaël.

— Non, on n'est pas à la garderie, mon chou. Il faut faire attention, ici. Il y a des trucs fragiles.

— On peut prendre quelques chaises, alors ? demande Raphaël.

— D'accord, mais juste deux. Les clients ont besoin des autres.

Melissa s'avise rapidement de l'heure. Elle doit ouvrir dans quelques minutes. Et il y a encore des trucs à faire.

— C'est quoi, des clients ? demande Rosalie.

— Des gens qui achètent des choses à maman, répond prestement Melissa.

— Pourquoi ils achètent des choses ? demande Raphaël.

— Parce qu'ils aiment ça ! Maintenant, s'il vous plaît,

allez vous installer au fond. Si vous êtes gentils, je vous donnerai du chocolat chaud et des bonbons tout à l'heure.

— Yé ! s'exclame Raphaël.

Alors qu'elle finit de décorer sa dernière fournée de glaçage torsadé rose et bleu, Melissa observe les enfants du coin de l'œil. Ils ont placé les chaises l'une derrière l'autre et font des bruits de moteur avec leur bouche. Une fois de temps en temps, Raphaël se lève, court autour des chaises, le poing levé en position horizontale comme Superman et crie « superhérooooooos ! ».

« Au moins, se dit Melissa, il n'essaie pas de jouer à Tarzan avec les rideaux. »

— On s'en va au pays magique voir des licornes invisibles ! s'écrie Raphaël. Attention, décollage !

Rosalie tente aussitôt de répéter la phrase, un peu moins élégamment. Melissa retient un fou rire. Ses enfants ont une imagination débordante, comme elle. Elle déverrouille la porte d'entrée et tourne le panneau dans la vitre annonçant que le magasin est ouvert.

Par chance, c'est un matin tranquille. Il y a peu de clients et la plupart ne jettent qu'un rapide coup d'œil aux enfants en récupérant leur café ou en croquant leur petit gâteau. Comme Melissa est en train de préparer un paquet de *cupcakes* assortis pour un homme d'un certain âge, Raphaël la rejoint derrière le comptoir et s'approche d'elle.

— Maman, j'ai une crotte de nez ! dit-il en déposant ladite chose sur le comptoir.

— Chttt ! Bon sang, pas là-dessus ! chuchote Melissa. Et parle moins fort !

Elle ramasse rapidement l'objet honteux et le jette furtivement dans la poubelle. Par chance, son acheteur, occupé à regarder les suçons, n'a rien remarqué.

— Raphaël, je t'avais dit d'être sage !

— Mais c'est long ! Grand-maman arrive bientôt ?

— Oui, dans un moment. Maintenant, va jouer avec ta sœur et ne me dérange pas quand je suis avec des clients, s'il te plaît. Je vous apporte votre chocolat et vos bonbons dans un moment.

Raphaël soupire bruyamment. Melissa se sent vaguement coupable d'agir ainsi, mais elle n'a pas tellement le choix. Et puis, ce n'est pas sa faute si la garderie est fermée aujourd'hui ! Elle n'est responsable de rien, mais c'est elle qui subit. Encore une fois…

Son client parti, Melissa se dépêche de préparer les chocolats chauds, qu'elle apporte sur la table près du comptoir, au fond de la pièce. Pêcher les petites guimauves à la surface du breuvage devrait tenir les enfants tranquilles un certain temps. Elle prend ensuite un bol et se dirige vers les compartiments de bonbons en vrac.

— Bon, lesquels voulez-vous ? On va les choisir ensemble.

— Ceux-là ! crie Raphaël en plongeant sa main ayant visiblement été dans un endroit douteux et sale dans le bac à oursons en gélatine.

— Attends, je vais les prendre avec la cuillère, dit Melissa en retenant ses ardeurs.

Il ne manquerait plus qu'elle soit encore obligée de jeter des bonbons contaminés par des petites mains crasseuses.

Au moment où Melissa va porter le bol de friandises sur la table des enfants, la clochette de la porte sonne. À sa grande surprise – et légère déception –, c'est madame Pinson, la voisine d'Anne-Marie.

— Bonjour, vous venez voir Anne-Marie ? Elle a congé, aujourd'hui.

— Non, je me suis dit que je viendrais prendre un café et

peut-être des petits biscuits. Ils sont tellement bons !

« Et surtout pas chers, vu qu'on lui a offert un rabais la dernière fois. Elle ne viendrait pas de Ville Saint-Laurent jusqu'ici pour rien », songe Melissa. Madame Pinson ne semble passer par-dessus aucun avantage.

Alors que la vieille dame regarde avidement les macarons, Rosalie tire sur la jupe de Melissa.

— Grosse, la madame ? demande-t-elle.

— Chuuuuuttt !

— Ah… mais parce qu'un médecin m'a presque détruit la hanche, ma petite, répond madame Pinson, nullement offusquée. À cause de lui, j'ai longtemps eu du mal à marcher, et donc, j'ai pris du poids.

Rosalie regarde madame Pinson, le regard rempli de points d'interrogation.

— Bon, euh… ma chérie, tu vas rejoindre ton frère ? Grand-maman va arriver bientôt.

— D'accord.

— Maman, on pourrait apporter une boîte de gâteaux, nous aussi, comme le monsieur ? demande Raphaël. On pourra les manger chez grand-maman.

— Non, mon chéri.

— Haaaa… pourquoi ?

— Parce que ce serait injuste envers votre sœur Florence, qui n'en aurait pas.

— Mais on en a tout le temps jamais !

Melissa lève les yeux au ciel. Raphaël ne dramatise pas du tout. Depuis l'ouverture du magasin, elle apporte une boîte de friandises et de gâteries au moins une fois par semaine à la maison. Et puis, elle ne voudrait pas gaver ses enfants de sucreries.

— Je vous apporterai une boîte vendredi, comme d'habitude.

Raphaël soupire. Alors que Melissa finit de servir madame Pinson, Veronica arrive.

— Youhou ! Me voici !

— Grand-maman !

Les enfants se jettent sur Veronica.

— Ah... ma chérie ! s'exclame Veronica en embrassant sa fille. En passant, je vais te prendre trois boîtes de douze *cupcakes*, huit paquets de biscuits, deux boîtes de *cake pops* et macarons, et une dizaine de sacs de bonbons d'un demi-kilo chacun. Tes tantes et mon club de bridge aiment bien t'encourager, tu sais. Tu vas pouvoir me préparer tout ça ? Je vais attendre que ça soit prêt avant de repartir avec les enfants, si ça te va.

Melissa sourit. Sa mère sera toujours là pour l'encourager, quoi qu'elle fasse. Fidèle à son habitude, l'ardente Veronica Carabella ne fait pas les choses à moitié. Pas étonnant que sa fille soit aussi intense. Bien que née à Montréal, Veronica s'imagine presque digne descendante de la grande Sophia Loren : son grand-père lui a affirmé que cette dernière était une lointaine grand-tante par la fesse gauche, dont elle tirait sûrement sa beauté. Veronica a d'ailleurs toujours tenté de s'inspirer du style vestimentaire de l'actrice, avec plus ou moins de succès, au prix de pas mal d'argent, de beaucoup de découragement et d'épreuves de tolérance pour son mari.

Veronica a toujours idéalisé un brin son héritage italien, dont elle ne connaît pourtant pas grand-chose à part le David de Michel-Ange, l'opéra, le capuccino et la pizza. Elle se donne toujours à fond dans tout, ce qui explique sans doute la manière d'être un peu excessive de sa fille.

Veronica a par ailleurs appelé sa fille Melissa à cause de la comédienne Melissa Gilbert, qui jouait dans le populaire feuilleton *La petite maison dans la prairie*, qu'elle regardait à dix-huit ans. Également parce que, dans sa soif d'originalité et de grandeur, elle avait découvert que c'était non seulement le nom d'une des nymphes ayant élevé Zeus dans la mythologie antique, mais aussi que le prénom signifiait « miel ». Elle se félicite encore d'avoir déniché un prénom évoquant à la fois l'instinct maternel et un édulcorant naturel. Et qui va à merveille avec la douce personnalité de Melissa.

Melissa s'écrit dès lors sans accent sur le « e », bien sûr, à la mode italienne.

Veronica a trouvé un motif supplémentaire pour s'émerveiller de sa clairvoyance lorsque Melissa a annoncé à la famille qu'elle ouvrait un commerce de petits gâteaux, de douceurs et de bonbons. Elle est devenue convaincue que ce n'est pas un hasard si sa fille au prénom signifiant « miel » est attirée par les pâtisseries. Armée d'un certain désir de prestige et d'une imagination plus que fertile, Veronica est maintenant persuadée que tout cela était prémonitoire et donc prédestiné.

Un peu plus, elle se lancerait dans le tirage du tarot pour dire la bonne aventure.

Paul Bélanger, son défunt époux toujours aussi terre à terre, riait de tout cela en vantant les idées originales de sa femme et sa manière tout à fait unique de briser la monotonie du quotidien.

Quant à Leo, le jeune frère de Melissa, c'est un être complexe, à la fois tranquille et sensible, qui n'a avoué son homosexualité à ses parents que sur le tard et après la mort de la grand-mère Carabella, afin de lui éviter un choc qui aurait précipité son décès. Caissier dans une banque, rien n'aurait laissé présager son orientation, mis à part son goût prononcé pour les vêtements élégants.

Leo est une personne plutôt introvertie et effacée, mais très présente auprès de sa famille. Toujours là, toujours fiable. Et près de sa grande sœur, mais à distance. Évidemment, son prénom est directement inspiré de celui du grand génie Da Vinci. On est classe jusqu'au bout ou on ne l'est pas.

— Je prépare tes paquets, maman. Ce ne sera pas bien long.

— En passant, tu sais que le curcuma sera probablement la nouvelle tendance ? C'est excellent pour la santé, tu devrais en mettre dans tes recettes, dit Veronica en essuyant les joues de Rosalie avec ses doigts mouillés de salive.

— Du cucuquoi ? demande Rosalie.

— Curcuma, c'est une épice, ma chouette, dit Veronica.

— Bien sûr, du curcuma dans des gâteaux. Et pourquoi pas en mettre dans le café, aussi ? rigole Melissa. D'où te vient cette idée, maman ?

— Quand je pensais à mon beau Paul hier matin, figure-toi donc que mon pot de curcuma est tombé par terre ! Comme ça ! Et en plus, c'est arrivé pendant que j'écoutais *Je t'attendrai* de Dalida. Ton père adorait cette chanson. Ça veut dire quelque chose, c'est sûr !

Melissa retient une réaction d'incrédulité. Sa mère a toujours eu de drôles d'idées, mais depuis la mort de son mari, son niveau de bizarrerie a grimpé de quelques échelons.

— Bon, je verrai, dit-elle en continuant de préparer les boîtes.

Alors qu'elle termine enfin sa commande, Veronica apporte les nombreux paquets et se prépare à partir avec les enfants. Juste à temps, parce que Raphaël entreprend de lécher la vitrine du présentoir...

❀ ❀ ❀

Le soir même, Melissa travaille à mettre au point son *cup-cake* à saveur saisonnière pour septembre prochain. Voilà deux jours qu'elle planche là-dessus, jamais satisfaite du résultat. Elle hésite encore entre la citrouille et la pomme, avec de la cannelle ou de la muscade. Elle travaille même le soir, après la routine de dodo des enfants, pour continuer ses tests. La maison est envahie de parfum rappelant les récoltes tardives, le temps des conserves et les épices. Et si elle y ajoutait un arrière-goût caramélisé de tire Sainte-Catherine ?

De son côté, Jean-François travaille dans l'atelier sur elle ne sait trop quoi. Il ne le lui a pas vraiment expliqué et elle n'a pas posé de question. Depuis le début de son projet, il n'a jamais démontré beaucoup d'intérêt et il ne semble pas deviner pourquoi Melissa se donne autant de mal pendant des jours pour créer la recette parfaite. Alors elle ne voit pas pourquoi elle s'intéresserait à ses trucs à lui.

— Maman, tu es encore en train de travailler ? demande Florence, qui s'apprête à aller se coucher après son bain.

Melissa regarde son aînée qui s'approche d'elle, vêtue de son pyjama de *Dora l'exploratrice*. Grande, les cheveux bruns longs et bouclés, elle a aussi de grands yeux bruns brillants et intelligents.

— Oui, ma chouette.

— Pourquoi tu ne veux pas arrêter ? Moi, quand j'ai fini l'école, j'arrête.

— C'est parce que j'aime beaucoup ce que je fais, tu sais. J'ai tellement de plaisir que c'est presque comme si je ne travaillais pas, en fait.

— Ça se peut, ça ? grimace Florence, sceptique.

Elle fait une pause, pensive en regardant les bols remplis de pâte sur le comptoir, puis ajoute :

— Est-ce qu'un jour, j'aimerai l'école comme tu aimes travailler ?

— Je ne sais pas. Mais un jour, tu trouveras sûrement quelque chose que tu aimes beaucoup faire.

Le visage de Florence s'éclaire.

— Comme du bricolage ?

— Peut-être, rit Melissa. Tu pourras alors te choisir un travail que tu adores quand tu seras grande, comme moi.

— D'accord, je vais faire comme toi. Et moi aussi, j'aimerai travailler !

— Un jour. Mais en attendant, c'est l'heure du dodo !

— Bonne nuit, maman.

— Bonne nuit, ma chouette.

✿ ✿ ✿

Un autre matin tranquille à la boutique, en ce samedi. Melissa soupire. Elle aimerait que les affaires décollent plus vite. Une chance que sa mère convainc presque tous ses amis d'acheter de ses produits, et que son frère passe régulièrement. Ça lui donne un petit coup de pouce et c'est bon pour le moral. Elle dépose une autre fournée de *cake pops* au chocolat sur le comptoir pendant qu'Anne-Marie nettoie les tables.

— Hé, monte le son de la radio ! lance Anne-Marie. C'est *Eternal Flame*, des Bangles ! J'adorais cette chanson, quand j'étais petite.

Elle se met à chantonner les paroles.

Close your eyes, give me your hand, darling. Do you feel my heart beeeeeating, do you understand ? Do you feeeeeel the same ? Am I only dreeeeeeaming ? Is this burning an eternal flame.

Melissa secoue la tête en riant. Au même instant, elle entend un client entrer alors qu'elle s'apprête à préparer un paquet de *cupcakes*. Elle entend les pas de ce dernier se diriger vers le comptoir.

— Melissa? Melissa Bélanger, c'est bien toi?

Melissa s'arrête. Il lui semble que cette voix masculine, remplie d'hésitation, lui est vaguement familière. Elle se retourne pour voir à qui elle appartient. Elle aperçoit alors un homme plutôt grand, aux cheveux châtain pâle, courts et légèrement ondulés, et aux yeux bleu-gris sertis de petites lunettes à monture mince. Il a des airs de Bradley Cooper mélangé à Simon Baker (incarnant le *Mentaliste*). Il est vêtu d'un jeans et d'un pull de laine avec un col en V par-dessus une chemise. Il l'observe, visiblement incertain. En quelques secondes, Melissa a replacé dans ses souvenirs ce regard pétillant, ce petit air vaguement intello et ce grand sourire digne d'une publicité de pâte dentifrice.

C'est Gabriel Auclair, un de ses anciens collègues, qui enseignait à la même école qu'elle, avant sa ronde de congés de maternité. Il est professeur de musique; un type gentil, doux et rêveur, au tempérament tout ce qu'il y a de plus artistique et qui adore les enfants.

Le genre de gars marginal et un peu bizarre, avec des anciennes tendances hippies, qu'il tient de ses parents. Le genre de gars qui va rapporter un fauteuil trouvé dans les ordures au bord du chemin en le portant sur son vélo, même en plein hiver.

Aîné d'une famille de quatre enfants, Gabriel a eu une jeunesse on ne peut plus tranquille, à jouer avec ses amis en culottes courtes dans les ruelles ou au parc du coin, à chasser les vers de terre et à espérer vainement trouver des grenouilles pour faire des expériences avec elles. Une enfance heureuse et simple, qui ferait sûrement hurler de désespoir et d'ennui Mylène la cynique.

Gamin rieur et lumineux faisant battre les cœurs des petites filles autant que ceux des « madames », il a appris tôt qu'être charmant lui rapporterait beaucoup. Ses parents, pas très riches, lui ont tout de même inculqué la bonne humeur et la sérénité, autant que le respect d'autrui et l'importance, si possible, d'être heureux. Gabriel aura compris rapidement que le bonheur des autres rayonnait sur le sien. Son amour de la musique en plus de son air angélique en ont fait la petite coqueluche blonde du quartier.

Son seul défaut étant d'aimer un peu trop l'attention et de la chercher avec zèle, ses habiletés musicales l'aident beaucoup en ce sens.

Après avoir cédé aux pressions de son entourage, il a tenté d'étudier en sciences, bien qu'il déteste ce domaine. Il a quand même poursuivi ses études en sciences pures jusqu'à la première année d'université, même s'il n'y était pas heureux. Mais Gabriel est têtu et ambitieux. Quand il se met un objectif en tête, difficile de l'en dissuader. Blessé après une rupture, son malheur aura alors servi de prétexte à une remise en question. Il a fini par s'avouer qu'il n'aimait pas ce qu'il faisait et a décidé, pour la première fois depuis long-temps, de s'écouter.

En quête d'un moyen de concilier son amour de la musique, des enfants – qu'il aime depuis son emploi de moniteur dans un camp – et de l'enseignement, il n'aura pas cherché longtemps : le poste d'enseignant en musique était ce qu'il lui fallait. Un choix qu'il n'a jamais regretté et qui le rend extrêmement heureux depuis.

— Eh ben ça, alors ! s'exclame Melissa. *Blast from the past*, comme on dit en bon français ! Ça fait un sacré bail !

Elle l'embrasse sur les joues et lui donne l'accolade en riant, tout en ignorant les regards interrogatifs d'Anne-Marie au-dessus de sa table.

— À qui le dis-tu! dit Gabriel. Tu as pratiquement disparu sans donner de nouvelles. On ne savait pas ce qui t'était arrivé après que tu aies eu tes enfants, mis à part que tu semblais avoir changé de domaine. On se demandait ce que tu faisais. Il y en a qui vont être contents d'avoir de tes nouvelles, en tout cas, c'est sûr.

Subitement, Melissa se sent un peu coupable de ne pas avoir renoué du tout avec son ancien milieu, de ne pas avoir gardé le contact avec ses collègues d'alors. Elle sait bien que Gabriel ne la blâme pas à ce sujet et ne veut pas la faire sentir coupable, mais elle se dit qu'elle aurait pu faire un effort. Pourtant, elle n'était pas partie en mauvais termes avec son ancienne école.

Même qu'elle y était fort appréciée. Son dévouement et sa gentillesse ne passaient pas inaperçus auprès de ses élèves et de ses collègues. Melissa était toujours prête à apporter une main secourable et se donnait corps et âme à son emploi. Comme dans tout ce qu'elle faisait, quoi.

En ce moment, néanmoins, elle avait peur d'être jugée sévèrement sur le fait qu'elle avait enfilé les congés de maternité – certains auraient pu croire qu'en fait, elle ne désirait tout simplement pas travailler – ou sur son départ, qui était peut-être dû à une nature faiblarde, à une incapacité à gérer la pression. Elle avait peur qu'on ne perçoive son départ comme un échec.

— Ah oui, c'est vrai que je suis rendue dans un monde assez différent de ce que je faisais autrefois, dit Melissa en jetant un œil à ses installations.

— Hmmm... pas si différent que ça, je dirais, répond

Gabriel en s'assoyant sur un tabouret près du comptoir. Après tout, ce que tu fais me semble encore très artistique. Toujours aussi passionnée et perfectionniste, à ce que je vois, ajoute-t-il en souriant. Votre boutique est vraiment très belle. Mais ce n'est pas si éloigné que ça de tes anciennes amours. Si on exclut le fait que tu n'enseignes plus, bien sûr.

— Tiens, c'est vrai, au fond, dit Melissa en fronçant les sourcils, la tête penchée. C'est bête, mais je n'avais pas vraiment fait le lien. Et mes collègues y sont pour beaucoup, surtout Anne-Marie. Elle est en grande partie responsable de la déco ici.

— C'est moi ! dit Anne-Marie dès qu'elle entend son nom.

Elle tend aussitôt la main à Gabriel, toute souriante et les yeux pétillants. Anne-Marie a toujours été une bête sociale, doublée d'une séductrice naturelle.

— Voici une de mes amies et collaboratrices, présente Melissa. Anne-Marie Lachance, voici Gabriel Auclair, un ancien collègue.

— Enchanté, dit Gabriel en serrant la main tendue.

— Moi de même, répond Anne-Marie avec un sourire enjôleur qui n'a pas échappé à Melissa.

— Nous avons également une autre collègue, Mylène, qui arrivera plus tard, explique Melissa. En passant, que puis-je vous servir, monsieur ?

— Que me conseillez-vous, ma chère dame ? Avez-vous une spécialité ?

— Évidemment, les *cupcakes*. Mais si je peux en suggérer un, ce serait le *red velvet* au fromage à la crème. J'en suis très fière.

— Va pour le *red velvet* ! Je prendrais aussi un café à la noisette.

— Ça roule !

— Alors, à part ça, quoi de neuf, docteur ? demande Gabriel.

Melissa sourit. Elle avait oublié que c'était l'une des phrases favorites de Gabriel, qu'il prononçait presque tous les matins dans la salle des professeurs avec des intonations à la Bugs Bunny.

— Bah, pas grand-chose, dit Melissa, tandis qu'Anne-Marie décide de s'occuper des paquets de *cupcakes* abandonnés par Melissa sur le comptoir.

— Oh non, pas de ça, miss humilité ! Allons donc, tu disparais sans rien nous dire après avoir eu ta petite dernière, et tu lances ta propre *business* de gâteaux et de confiseries ? Ce n'est pas rien, ça. Je veux en savoir plus, ajoute-t-il, se penchant vers elle, la vrillant des yeux comme un interrogateur de police. Et puis, pas question que je retourne à l'école demain sans avoir quelque chose de croustillant ou d'au moins potable à raconter aux autres. Si je n'ai pas tous les détails de ta vie à leur répéter, les filles vont vouloir m'étriper. Tu connais Claudia, en plus ! Elle ne peut pas vivre sans potins juteux.

Melissa éclate de rire. Elle reconnaît bien là le portrait de ses ex-collègues. Elle avait oublié comment Gabriel était. Toujours de bonne humeur, toujours le mot pour rigoler. Ce qui ne l'empêchait pas de tempêter contre le système, les budgets restreints, les ressources limitées, les enfants parfois laissés à eux-mêmes. Gabriel a toujours été animé par la colère du juste. Les secrétaires le surnommaient parfois « Père Teresa » ou « Monsieur Sourire » pour rigoler. Certaines mauvaises langues disaient qu'il était une femme manquée.

C'est vrai que parfois, il était un peu trop fin, trop doux. C'était vaguement agaçant par moments. La seule fois où

Melissa l'a entendu dire quelque chose qu'on aurait pu qualifier de vaguement déplacé, c'est lorsqu'il a traité le vieux piano désaccordé de l'école de « boîte à lunch » en jurant qu'un jour, il le ferait passer par la fenêtre du troisième étage.

— Bon, alors, que dire d'intéressant ? dit Melissa en servant le gâteau et le café.

— Allons au plus facile pour commencer : tes enfants ont quel âge ?

— Florence a cinq ans et trois quarts, elle va à l'école depuis un an et est en maternelle, Raphaël a trois ans et demi et il est propre depuis quelques mois, et ma petite Rosalie vient tout juste d'avoir deux ans et elle court partout.

— Déjà ? Eh bien, je serai cliché, mais « ça grandit vite » !

— Comme tu dis, sourit Melissa. Et toi ? Des enfants ?

— Non, toujours pas. Et à voir la carrière que mène ma belle Dominique, je ne pense pas que c'est pour bientôt. Et là, elle s'est mise en tête de retourner aux études pour devenir infirmière bachelière. On a vraiment un don pour choisir des emplois qui sont extraordinairement exigeants, elle et moi. On n'a pas de vie ! ajoute-t-il en riant.

— Bah, si ça vous rend heureux, c'est ce qui compte.

— Alors, comment en es-tu venue à ouvrir ton commerce ? demande Gabriel en s'accoudant au comptoir. Je ne me souviens pas t'avoir entendue faire la moindre mention de ça avant. Tu t'es réveillée un matin après un rêve prémonitoire, la tête remplie de *cupcakes* ?

— C'est vrai que je n'en avais pas parlé, dit-elle en riant. J'ai toujours aimé cuisiner, surtout les desserts, mais je n'avais jamais saisi dans quelle mesure j'adorais ça et je n'aurais jamais songé à en faire une carrière jusqu'à tout récemment. Mais tu sais, avoir des enfants, ça met notre vie à l'envers et après la naissance de Rosalie, je n'étais plus sûre de vouloir retourner en enseignement.

— Je peux comprendre, soupire Gabriel.

— Pour m'occuper et passer le temps, j'ai commencé à cuisiner de plus en plus et à me perfectionner. Je regardais des vidéos sur Internet et je reproduisais ce que je voyais. Tu sais à quel point je peux être bébé, hein ?

— Ah ça oui, rigole Gabriel. Ce n'est pas un si grand défaut, en passant. Je trouve ça plutôt divertissant.

— Bien, j'ai osé faire plein de trucs de plus en plus complexes, surtout pour mes enfants. Bref, je suis devenue plutôt bonne et je tripais pas mal. J'adore ce que je fais. Un jour, Anne-Marie m'a justement fait voir combien c'était devenu une passion, au point où je pourrais en faire une carrière. Si elle ne m'avait pas éclairée, je ne sais pas si j'aurais allumé un jour.

— Alors, tu t'es lancée là-dedans et pour remercier ton amie de t'avoir donné l'idée, tu l'as invitée à devenir ton associée.

Melissa se sert également un café et s'installe sur le banc à côté de Gabriel.

— En quelque sorte. Anne-Marie et Mylène sont mes deux grandes amies de toujours et elles avaient la capacité de m'aider. Je dois dire que ça n'a pas été difficile de les impliquer. J'ai donc parfait ma formation, suivi des ateliers en gastronomie et en affaires. Mon amie Mylène se charge beaucoup du côté *business*. Elle a obtenu les permis et les subventions nécessaires et nous avons réussi à avoir un prêt de la banque, mais ça n'a pas été facile. Nous avons donc ouvert en mai dernier, il y a un mois et demi environ.

— C'est vraiment tout nouveau, voilà pourquoi je ne l'avais jamais vue. Eh bien, je te souhaite le meilleur des succès.

— Et toi ? Tu passes souvent par ici ?

— Je reviens d'une excursion avec des amis dans le Parc de la Rivière-des-Mille-Îles. J'avais décidé de me promener dans le coin pour explorer, car mes copains habitent tout près.

— Eh bien, tout un hasard !

— En effet.

— Tu penses revenir souvent pour m'encourager ? J'en ai bien besoin en ce moment.

— Je vais faire tout mon possible, c'est sûr. Alors, à ton succès !, dit Gabriel. Trinquons !

Melissa et Gabriel cognent doucement leurs tasses de café ensemble.

— À ton triomphe dans le monde des petits gâteaux !

— Et à nos retrouvailles, tiens !

Chapitre 3

Juillet étouffe sous la chaleur. Anne-Marie et Mylène se rendent à un commerce qui n'est qu'à quelques pâtés de maisons du leur. Anne-Marie a remarqué la présence d'un petit antiquaire, pas très loin de leur boutique. Elle a décidé d'aller y faire un tour, pour voir si elle ne pourrait pas dénicher des accessoires vintage pas chers pour décorer Miss Caprice et y ajouter un petit je-ne-sais-quoi de plus.

Convaincue qu'Anne-Marie, peu habituée à regarder la dépense, va jeter l'argent par les fenêtres en trucs non seulement inutiles, mais vieux, Mylène décide de l'accompagner dans le but très avoué de la surveiller et de retenir les cordons de sa bourse. Mylène, orgueilleuse comme pas une et habituée de se débrouiller parfaitement seule et surtout, sans homme, tient à ce que le commerce roule bien sous sa gouverne. Pas question de gaspiller leurs précieuses ressources.

Elles arrivent devant une vitrine poussiéreuse remplie d'objets hétéroclites. Les deux femmes sourcillent. Mylène se dit que Melissa ferait probablement un infarctus si sa maison ou sa boutique devaient contenir le tiers de la poussière qu'il semble y avoir ici.

Elle s'interroge à savoir comment ce magasin peut survivre avec une vitrine d'aspect aussi peu invitant. Les deux femmes lèvent la tête et regardent le panneau accroché au-dessus de la porte. Le look de ce dernier est tout aussi vieillot, mais Anne-Marie doute que ce soit volontaire. On dirait une véritable et authentique vieille affiche qui est juste devenue décrépite avec les âges.

Le temps retrouvé.

— C'est pas le titre d'un film de Proust, ça ? dit Mylène.

— Tu connais l'œuvre de Proust, toi ? répond Anne-Marie. Tu m'étonnes.

— Hé… tu sauras que je ne suis pas si mal que ça, côté culture, d'accord ? Eh oui, je connais ça.

— En passant, c'est un livre, pas un film.

— Bon, bon. Je peux pas *scorer* tout le temps, quand même. C'est déjà un début, mon affaire, non ?

— D'accord, pouffe Anne-Marie.

Elles poussent la porte vitrée. Une clochette en métal oxydé, accrochée à une ficelle, tinte pour avertir de leur arrivée. Anne-Marie et Mylène sont stupéfaites en entrant dans le local.

L'air y semble dense, saturé de particules sous les rayons du soleil qui percent l'ambiance obscure à travers l'unique vitrine. Le plancher en vieux bois franc au vernis abîmé craque sous les pieds. Mylène a l'impression de se trouver dans une boutique de film, comme le bazar du vieux Chinois dans *Gremlins* ou dans la série *Surnaturel*, où les frères Winchester chassent les démons et autres créatures maléfiques, souvent sorties d'antiquités louches.

Des objets et meubles de toutes sortes et de tous âges s'entassent çà et là. Une lampe art déco des années 1930 côtoie un vieux jouet de plastique en forme de canard à roulettes, à côté d'un loup empaillé, d'une vieille caisse de Pepsi en bois, d'un buste en porcelaine d'Elvis, d'un bol à punch en verre carnaval, orange irisé, des années 1970, que surplombe un tableau en laine représentant un vieil homme fumant la pipe et une tête d'orignal. Des montagnes et des montagnes d'assiettes, de plats et d'ustensiles d'inspiration japonaise, art nouveau, Streamline, rococo, Louis XVI et autres s'empilent un peu partout. Au plafond, des luminaires vintage pendent ici et là.

Il ne manque plus que l'odeur de boules à mites pour compléter le portrait et ajouter des airs de vieillesse supplémentaires à tout ça. La parfaite image stéréotypée de l'antiquaire, dans toute sa splendeur.

Anne-Marie se sent étouffer dans ce lieu, malgré la beauté des objets qui l'entoure. Elle qui est habituée à l'espace dégagé de la boutique et de son *penthouse,* à des murs blancs, des luminaires brillants, se sent opprimée. Ici, on ne voit presque pas les murs, qui sont jonchés de paysages peints à l'huile, de cadres en bois doré ou de photographies sépia de purs inconnus.

— Bonjour mesdames, dit une voix masculine et mielleuse.

Les deux femmes se retournent vers la voix, qui provient d'un petit local au fond de la boutique. Elles ont alors la surprise de voir un jeune homme en sortir, qui semble tout juste avoir trente ans. Inconsciemment, Mylène et Anne-Marie s'attendaient à un homme dans la soixantaine, aux cheveux blancs, une pipe en bois à la bouche, aux vêtements défraîchis et au dos un peu recourbé. Comme si l'amour des antiquités ne pouvait être que l'apanage des vieilles personnes.

Mais le propriétaire du Temps retrouvé n'a rien à voir avec le cliché de l'antiquaire que les deux femmes s'étaient faite.

Pas trop moche, de taille moyenne, il a les cheveux courts d'un blond roux, un teint pâle et des yeux d'un bleu foncé presque mauve. Vêtu d'un jeans, d'un t-shirt noir et d'un veston en denim bleu marin, on dirait un genre de Vincent

Vallières, sans la guitare et les lunettes de *hipster*.

— Bonjour. Nous tenons la petite pâtisserie qui vient d'ouvrir pas loin d'ici, dit Mylène en tendant la main au jeune homme.

Ce dernier saisit la main de Mylène d'une bonne poigne, juste assez forte pour suggérer la conviction, mais pas assez pour écraser sa main ou tenter de la dominer.

— Miss Caprice ? demande le jeune homme.

Anne-Marie et Mylène se regardent.

— Vous connaissez ? demande Mylène.

— C'est l'uniforme de votre collègue qui m'a mis sur la piste, sourit le jeune homme en désignant du doigt l'écusson.

Évidemment, le chandail brodé et le tablier rose ne passent pas inaperçus.

— Je m'appelle Christian Carpentier.

— Bonjour. Nous sommes à la recherche d'accessoires rétro pour faire notre vitrine, dit Anne-Marie. Dans le genre champêtre. Et pas trop cher, bien sûr, ajoute-t-elle en jetant un regard noir à Mylène.

— Hum… champêtre ? J'ai de vieux pots de lait en métal qu'on utilisait sur des fermes. En les peinturant, ça pourrait être joli.

— Oh oui, quelle bonne idée ! s'exclame Anne-Marie. Je peux explorer ?

— Évidemment, c'est là pour ça.

Au même instant, deux hommes entrent avec de gigantesques saladiers et de grandes cafetières.

— Alors, c'est bien ici que doit avoir lieu le fameux « midi motivation » ? demande l'un d'eux.

— Oui, suivez-moi. Excusez-moi un instant, ajoute-t-il à l'attention des filles.

Christian amène les hommes vers une pièce adjacente.

Mylène le suit du regard. Pendant ce temps, Anne-Marie continue de lorgner en s'extasiant.

— Oh, regarde ces tasses fleuries, comme elles sont belles ! s'écrie-t-elle. Elles me rappellent celles de ma grand-mère ! Et elles ne sont pas chères !

Mylène, pas aussi charmée par les antiquités que sa copine, suit discrètement Christian et jette une œillade derrière la cloison. Un peu partout dans la pièce, des chaises sont disposées autour de tables où trônent des chandeliers. Genres et styles sont confondus. Et bien sûr, rien dans cette salle n'a été produit après 1980.

Mylène revient sur ses pas et continue d'observer les lieux, hésitante. La chaleur est véritablement étouffante aujourd'hui. Et ce commerce sans air conditionné est muni de trois ventilateurs – antiques, bien sûr – qui brassent le même air vicié et humide. Mylène commence à regretter de ne pas s'être habillée de morceaux plus légers. Ses vêtements lui collent à la peau. Elle déboutonnerait volontiers son chemisier pour se donner un peu d'air, mais ce ne serait pas décent. Elle examine les objets autour d'elle.

Des lampes à l'huile en verre et des pièces d'argenterie, semblables à celle de sa tante Gertrude, recouvrent des tables entières et des caisses de Dr Pepper, au sol, sont remplies de disques en vinyle. Mylène prend un fer à repasser en métal, sûrement fait dans les années 1950, qui lui rappelle celui que sa grand-mère possédait. Elle n'est pas allée souvent dans ce genre de magasin, mais chaque fois, le bordel ambiant la déstabilise.

— Pourquoi est-ce que tous les magasins d'antiquités sont complètement poussiéreux et désorganisés ? marmonne-t-elle entre ses dents.

Aussitôt, un rire éclate derrière elle.

— Parce que chez un antiquaire, la poussière fait partie de la décoration. Parce que s'ils étaient en ordre, les gens ne voudraient pas y fouiner, ils auraient peur de déranger. Et aussi, parce que c'est bien trop compliqué de mettre un ordre quelconque là-dedans.

Mylène se retourne brusquement. Elle était certaine que Christian était encore dans l'arrière-boutique. Elle se sent subitement stupide de s'être fait prendre par surprise.

— Euh… je suis vraiment désolée, dit-elle en sentant ses joues virer au rouge.

Elle dépose le fer à repasser où elle l'a pris et fait semblant d'examiner autre chose. Un peu plus et elle siffloterait en observant le plafond.

— Ne vous en faites pas, je ne suis vraiment pas susceptible, dit Christian en souriant.

— Je vous ai entendu parler de « midi motivation », qu'est-ce que c'est ? demande Mylène.

— Des rencontres de réseautage avec des gens d'affaires et des commerçants du quartier, à des fins de formation, d'échange et de motivation.

— Ah… intéressant, dit Mylène en tendant l'oreille. Et… comment peut-on y participer ?

— Normalement, on fait partie d'un groupe. Mais aujourd'hui, si vous le voulez, je vous invite. Vous pourrez assister à la rencontre pour vous faire une idée. Et après, si vous êtes intéressée, je peux vous informer des horaires pour les prochains midis. Je vous donne même la permission de manger à notre buffet, si vous voulez, ajoute-t-il, avec un clin d'œil.

Mylène sait qu'elle peut s'absenter une heure ou deux du magasin. Anne-Marie et Melissa peuvent se passer d'elle un certain temps.

— À ce titre, nous pourrions organiser le goûter pour votre prochaine rencontre, dit Mylène, toujours aussi rapide en affaires.

On est opportuniste ou on ne l'est pas. Et Mylène l'est de manière assumée.

— Pourquoi pas ? sourit Christian. C'est une bonne idée. Pardonnez-moi, juste un moment.

Christian enlève son veston, qu'il dépose sur une chaise, et se dirige vers les caisses contenant les vinyles. Il les parcourt rapidement et en sort un. Mylène regarde distraitement. Sur la couverture au fond rouge, elle croit voir le visage d'un homme vêtu d'un complet avec un nœud papillon.

Le disque mythique *The Andy Williams Christmas Album*.

— Ça va faire une bonne ambiance de party, vous ne trouvez pas ? dit Christian.

— Mais on est en plein mois de juillet, proteste Mylène, abasourdie.

— Et alors ? répond Christian, sans abandonner son sourire.

Il se dirige alors vers un juke-box illuminé, près de l'arrière-boutique, pour y insérer le vinyle. Mylène le regarde faire, stupéfaite. Quel drôle de gars, vraiment.

Quelques secondes plus tard, des sons de cloche, des notes de musique joyeuses et des voix de choristes entonnant « Ding ! Dong ! Ding ! Dong ! » résonnent dans le magasin. La voix d'Andy Williams s'élève à son tour en chantant « *It's that most wonderful tiiiime of the yeeeeeear !* »

Mylène se demande si Christian ne lui fait pas une blague exprès. Il semble vraiment s'amuser beaucoup de cette situation. À côté, les hommes continuent d'installer le buffet, vraisemblablement peu surpris. Sans doute sont-ils habitués aux frasques de Christian.

— Est-ce que vous êtes aussi du genre à faire jouer les Beach Boys en décembre ? lui demande Mylène.

Christian se met à rire de nouveau.

— Je n'avais pas pensé à ça, mais c'est une excellente idée. Je retiens la suggestion pour la prochaine fois.

Mylène sourit à son tour. Christian lui paraît certes bizarre, mais il est sympathique. Anne-Marie, quant à elle, continue de s'extasier, seule dans son coin, devant les vases fleuris et les cadres dorés.

— Vous avez ce commerce depuis combien de temps, dites-moi ? Ça a dû vous prendre du temps, monter toute cette collection.

— Le magasin appartenait à mon père, qui est mort il y a trois ans. J'ai presque toujours travaillé ici pour lui, alors j'ai repris les affaires à son décès.

— Je vois. Et pourquoi ça s'appelle « Le temps retrouvé » ?

— Une référence à l'œuvre de Proust ; mon père l'aimait beaucoup. Et aussi parce que les antiquaires passent une bonne partie de leur temps à chercher la perle rare pour leur inventaire, à fouiner parmi des quantités de vieilleries qui ont traversé le temps, pour mettre la main sur l'objet vraiment intéressant, la véritable œuvre d'art ou le truc rare quasi disparu de la circulation. À dénicher des objets remplis de souvenirs. Les antiquaires sont constamment à s'échiner pour retrouver ce qui s'est perdu dans le temps, quoi.

— Pour retrouver quelque chose, encore faut-il l'avoir perdu, non ? rétorque Mylène en souriant à son tour.

— Très juste, mademoiselle. Les antiquaires ne perdent rien, au fond. Ils retrouvent ce que les autres ont perdu et se l'approprient temporairement. Et quand les clients entrent ici et qu'ils voient un objet qui leur rappelle de vieux souvenirs, eux aussi retrouvent cette chose perdue dans le temps.

La clochette rouillée se fait soudain entendre.

— Excusez-moi, je dois aller accueillir mes invités.

Mylène sourcille. Habituée à côtoyer des juristes qui parlent de textes de lois, de délais de prescription et de tracasseries administratives, cette conversation diffère totalement de ce à quoi elle est habituée. Décidément, il y en a, des *weirdo* dans le monde. Celui-ci est charmant, mais *weirdo* quand même.

D'autres membres de la rencontre commencent à arriver, accueillis par Christian, qui les dirige vers les tables dans l'autre salle. Puis il revient vers Mylène.

— Tenez, je vous le donne, dit-il en lui tendant un objet brillant.

Mylène le prend et l'examine. Il s'agit d'un peigne argenté, serti de perles, de feuilles et de fleurs en pierres de cristal. L'objet brille de mille feux sous la lumière. Le genre de parure qu'on met dans ses cheveux pour faire un chignon.

En plein le type de bijou dispendieux que Pierre-Luc achèterait à Anne-Marie. Mais Mylène n'a pas l'habitude de recevoir ce genre de don.

— Attachez vos cheveux avec ça, vous aurez moins chaud, dit Christian.

— Vous êtes fou! Ce truc doit valoir super cher! s'écrie Mylène, interloquée. Je ne peux pas l'accepter.

— Mais si, vous le pouvez. Vous faites pitié, à crever de chaleur avec votre longue chevelure, je ne vais pas vous laisser comme ça.

— Allons, je ne vais pas vous prendre ce peigne. Laissez-moi vous l'acheter, au moins. Vous allez vivre de quoi, si vous donnez votre marchandise comme ça?

— Vous avez vu la quantité de babioles que j'ai dans mon magasin ? rétorque Christian. Ce n'est pas avec ce truc en moins que je vais faire faillite. Et puis, vous-mêmes, vous devez sûrement donner des pâtisseries en cadeau une fois de temps en temps, non ?

— Ouais, mais nos gâteaux ne sont pas faits en cristal.

— S'il vous plaît, faites-moi plaisir et prenez-le. Vous connaissez le sens du mot « gratuit », non ? Je ne veux pas vous voir transpirer pendant des heures parce que vous êtes trop orgueilleuse. Moi, je supporte bien la chaleur, mais là, je me sens coupable de ne pas avoir climatisé mon magasin pour vous. Et puis, vous allez faire des ronds de sueur sur votre belle chemise, si ça continue, rigole-t-il.

Mylène soupire. Elle se sent mal à l'aise de recevoir un si bel objet de manière aussi spontanée : ce n'est pas dans ses habitudes d'accepter des cadeaux. Ce qu'elle veut, elle se l'achète, point à la ligne. Mais elle voit bien que si elle s'entête encore, elle va finir par irriter Christian.

— D'accord, mais je vous le remettrai après, par contre.

— Si ça peut soulager votre conscience.

Mylène fait une torsade avec ses cheveux, qu'elle place derrière sa tête et y plante le peigne pour faire tenir le tout en place. Elle se sent effectivement mieux avec la nuque dégagée, même si l'effet n'est pas miraculeux.

C'est alors qu'elle aperçoit d'autres membres de la rencontre arriver, avec plusieurs bouteilles d'alcool. Elle sursaute. Il y a là pas mal d'alcool, même s'il doit y avoir une quinzaine de personnes. Est-ce une coutume de ces rencontres, de boire sur l'heure du lunch en pleine semaine ?

Elle s'approche discrètement de Christian, qui apporte de nouvelles chaises.

— Dites, c'est normal qu'il y ait de la boisson comme

ça ? lui chuchote-t-elle à l'oreille. Je trouve que ça en fait pas mal. Il y en a qui vont rouler comme des balles jusque chez eux. Presque dommage qu'on n'ait pas Nez Rouge à ce temps-ci de l'année.

— C'est assez habituel qu'on ait de l'alcool, oui. Mais c'est vrai que cette fois-ci, ils se sont permis une bonne latitude, disons. Ça dépend toujours des groupes, vous savez. Ça diffère d'une fois à l'autre.

— Est-ce vraiment une bonne idée ? Je ne suis pas sûre que ce soit approprié dans un dîner d'affaires, grimace Mylène. Il me semble qu'on devrait toujours garder ça strictement professionnel.

Mylène tente de respirer à fond. Tout à coup, elle n'est plus sûre qu'elle a envie d'assister à la conférence. Les partys, ce n'est pas son truc du tout. Elle est toujours mal à l'aise de voir du monde ivre, en plus. Elle a du mal à s'enlever ce genre d'image de la tête quand elle revoit des personnes qu'elle a eu le malheur d'apercevoir en état d'ébriété. Quant à leur donner la moindre crédibilité par la suite, ça devient presque mission impossible. Mylène sait bien qu'elle est un peu *straight* sur ce point, mais elle ne peut s'en empêcher. Il faut dire qu'elle a toujours travaillé dans des bureaux d'avocats où l'ambiance est plus protocolaire, en quelque sorte.

— Bien sûr que c'est une bonne idée d'avoir de l'alcool, répond Christian. Ça déride les gens, ils sont de bonne humeur et garderont un excellent souvenir de la rencontre et de vous, aussi, croyez-moi.

— Vous le pensez réellement ? dit Mylène, plus sceptique que jamais. J'en doute.

— Absolument, n'hésitez pas à rester avec nous, ne serait-ce que pour discuter après la conférence. Les autres vont vous adorer. L'ambiance dans ces dîners est toujours relax, mais reste professionnelle. Il n'y a pas de dérapage, si c'est ce qui vous tracasse. Et puis, vous n'êtes pas une débutante, vous connaissez le monde des affaires, non ? N'ayez crainte, Mylène, tout ira bien. Je peux vous appeler Mylène ?

— Euh… oui, évidemment.

— Il se pourrait aussi que certains veuillent danser après le dîner s'ils sont dans de vraiment bonnes dispositions.

Mylène écarquille les yeux et ouvre la bouche tellement grande que son menton frôle presque le sol. Non… Christian doit être en train de lui faire une farce. Elle ne se voit réellement pas en train de danser la Macarena parmi un groupe de gens ivres, qui se dandinent à la file indienne en se tenant par la taille, après avoir parlé de contrats avec elle.

— C'est une blague ?

— Pas du tout, ça arrive parfois. Vous savez, danser, ça fait du bien, ça libère les tensions du corps et ça détend l'atmosphère. Surtout après une bonne réunion comme ça. Mais ne vous inquiétez pas, je vous promets que personne ne dansera la gigue sur les tables.

— Disons que ce serait beaucoup pour ma tasse de thé, dit Mylène, vaguement découragée.

— Et puis, il n'y a rien comme être soûl en gang pour cimenter de bonnes relations d'affaires, ajoute Christian en riant.

Mylène lève les yeux au plafond tandis que Christian continue d'apporter des chaises dans l'autre pièce, en riant et en sifflotant. Ce n'est pas exactement comme ça que ses anciens patrons brassaient des affaires, disons. Au même instant, Anne-Marie arrive avec des boîtes en bois, des pots de lait et plein de tasses fleuries. Elle aperçoit les gens avec leurs bouteilles de vin et fige sur place. Elle interroge Mylène du regard.

— T'inquiète, c'est normal, dit Mylène. C'est une rencontre de gens d'affaires du quartier. Moi, je vais en profiter pour réseauter un brin pour la boutique.

— D'accord.

— Tu ferais mieux de filer avant que les gens commencent à se déshabiller, lui lance Mylène.

— Quoi ? dit Anne-Marie, stupéfaite.

— Je blague. Allez, file au magasin.

« À croire que ce Christian déteint sur moi », pense Mylène en souriant.

Anne-Marie se dépêche de payer ses choses à Christian, après avoir reçu l'approbation de Mylène, et de repartir prestement. Elle paraît subitement très pressée de quitter les lieux.

✿ ✿ ✿

Le dîner s'est effectivement bien passé, et Mylène, à son grand soulagement, n'a vu personne marcher à quatre pattes sur le sol, danser lascivement sur une chaise ou s'enrouler dans une nappe sous la table.

Christian, en sa qualité d'hôte, a d'abord présenté son commerce à ceux – plutôt rares, en fait – qui ne le connaissaient pas. Mylène a compris, à la lumière de sa présentation, que plusieurs des personnes présentes étaient des clients réguliers qui s'approvisionnaient chez lui pour leur décoration intérieure et même pour dénicher des cadeaux rares. Cela explique en partie pourquoi ce dernier arrive à vivre sans doute confortablement et n'a aucun mal à se départir d'une parure au prix en apparence assez élevé.

Mylène s'est même surprise à s'amuser beaucoup avec plusieurs commerçants, dont un entrepreneur de pompes funèbres à l'allure métrosexuelle digne de la série *Entourage*, une sympathique et bruyante propriétaire de mercerie italienne et un directeur de magasin de matelas ressemblant à un ex-joueur de football. Elle est néanmoins restée raisonnable dans sa consommation d'alcool – histoire de ne pas perdre la face devant de futurs clients potentiels.

En retournant chez elle à la fin de la journée, Mylène se dit qu'elle pourrait éventuellement prendre goût à ce genre de rencontres à l'avenir. Ça pourrait être bénéfique pour la boutique et elle s'y est bien amusée, en fin de compte. En dénouant ses cheveux pour prendre sa douche, elle constate qu'elle a oublié de redonner le précieux peigne à Christian.

« Zut ! Tant pis, je trouverai bien le moyen d'y retourner un de ces jours pour le lui redonner », se dit-elle.

Elle se couche plus tard ce soir-là, l'esprit serein et satisfait. Il se pourrait qu'elle renouvelle l'expérience.

❁ ❁ ❁

— Bonjour ! Quoi de neuf, docteur ?

Melissa sourit. Elle n'a même pas besoin de se retourner qu'elle sait déjà que c'est Gabriel. C'est sa troisième visite depuis un mois – incluant la première. Un des avantages de travailler dans une école, c'est que les cours finissent tôt et qu'on est souvent libre pour le reste de la journée. Enfin, quand il n'y a pas une période d'études à gérer, une réunion ou autre chose.

— Rien, que du vieux ! lance Melissa en riant.

— Vraiment ? dit Gabriel en s'assoyant sur le banc près du comptoir. Tu m'étonnes. Avec toi, il y a toujours quelque chose de nouveau.

Au même instant, Leo, également assis à une table à proximité, laisse échapper un rire discret.

— En voilà un qui te connaît, dit-il. Jamais capable de s'arrêter, toujours en train de faire quelque chose, notre Melissa.

— Bon, d'accord, dit Melissa. Tiens, j'ai mis au point mon prochain *cupcake* saisonnier pour l'automne et je suis en train de tester des glaçages à base de fruits pour qu'ils aient un parfum plus naturel parce que je trouve que certains colorants ont un goût chimique. Voilà, tu es satisfait ?

— Haaa... ça te ressemble plus, ça, dit Gabriel.

— Et je vous sers quoi, mon cher monsieur ?

— Hum... allons pour un brownie caramel-fleur de sel avec un café. Je crois que je vais aussi apporter une boîte de mini-*cupcakes* assortis pour Dominique. Elle va adorer, c'est sûr.

— Ce sera fait !

— Et tes fruits, je parie que tu vas les prendre chez des commerces locaux ? dit Gabriel.

De nouveau, Leo rigole.

— Oh, je parie que tu n'y avais pas pensé, Melissa, dit-il. Mais ce serait son genre, ajoute-t-il à l'attention de Gabriel. Elle ne fait jamais les choses à moitié.

— Vous la connaissez depuis longtemps ? lui demande ce dernier.

— C'est mon achalant de petit frère, rétorque Melissa.

— Et surtout, le meilleur des petits frères, répond Leo.

— Elle a toujours été aussi perfectionniste ? lui demande Gabriel.

— Oh oui ! Elle a tendance à en faire plus qu'en demande le client et à enfoncer le bouchon toujours plus loin.

— Je n'ai pas eu le temps de faire des partenariats pour avoir des fruits locaux, mais d'ici la prochaine année, ce sera fait. Et puis, tiens, je t'en apporte un.

Elle va dans l'arrière-boutique et rapporte un bol de glaçage rose texturé.

— Qu'est-ce que tu en dis ? Il est à la fraise.

Gabriel y plonge un doigt et goûte à la merveille en question.

— Hmmm… c'est vrai que c'est bon et que ça a un goût naturel.

— Merci ! Il n'est pas encore au point, mais ça s'en vient. Et en passant, toi aussi, tu es toujours en train d'en faire trop, de t'investir dans plein de trucs et de t'impliquer de manière presque personnelle auprès des enfants.

— D'accord, je plaide coupable.

— Disons qu'on est quitte, alors.

— Quitte ! Maintenant, parle-moi donc plus en détail de ton histoire de saveur saisonnière. J'aime toujours savoir ce que tu es en train de préparer, tout ce que tu fais semble si passionnant que c'est contagieux…

Chapitre 4

Melissa regarde l'heure à sa montre. Il est presque dix-sept heures. Elle se mordille la lèvre inférieure, comme elle le fait toujours lorsqu'elle est nerveuse. Elle tente de respirer à fond, mais elle a l'impression que l'air est bloqué dans sa gorge. Son estomac est noué et elle a le sentiment d'avoir un étau qui lui comprime le cœur. Comment va-t-elle encore annoncer ça à Jean-François ? Elle va de nouveau devoir faire des heures supplémentaires. Il y a encore tant de choses à préparer pour le lendemain. Une nouvelle commande pour un lancement de livre, enregistrée il y a quelques jours. Elle en a encore pour une bonne heure, c'est sûr. Cette situation se produit de plus en plus souvent.

Jean-François va encore être en colère contre elle, elle le devine. Mais comment peut-elle faire autrement ? Ce n'est quand même pas sa faute si les demandes se font plus nombreuses ! Elle ne va certainement pas se plaindre que la popularité de la boutique augmente, oh non ! Et elle ne va sûrement pas refuser une nouvelle commande, même de dernière minute. Elle ne peut pas se le permettre en ce moment.

Tout d'abord, parce que cette commande représente près de mille dollars de profit ! Un montant qu'elle ne peut tout simplement pas refuser à l'heure actuelle.

Ensuite, parce qu'elle doit se bâtir une clientèle et une réputation. Un contrat comme celui-ci est excellent pour sa visibilité. Et cela veut dire sacrifier certaines choses pour laisser une parfaite impression à ses clients – y compris son temps personnel. Après trois mois d'exploitation, les choses se passent bien, mais elle est encore loin d'avoir le vent dans les voiles !

Mylène, qui s'occupe en bonne partie des finances, ne le dit pas ouvertement, mais Melissa sait bien que la boutique a de la difficulté à payer presque la moitié de ses fournisseurs dans les délais. Son amie ne veut sans doute pas l'inquiéter et tient à ce qu'elle se concentre sur la production et la création de nouveaux produits, mais Melissa demeure propriétaire et actrice principale chez Miss Caprice. Elle sait des choses quand même, on ne peut tout lui dissimuler.

Jusqu'à présent, seul le fournisseur de farine a poliment menacé les filles – de manière professionnelle bien sûr – si elles ne payaient pas à temps. Évidemment, pas question de se passer de farine, absolument essentielle. La plupart des autres fournisseurs, étant donné la courte vie du magasin, ont été assez compréhensifs jusqu'à présent. Mais cette situation ne durera certainement pas et leur patience s'étiolera bien assez vite.

Ses subventions de Soutien au travailleur autonome pour entreprises en démarrage et du ministère de l'Agriculture et de l'Alimentation pour l'achat de certains équipements n'ont toujours pas été versées en totalité ! Un problème d'approbation dans le premier cas et un ennui lié à un formulaire dans le second, paraît-il. Qui allait être réglé sous peu, lui promet-on.

Et dire que Melissa avait planifié amorcer le développement de chocolats de confection aromatisés avec des produits locaux ce mois-ci ! Elle est encore loin de pouvoir se permettre ce genre de croissance. Croissance ? Le concept même paraît si lointain. Elle qui désirait offrir des produits originaux et même des mélanges de saveurs inédits chaque mois, elle va devoir prendre son mal en patience et reporter tout ça.

Déjà que Melissa a payé le loyer du magasin trois jours en retard ! Bien que le propriétaire ait été indulgent, Melissa était mortifiée en lui donnant le chèque, murmurant des excuses interminables, le regard presque fixé au sol. Elle se sentait inapte et humiliée, elle déteste ce type de situation. Le genre de chose qui ne lui serait jamais arrivé quelques années plus tôt. Car Melissa ne tolère jamais le moindre retard. Melissa, c'est la responsabilité et le sérieux en personne. Le lendemain, elle est même allée porter une boîte de *cupcakes* gratuits pour s'excuser du retard.

D'après de savants calculs, Mylène lui a en plus fait remarquer que ses prévisions indiquaient qu'elles auraient besoin de deux tonnes de beurre par année. Et qu'il serait temps d'essayer d'obtenir les permis spéciaux attribués par la commission canadienne du lait permettant d'avoir des tarifs préférentiels à l'achat de beurre, pour économiser là-dessus. Melissa n'en croyait tout simplement pas ses oreilles lorsqu'elle a entendu les estimations de son amie. Comment avait-elle fait pour passer à côté de quelque chose d'aussi majeur ?

Elle avait pourtant l'impression de s'être bien préparée avant l'ouverture du magasin, avait fait toutes les recherches pour obtenir ses différents permis du ministère de l'Agriculture et de l'Alimentation – gentiment baptisé le MAPAQ par les gens du milieu – et avait obtenu toute la formation nécessaire avant de se lancer. Pourtant, elle se sent constamment prise de court par des imprévus. Quand ce n'est pas de l'équipement – pourtant neuf ! – qui brise, c'est un problème impromptu de livraison ou encore autre chose.

Melissa ne s'attendait pas à un long fleuve tranquille, mais elle n'a jamais de répit. C'est comme si elle ne faisait qu'improviser depuis des mois, tenter de s'adapter et de retomber sur ses pieds à chaque coup du sort qu'elle reçoit.

Sans compter toutes ces responsabilités qui l'écrasent. Les inventaires à gérer, les pressions à faire pour les subventions à recevoir, la publicité et le réseautage à prévoir, c'est plus lourd et exigeant que ce qu'elle avait prévu. Quant à l'équipement, on n'en parle même pas. L'une des machines à café a déjà dû être réparée à trois reprises, un frigo a lâché et quatre casiers à bonbons de plexiglas ont craqué, que les filles sont parvenues à arranger du mieux qu'elles ont pu – ce qui leur a permis de développer des talents insoupçonnés de réparatrices. Melissa ne s'attendait pas à gérer des ennuis aussi triviaux que cela.

Une chance, les dons de négociatrice de Mylène-la-hyène, qui s'en est prise aux compagnies ayant vendu le matériel fautif, leur a permis d'obtenir des escomptes sur leurs factures. C'est déjà ça de pris. Une des rares bonnes nouvelles des dernières semaines.

Autre rare victoire du moment : Melissa et Mylène sont parvenues à une entente avec un autre commerce du coin pour qu'il fournisse la boutique en petits animaux de massepain, qui font la joie des enfants.

De plus, Melissa fait tout en son pouvoir afin que les ennuis budgétaires de Miss Caprice n'affectent aucunement ses finances personnelles. Si les opérations de la boutique devaient déranger le compte en banque de sa famille, Jean-François lui passerait un de ces savons ! Elle en entendrait parler pendant des mois, voire des années, c'est sûr. Melissa a bien compris que son conjoint acceptait qu'elle ait un commerce, mais pas que ça interfère dans leur vie personnelle.

Pas question, donc, de piger dans le compte conjoint pour soulager les difficultés financières du magasin. Et elle ne veut pas complètement dilapider l'héritage paternel.

Déjà que Melissa a fait des pieds et des mains pour convaincre le conseiller de la banque de lui accorder un prêt, minime par ailleurs – il ne voyait pas l'intérêt de créer un énième magasin du genre –, elle ne tient pas à tirer davantage sur les cordons de la bourse. Le conseiller en question, un genre de *boy-scout* en veston, la regardait comme si elle avait un troisième œil sur le front quand elle lui parlait de son plan d'affaires, avec des gâteaux, des macarons et des chocolats chauds. Pourtant, son concept n'était pas si étrange, elle ne fabriquait tout de même pas du papier hygiénique fluorescent! Bref, affronter une nouvelle fois son regard rempli d'incompréhension, à la limite du dédain, lui est aussi attirant que l'idée de recevoir un gros seau d'eau glacée en plein figure. Et maintenant, comment va-t-elle faire pour payer tout ce beau monde?

On l'avait déjà avertie qu'un commerce comme le sien pouvait mettre entre trois et cinq ans à devenir rentable. Parfois. Et que les gens d'affaires ne se contentaient pas de faire du neuf à cinq. Mais entre le savoir et le vivre au jour le jour, il y a une sacrée marge. Par chance, ses proches – sa mère et son frère, surtout – lui donnent également un petit coup de pouce.

Sa mère, avec toute la fierté d'un parent convaincu de la réussite de son enfant, continue de parler à qui veut l'entendre du commerce de sa fille et va la visiter régulièrement en achetant chaque fois un maximum de gâteries et de bonbons. Elle a réussi à lui apporter plusieurs clients sur place.

Son frère Leo vient la voir plus ou moins régulièrement, surtout en fin de journée. Chaque fois, il reste un bon moment, boit un capuccino à une table, discute avec sa sœur, même après la fermeture.

Melissa demande déjà à Mylène et à Anne-Marie de rester bien au-delà des heures normales au moins deux fois par semaine chacune, afin de se permettre de rentrer tôt à la maison et de s'occuper de sa famille une fois de temps en temps. Et puis, elle leur a donné une formation « maison » afin que celles-ci puissent accomplir certaines tâches dans la cuisine comme elle le fait. Mais ses amies, même avec la meilleure volonté du monde, ne peuvent pas accomplir tout ce qu'elle fait avec le même talent. À chacune ses forces. De plus, Melissa n'ouvre même pas le magasin le dimanche et le lundi, pour être présente à la maison. Que peut-elle faire de plus sans mettre son commerce en péril ?

Il n'est pas rare que Melissa apporte du travail chez elle, le soir, même si elle est debout pratiquement aux aurores. Elle ne compte plus ses heures et ne dort presque plus la nuit. Sans compter qu'elle voit beaucoup moins ses enfants, ce qui la culpabilise. Est-ce que ça va s'améliorer avec le temps ou devra-t-elle toujours maintenir ce rythme infernal ? Et si elle avait vu trop grand ? Et si elle avait eu trop d'ambitions pour ses moyens ?

Melissa a subitement la tête qui tourne. Elle a chaud et a du mal à respirer. Elle doit s'appuyer sur le comptoir pour ne pas tituber. Il lui semble qu'elle perd le contrôle. Tous ces chiffres, tout cet argent, tous ces problèmes, tous ces aspects à gérer. Elle se sent coincée à chaque détour. On dirait qu'elle ne s'en sortira jamais. Pourquoi a-t-elle décidé de faire cela, déjà ? Pourquoi est-elle allée se foutre dans ce merdier ? Et pourquoi a-t-elle entraîné sa famille et ses deux meilleures amies là-dedans ? Quelle mouche l'a piquée de se prêter à cette folie ?

Que lui dirait Mylène, si elle l'entendait penser et s'inquiéter de la sorte ? Mylène a toujours le don de lui remettre les idées en place et de la ramener les deux pieds sur terre. Elle lui rappellerait sûrement que cette boutique, c'était son rêve. Que les rêves doivent être vécus, peu importe leur issue ou leur finalité. Qu'elle doit être patiente et ne pas s'attendre à ce que tout se mette en place immédiatement, que d'avoir des problèmes au début est normal.

Elle dirait sûrement aussi que Melissa a le droit de s'accomplir comme personne, qu'elle est une créatrice dans l'âme, qu'elle a trouvé sa place, qu'elle doit écouter son cœur, qu'elle fait exactement ce qu'elle veut faire et se trouve précisément là où elle devrait être. Qu'avec tout son talent – et sa tête détestable de cochon – elle peut réussir.

Elle lui dirait sûrement aussi que si les choses doivent réussir, elles réussiront. Et que si elles doivent échouer, elles échoueront. Que ce ne sera pas la fin du monde, mais simplement une étape dans son existence et que la vie va continuer. Qu'elle trouvera un autre chemin pour s'accomplir et satisfaire ses besoins de création. Que s'inquiéter de l'avenir ne réglera pas les problèmes du présent.

Melissa respire à nouveau. La crise d'angoisse est passée pour l'instant. Mais ça ne change rien au fait qu'en ce moment, elle va prendre n'importe quelle commande et qu'elle ne peut pas refuser grand-chose, sauf si c'est parfaitement déraisonnable, bien sûr. Elle doit vraiment mettre les bouchées doubles pour que ça marche. Elle n'a donc pas le choix : elle y mettra des heures de plus ce soir, n'en déplaise à Jean-François. Elle sait qu'il ne sera pas très heureux.

Elle compatit en partie avec Jean-François, qui trouve ce rythme difficile, mais parfois, elle trouve qu'il se lamente vraiment pour rien. S'est-elle déjà plainte, elle, d'avoir mis sa carrière complètement de côté pour se consacrer entièrement à ses enfants, vingt-quatre heures par jour, sept jours par semaine, pendant des années ? Elle ne rechignait pas non plus quand elle devait se lever plusieurs fois par nuit pour allaiter l'un, réconforter l'autre au sortir d'un cauchemar ou le troisième, tombé du lit. Ni les nombreuses fois où Jean-François, consultant pour une compagnie d'informatique, travaillait des heures supplémentaires à un contrat.

Combien de fois s'est-elle tapé seule la préparation du souper sous les hurlements de bébé Rosalie affamée de lait maternel, avec Raphaël et Florence se chamaillant pour la télécommande de la télévision ou le dernier biscuit. Que ne s'est-elle occupée, seule, d'aller les chercher à la garderie, de les habiller pour la neige – tout en essayant vainement de convaincre Florence de le faire elle-même –, et ce, jusqu'à trois fois de suite puisque dès qu'elle en avait fini avec l'un, l'autre enfant s'était déjà déshabillé !

Que n'avait-elle donné le bain, couru après Raphaël pour lui mettre une couche – ce dernier ayant refusé catégoriquement le petit pot jusqu'à trois ans – et fait enfiler les pyjamas, tout en entonnant les proverbiales berceuses, histoires et chansons. Le tout, multiplié par trois, bien sûr.

Combien de fois avait-elle accompli tout cela entièrement seule, Jean-François ayant été retenu par un client plus longtemps que d'habitude, assistant à une réunion de dernière minute ou autre chose encore ?

Malgré son amour immodéré pour les enfants – en particulier les siens –, Melissa se trouvait très fatiguée, ces dernières années. Plus qu'elle ne l'avait jamais été auparavant. Ses classes d'enfants, dans sa période prématernité, étaient pourtant fort exigeantes, mais pas de la même manière.

Elle avait beau y consacrer des heures, même tard le soir, ce n'était pas pareil.

Il faut dire que des enfants, même au nombre de trente, même indisciplinés, ne la remuaient pas autant sur le plan émotif qu'un bambin de trois ans en pleine crise d'opposition ou un bébé insomniaque refusant toute autre chose que le sein pendant des mois et gueulant comme une sirène de pompier si l'on tentait de lui faire changer d'idée.

Est-ce à cause de son attachement à sa progéniture, plus fort que tout, que cela la trouble aussi profondément ? Parce que Melissa est une personne sensible agissant comme une éponge à émotions avec tous ceux qui l'entourent ? Ou est-ce simplement parce qu'à l'école, elle était habituée à avoir des enfants autonomes, capables de manger seuls – sans qu'on leur fasse faire « l'avion » –, d'écrire leur nom sans échapper le crayon trois fois de suite ? À leurs yeux, Melissa était une professeure : résultat, ils la traitaient différemment que ses propres enfants le faisaient.

Bref, sa relation avec sa descendance s'avère épuisante et lui cause bien plus de soucis que les enfants des autres, à qui elle enseignait la créativité et l'imagination, toujours avec brio. Il faut se l'avouer, jusqu'à un certain point, elle a eu le beau rôle dans son emploi précédent.

Les nombreuses heures de travail que Jean-François faisait à l'époque ont eu une incidence sur son salaire et, en quelque sorte, toute la famille en a bénéficié. Grâce à cela, ils auront fini de payer leur maison dans quelques années, puisqu'ils ont tenu un budget très serré et mis le maximum dans l'hypothèque depuis dix ans. De cela, Melissa ne peut pas se plaindre. Mais pourquoi n'espère-t-elle pas la même chose de son côté ? La même liberté, la même indépendance ?

Pourquoi le fait qu'elle travaille soudainement plus d'heures à l'extérieur, comme Jean-François l'a fait pendant tant d'années, pose-t-il problème ? Pourquoi faudrait-il que ce soit elle qui s'occupe de la maison et des enfants sans se lamenter ? Comment se fait-il que Jean-François en soit incapable ?

Pourquoi semble-t-il trouver normal que ce soit elle qui sacrifie son emploi et son temps à la famille pendant que lui est à l'extérieur, et non l'inverse ?

Pourtant, en quinze ans d'union, Jean-François n'est pas un homme particulièrement macho ni dominateur. Du moins, il ne lui est jamais apparu comme tel. On pourrait même le qualifier de « bon gars ». Il est généralement responsable, attentif, intelligent. Melissa ne lui a jamais caché n'avoir aucune intention de mettre sa carrière sur la glace. Il a toujours été clair qu'elle retournerait travailler lorsque la famille serait complète. Et Jean-François ne s'est jamais opposé à ce scénario.

En principe, cette entente a toujours été évidente entre lui et Melissa. Et puis, Jean-François, comme plusieurs personnes de sa génération, était d'avance vendu à l'idée que dans un couple, les deux conjoints travaillent. Quant au niveau de vie auquel il est habitué, comme bien d'autres, il ne veut pas le voir changer. Jean-François regarde même parfois les mères au foyer avec un peu de dédain et d'incompréhension, probablement convaincu que certaines sont juste trop paresseuses pour travailler à l'extérieur.

Melissa a donc l'impression que depuis qu'elle est mère, la perception et les attentes de Jean-François à son égard ont changé. Sans qu'il l'admette ouvertement, bien entendu. Peut-être même n'en a-t-il pas conscience. Comme si instinctivement, il avait intégré l'idée qu'il est dans l'ordre des choses qu'une mère soit davantage concernée par la famille, y consacre plus de temps qu'un père, y trouve plus de satisfaction, s'y découvre de plus grands talents et s'y sacrifie davantage, pour toutes ces raisons.

Est-ce là la raison pour laquelle il se révèle si agacé du fait que Melissa consacre beaucoup de temps à son commerce ? Melissa a aussi le sentiment que le fait qu'elle recommence à avoir une vie à l'extérieur de lui et de la famille l'insécurise. Se sent-il menacé parce qu'elle redevient indépendante ? A-t-il peur qu'elle l'oublie ? Qu'elle devienne autonome au point de l'abandonner ? Craint-il de ne pas savoir se débrouiller seul avec les enfants ? Pourtant, elle y arrive bien, elle !

Ce n'est pas bien sorcier : leurs enfants, aussi exigeants soient-ils, ne sont pas des lutins maléfiques sortis tout droit des livres d'Harry Potter. Ils ne menacent pas de transformer leur père en statue de sel ou de boire tout son sang directement de sa jugulaire. Pourquoi serait-il incapable de s'occuper d'eux, alors ? Se sent-il diminué du fait qu'il doive faire davantage de tâches ménagères ou de tâches « féminines » ? Melissa ne peut pas croire que Jean-François ait cette vision des choses.

Et puis, ne voit-il pas qu'elle a besoin de s'accomplir en tant que personne, et pas juste comme mère ? Que de faire tout cela la rend heureuse ? Qu'elle a l'impression d'être utile ailleurs qu'entre les quatre murs de sa maison ? À croire, par moments, que ça n'a pas d'importance pour lui. Ou que l'accomplissement de Melissa ne devrait pas faire de vague dans son quotidien à lui. Comme quoi on tolère les actions de l'autre, tant que ça n'empiète pas sur notre bulle. Pourquoi Jean-François n'est-il pas davantage comme Pierre-Luc, qui ne semble jamais trouver le comportement d'Anne-Marie agaçant, et l'encourage dans tout ce qu'elle fait avec un sourire satisfait ?

Anne-Marie n'a jamais de compte à rendre à son mari, qui lui laisse toute la liberté qu'elle désire et veille à son bonheur avec prévenance. Aussi ne se prive-t-elle pas de souligner ce fait abondamment. Pierre-Luc la traite en adulte, lui. Il n'a même pas rechigné quand, il y a six mois, elle est partie deux semaines dans le Sud avec sa sœur, sans lui. Combien de voyages dans un spa des Laurentides ou ailleurs Anne-Marie a-t-elle faits sans qu'il l'accompagne et sans le moindre problème ? Trop pour les compter.

Au risque de paraître une épouse indigne, Melissa jalouse Anne-Marie par moments. Elle se demande parfois pourquoi elle n'a pas été aussi chanceuse avec son choix. Pourquoi Jean-François n'est-il pas aussi facile à vivre et relax que Pierre-Luc ? Pourquoi a-t-il autant changé avec les années ?

Qu'est-ce qui lui pose problème à ce point ? Comment se fait-il que Melissa ne vive pas une relation aussi égalitaire qu'elle l'aurait voulu, et qu'aborder l'ombre du sujet avec Jean-François vire presque instantanément à la dispute. Melissa a l'impression de n'être plus capable de lui parler sans que ça dégénère. Tout sujet devient émotif avec lui. Comment se fait-il qu'elle ait perdu le tour à ce point avec lui ?

Et dire que quand ils se sont rencontrés, elle et Jean-François pouvaient avoir des conversations qui duraient des heures où ils parlaient de tout et de rien sans limite ni censure ! Jean-François était si intelligent, si vif d'esprit et avait une opinion éclairée sur tout. Il valorisait autrefois son avis à elle et la faisait sentir importante. Et il était si calme, si posé. Avant, Melissa pouvait l'écouter parler pendant des heures sans se fatiguer. Où sont passés ce plaisir, cette facilité ?

Melissa se souvient avec nostalgie de quand elle a rencontré Jean-François, à la fin du secondaire. Elle n'avait eu jusque-là que des amourettes. Jean-François, âgé de dix-sept ans, venait d'entrer au cégep. Il s'est présenté à son école en manteau de cuir, sur une moto, pour venir chercher sa petite sœur. Il a automatiquement attiré l'attention et un attroupement de filles s'est formé autour de lui. Elle l'a trouvé si beau, avec ses lunettes fumées qui lui donnaient des airs de Bon Jovi ! Il s'y connaissait en mécanique et parlait de son « engin », comme il disait, avec tant d'aisance. Melissa a tenté de le contacter par le biais de sa sœur.

Quelques jours plus tard, elle a appris qu'en fait, Jean-François avait « emprunté » le manteau et la moto à un cousin plus vieux, qui lui avait montré, durant l'été, comment la conduire. Jean-François l'avait alors conduite sans permis, avec sa jeune sœur par-dessus le marché. Un geste plutôt irresponsable qui a provoqué l'émoi dans la famille et lui a valu d'être puni pendant des semaines. Enfin, autant qu'un jeune homme de dix-sept ans peut l'être.

Lorsque Melissa a fini par le retrouver, il travaillait en jeans et en t-shirt sur sa bicyclette, dans la cour. Il faisait des livraisons pour le dépanneur du coin pendant l'été. Qu'importe, il l'avait déjà séduite avec son sourire enjôleur, son élégance de faux *bad boy* et son intelligence – intelligence qu'il avait réellement, malgré son geste stupide. Qu'il roulât avec ou sans moteur et fût ou pas un vrai dur à cuire la dérangeait peu. Peu après, Jean-François et elle ne se sont plus quittés.

Où est le Jean-François drôle, spirituel et insouciant de cette époque ? Vieillir lui va vraiment mal. Avec le temps, il semble s'aigrir et devenir plus rigide, plus conservateur.

À croire que Jean-François voudrait qu'elle fasse de l'argent, mais sans jamais déborder du cadre de neuf à cinq ! A-t-il seulement compris ce qu'ouvrir un magasin implique vraiment ? Melissa commence à croire que non. Elle-même, malgré le fait qu'elle s'est renseignée pendant des mois avant de passer à l'action, a l'impression qu'au fond, elle n'y connaît pas grand-chose et était pleine d'idées préconçues.

Faudra-t-il une mise au point entre eux ? Cette simple idée la terrorise. Comment se fait-il qu'elle et Jean-François se soient éloignés à ce point ? Qu'ils aient autant de mal à se parler ? Elle ne sait même pas ni quand ni comment aborder le sujet. On dirait que ce n'est jamais le bon moment.

Melissa regarde la fausse vieille horloge au mur. L'heure de la fermeture approche. Bon, repousser l'appel fatidique ne sert à rien. Elle doit prendre son courage à deux mains et annoncer la « bonne » nouvelle à Jean-François. Une vraie partie de plaisir en vue ! Elle a presque autant envie de lui parler que de se faire arracher les ongles à froid.

De nouveau, elle utilise les exercices de visualisation de son cours de yoga maman-bébé et s'imagine être à sa plage de Floride, pour se calmer. Elle voit un coucher de soleil sur fond de vagues sonores, elle respire lentement. Elle prend son courage à deux mains et, malgré son nœud dans l'estomac, compose le numéro. Après quelques sonneries, Jean-François répond.

— Oui, allô ?

Jean-François paraît déjà excédé et hurle presque dans le combiné. En arrière-fond, Melissa perçoit une note de musique d'un piano électronique, répétée *ad nauseam* – sûrement Rosalie qui joue depuis un bon bout de temps. Bruit accompagné par le cri de Raphaël : « Grrrr… je suis un méchant tigre ! » et par Florence qui chante à tue-tête la mythique chanson « Libérée, délivrééééééee ! » du film *La Reine des neiges*.

Une cacophonie digne d'une *sitcom* déjantée. Super, ça s'annonce bien.

— Melissa ? Tu rentres bientôt ? Tu peux te dépêcher, je suis en train d'essayer de faire le souper et je suis dans le jus, là !

Melissa respire à fond, s'apprête à affronter la vague qui va lui tomber dessus.

— Hem... allô. Euh... justement, je t'appelais parce que... je vais devoir travailler un peu plus tard ce soir.

— Quoi ? Tu me niaises ?

— Non, désolée, je dois vraiment rester plus tard, aujourd'hui. Peut-être une heure ou deux.

Silence de Jean-François, meublé par le brouhaha ambiant. Elle entend son conjoint pousser un soupir à l'autre bout de la ligne.

— Merde, mais t'es réellement obligée de faire ça ? explose Jean-François. Te rends-tu compte de ce que tu me demandes ? Et pour couronner le tout, tu m'annonces ça à la dernière minute, en plus !

« Si tu ne me faisais pas une crise chaque fois, je n'aurais pas peur de te le dire et je ne reporterais pas ça à la dernière minute, justement ! » pense-t-elle.

— Écoute, je suis navrée, si je pouvais faire autrement, je le ferais, je t'assure. Mais j'ai reçu une grosse commande tout récemment et je...

— Ben là, tu n'avais qu'à la refuser, franchement ! Tu n'étais pas obligée de l'accepter ! Tu ne sais pas dire non, ou quoi ? C'est pas compliqué, pourtant.

— Ben non, justement, je ne pouvais pas la refuser ! Jean-François, vois-tu à quel point c'est difficile en ce moment et que j'ai besoin d'argent ? Est-ce que je dois te rappeler que la boutique a encore pas mal de dettes, que j'ai encore du mal à payer mes fournisseurs et que...

— Ben voyons ! Avec tout l'argent que tu dois, de toute

manière, ce n'est pas quelques centaines de dollars de plus qui vont faire la différence.

Melissa accuse le coup, mais reste bouche bée. Elle n'en revient tout simplement pas d'entendre cela. Jean-François est-il inconscient, ou quoi ? Depuis le temps qu'elle lui parle des difficultés de Miss Caprice et de toutes ses dépenses, il devrait bien savoir qu'au contraire, chaque dollar perçu compte ! Enfin, pour les rares fois où ils se parlent... Ça ou, au fond, il voudrait qu'elle échoue.

— Euh... dois-je te rappeler que tous les montants que je reçois me rapprochent justement du jour où je ne devrai plus d'argent et que ma boutique sera rentable ? Ce n'est pas important, tu penses ? Si tu regardes chaque petit montant individuellement, ça semble dérisoire, mais ils ont tous leur importance. Alors je dois faire le max pour que le magasin fonctionne.

— Y compris au détriment de ta famille, rétorque Jean-François.

De nouveau, Melissa encaisse l'accusation. Elle a le sentiment injuste que si elle était un homme, on considérerait normal qu'elle s'investisse dans sa carrière. Elle serre les dents. Mais qu'est-ce que Jean-François souhaite, au juste ? La culpabiliser ? Parce que si c'est le cas, il y arrive très bien. Elle sent la pression monter et expire de nouveau.

— Je ne peux pas croire que Mylène ou Anne-Marie ne seraient pas capable de faire ce que tu fais, ajoute Jean-François. C'est pas compliqué, ton travail. Tu ne fais que cuisiner des biscuits et des petits gâteaux, franchement. C'est pas de la chirurgie cardiaque.

Melissa est complètement abasourdie et furieuse. Une chance pour Jean-François qu'il se trouve à plusieurs kilomètres d'elle en ce moment. Car elle a la soudaine envie de se transformer en dominatrice sans pitié et d'étrangler Jean-François immédiatement pour ensuite le piétiner avec des talons en métal les plus pointus possible, jusqu'à ce qu'il crie grâce, rampe à ses pieds et se transforme en carpette à fleurs.

— Alors, c'est ça que tu crois? Pour toi, ce que je fais, c'est facile? Je me contente de mélanger quelques ingrédients dans un bol et c'est tout? On le sait bien, je ne suis pas en informatique, moi! Juste dans le domaine de la cuisine! Tout le monde peut cuisiner, alors tout le monde peut faire ce que je fais! Je ne travaille peut-être pas dans la programmation, moi, mais ce que je fais n'est ni simple, ni sans importance. En tout cas, c'est essentiel pour moi.

— Plus que ta famille?

— Non, pas plus. Ça l'est tout autant que ma famille. Il serait temps que tu le comprennes. J'ai plusieurs aspects importants dans ma vie, d'accord? Est-ce que je dois te rappeler que moi, quand tu étais retenu plus tard, je m'arrangeais sans te faire de scènes comme tu me fais? Merde, mais tu es capable de te débrouiller, non? T'es un adulte, pas un enfant!

De nouveau, Jean-François soupire au bout de la ligne. Il sait que là-dessus, il peut difficilement répliquer. L'argument est assez béton. Mais Melissa le connaît assez pour savoir qu'il fulmine.

— Bon, tu penses rentrer quand, déjà? lance-t-il sèchement.

— Comme je te le disais tout à l'heure, dans environ une heure ou deux. Alors, je vais y aller. Comme ça, je vais pouvoir finir rapidement et arriver plus tôt.

— Ouais, c'est ça.

Et sans que Melissa puisse ajouter autre chose, il

raccroche. Elle soupire à nouveau ; le combiné dans les mains ne lui renvoie qu'une tonalité bourdonnante dans ses oreilles et dans son cœur. Le bruit du téléphone lui rappelle tristement où elle se trouve dans sa relation avec Jean-François. Comme s'ils étaient au point mort tous les deux.

Elle pense à ces couples dont on entend parfois parler dans les médias. Ceux qui réussissent envers et contre tout. Elle se souvient d'une histoire lue récemment, celle d'un jeune homme qui avait décidé d'ouvrir un restaurant en banlieue. Sa femme, qui avait pourtant une carrière prospère dans le domaine de la télévision, avait tout abandonné pour travailler avec lui. Certaines personnes embrassent le rêve de la personne qu'elles aiment et le font leur, comme s'il leur avait toujours appartenu.

Jean-François n'embrasse pas le rêve de Melissa. Il le tolère, sans plus. Et les limites de sa tolérance deviennent de plus en plus minces, ce qui fait mal à Melissa. Sans désirer qu'il abandonne tout pour l'aider à entreprendre son rêve, elle aurait souhaité qu'il la soutienne, au moins. Elle avait imaginé naturellement quelques obstacles sur son chemin, mais n'aurait jamais cru que le plus important obstacle serait son propre conjoint ! Celui qui, soi-disant, l'aimait.

Elle secoue la tête. Non, ne pas raisonner comme cela ! Elle ne doit pas se laisser abattre. Elle va trouver une façon d'arranger tout ça. C'est sûrement de la mauvaise communication ou quelque chose comme ça. Après toutes ces années ensemble, il y a un compromis, elle en est certaine.

Vite, elle se dépêche de terminer ce qu'elle a à faire pour retourner à la maison le plus vite possible et montrer à Jean-François que contrairement à ce qu'il croit, sa famille est importante pour elle et qu'elle ne travaille pas au détriment de celle-ci !

Quand elle quitte enfin la boutique peu avant dix-neuf heures, Melissa prend des petites figurines animalières en pâte d'amande, accompagnées d'une douzaine de mini-*cupcakes* assortis et de café. Elle apporte souvent des petits extras du magasin pour les enfants, histoire de compenser, mais cette fois, elle en ramène plus que d'habitude. Est-ce la culpabilité qui la porte à agir ainsi ? Sans doute ça et le fait qu'elle a quelque chose à prouver à Jean-François.

Elle arrive quinze minutes plus tard. Une chance que le magasin n'est pas loin de la maison. Les enfants ont pris leur bain et, en pyjama, tournoient autour de Jean-François en riant alors que ce dernier tente de syntoniser un poste de télévision pour eux.

Pendant une fraction de seconde, Melissa sent une vague de tendresse monter en elle. Subitement, Jean-François apparaît magnifique, sa télécommande à la main, entouré de sa marmaille bondissante. Il a évidemment des défauts, mais au final, il demeure un excellent père. Elle ne peut le nier. Ce soir, Melissa sait avec certitude que les enfants ont bien mangé, qu'ils ont été bien lavés, que leur père aura répondu à leurs très nombreuses et farfelues demandes, qu'ils auront une routine impeccable et qu'ils ne manqueront de rien. Jean-François se tourne vers elle, une expression neutre sur le visage. Au moins, il ne la fusille pas du regard, c'est déjà ça. Il a sans doute eu le temps de décolérer dans les deux dernières heures.

Dès que les enfants la voient, ils se précipitent sur elle en criant et la serrent dans leurs petits bras. Elle montre la boîte de pâtisseries à Jean-François en signe de paix.

— Je peux ? demande-t-elle.

— Du sucre avant le coucher ? demande-t-il.

— Il y a aussi du café pour toi, dit-elle.

Il hésite, puis accepte. Les enfants exultent à la vue des sucreries.

— Je suis désolée de te causer des ennuis lorsque je rentre plus tard, lui dit Melissa. Mais je t'assure que je n'avais vraiment pas le choix. La survie de la boutique en dépend, tu sais ? Et ça me blesse vraiment quand tu me fais des commentaires comme ceux de tout à l'heure.

— Je comprends, répond-il. Je suis navré, je ne voulais pas te heurter. Je t'avoue que je trouve ça plus difficile que je croyais, quand tu es absente. Et ça arrive plus souvent que ce que tu m'avais dit. Je n'aime pas non plus que tu m'avertisses à la dernière minute comme ça.

— Je vais faire tout mon possible pour t'éviter ça à l'avenir, d'accord ?

— Si tu le dis.

— Je t'offre le café ?

— Ouaip. Avec de la mousse, s'il te plaît.

Melissa soupire de soulagement. La hache de guerre est enterrée pour le moment. On ne met pas quinze ans d'union de côté aussi facilement, et Melissa connaît quand même son homme. Ce n'est pas un petit accident de parcours qui va venir à bout de leur couple ; leur amour peut triompher de ce type d'accroc, elle en est sûre. Elle se promet qu'à l'avenir, elle va travailler très fort pour améliorer les choses entre elle et Jean-François. Elle le lui doit.

Chapitre 5

Au cœur de l'été, Mylène et Melissa, afin de *booster* les ventes, ont mis sur pied une fin de semaine de dégustation pendant laquelle des échantillons de leurs produits sont servis gratuitement sur des plateaux par les trois filles.

Auparavant, elles ont publié des annonces dans le quartier, dans le journal régional ainsi que sur la page Facebook de la boutique pour rendre l'information publique et attirer des clients. Le matin même, Anne-Marie a décoré les tables avec de ravissants bouquets de fleurs qui embaument le magasin. L'odeur des roses, en particulier, charme toujours Melissa.

Un des souvenirs les plus vifs qu'elle a de sa vieille grand-mère Carabella est que cette dernière, qui adorait les plantes et le jardinage, mettait des pétales de roses dans ses sous-vêtements pour se parfumer. Elle prétendait également que cela rendait sa peau plus douce, mais Melissa en a toujours douté. Elle était élégante et raffinée, sa grand-mère, disparue depuis déjà dix ans. Encore aujourd'hui, le parfum des roses lui rappelle son aïeule.

Une bonne partie des gens qui sont venus étaient en fait les locataires d'une grande résidence pour personnes âgées, située tout près, qui profitaient de sucreries accessibles gratuitement. Par chance, plusieurs familles avec des enfants sont venues également. Plus de chances dans ce cas de voir des clients revenir.

Au cours de la journée bien encombrée de personnes du troisième âge, un monsieur a perdu un plombage dans un caramel, la plupart des conversations gravitaient autour de varices, d'arthrite et de bingo, ou tournaient à la compétition pour la pire cicatrice de chirurgie.

— Au moins, il a perdu un seul plombage, et pas tout son dentier, rigole Mylène, une fois dans l'arrière-boutique.

Un peu plus tard, un enfant hypermotivé est pratiquement tombé tête première dans le casier contenant les jujubes surets.

— Vous avez des choses sans sucre ? demande la maman du bambin à Melissa. Je suis diabétique.

— Euh… non, vraiment désolée. Peut-être un jour, mais pas pour l'instant.

Melissa se demande à quoi cette pauvre femme a songé. Comment pouvait-elle s'attendre, en venant dans une boutique spécialisée en sucreries, à avoir des trucs sans sucre ? Quoique… ce serait sans doute une avenue à envisager un jour.

Évidemment, madame Pinson, qui avait entendu parler de cette journée par Anne-Marie, est venue faire son tour ; elle a discuté à propos des meilleurs médicaments anticoagulants avec une autre dame. Ragoûtant. Veronica est venue aussi, et elle a longuement entretenu Melissa du fait que ce matin, le plant de violettes africaines que Paul avait acheté il y a plusieurs années venait de fleurir. En plein mois d'août ! Ce ne pouvait être qu'un bon présage !

Melissa, toujours aussi patiente, l'a écoutée d'une oreille discrète tout en continuant de servir ses clients. Elle sait que sa mère est pleine de bonnes intentions et ne veut que son bien. Aussi lui laisse-t-elle ses fantaisies qui, disons, l'ont légèrement influencée. Anne-Marie vient la sauver en demandant à madame Carabella de passer quelques plateaux pour dépanner.

— Si jamais je deviens aussi gâteuse avec des sujets de conversation aussi nuls, marmonne Anne-Marie à l'oreille de Melissa, tire-moi une balle dans la tête !

Melissa rigole. Elle est débordée et court à gauche et à droite, mais elle est heureuse. Le magasin est plein, il y a du brouhaha, et elle peut sûrement s'attendre à des répercussions. Melissa aime s'étourdir, que ça bouge et que ça parle autour d'elle. Elle adore être entourée d'agitation et de mouvement.

— Est-ce que vous faites des gâteaux de mariage, des tables sucrées ou des buffets ? demande une jeune fille aux cheveux noirs et à l'allure gothique tirée tout droit d'un film de vampire. Je me marie dans quelques mois et je cherche quelqu'un pour s'occuper de la nourriture.

— Malheureusement, non, répond Melissa. Peut-être un jour, mais pas pour l'instant. Par contre, je peux vous donner les coordonnées d'une collègue pâtissière que je connais pour vous dépanner.

— Ah... dommage. Ce que vous faites est vraiment chouette et j'aurais aimé vous faire une commande.

— Bien, je ne l'exclus pas. Merci pour les compliments, en tout cas. J'y penserai et si vous voulez, venez nous voir régulièrement, il y aura sûrement du nouveau bientôt.

— D'accord, merci.

Melissa réfléchit. Des gâteaux d'occasion et des tables sucrées ? Peut-être que ce serait une bonne idée. Cela lui permettrait d'élargir sa clientèle. Elle devra y songer sérieusement.

Elle continue de se glisser entre les tables pour servir ses plateaux de dégustation. Alors qu'un homme âgé se penche pour prendre des bouchées, il éternue subitement et perd sa perruque dans les mini-gâteaux.

— Vraiment navré, mademoiselle, dit-il embarrassé, tout en reprenant sa postiche décoiffée. Ce sont mes allergies, vous savez, avec toutes ces fleurs, ici.

— Euh... ça va, je... je pense que je vais aller porter ce plateau et le jeter. Ne vous inquiétez pas ; on en a d'autres.

— Rappelle-moi de laisser faire les menus dégustation gratuits, chuchote-t-elle à l'oreille de Mylène. Ou alors, de m'assurer que les clients ont moins de quatre-vingts ans !

✿ ✿ ✿

Les jours suivants, la dégustation semble avoir porté ses fruits, certaines personnes étant revenues. Le nombre de fans de la page Facebook a également augmenté de manière considérable. Reste à voir si cela se traduira par une véritable augmentation de l'achalandage. Aujourd'hui, c'est dimanche et la principale préoccupation de Melissa est la fête de Florence, qui a six ans.

Elle a droit à un superbe gâteau de *Trouver Nemo*, son film favori de toujours. Avec un poisson et des vagues géantes sur le dessus, ainsi que la visite de plusieurs amis et de leurs parents. Le tout constitué, en plus du gâteau, des sacs-cadeaux pour tous, d'une piñata remplie de bonbons – demande expresse de Florence – et de jouets de toutes sortes pour Florence. Des pouliches roses à brillants jusqu'aux fusils de cow-boy en passant par le kit pour faire des bijoux. Au moins, sa grande a des goûts variés et équilibrés. Les princesses et les fées partagent la place dans son cœur avec les pilotes d'avion, les astronautes et les médecins.

Maintenant que la fête est finie, Melissa est prise avec tout le reste. Sans compter qu'elle a presque tout préparé avant. Jean-François a prétexté un contrat urgent qui a pris du retard et s'est enfermé dans le sous-sol pour travailler. Et là, Melissa doit ranger les nouveaux jouets, faire la vaisselle, ramasser et jeter les nombreux déchets, comme les emballages ou la vaisselle jetable. Elle a même dû se battre contre la petite Rosalie, qui aurait voulu garder la piñata dans sa chambre pour la sieste. Il y a aussi une montagne de vêtements à plier, comme d'habitude. Melissa a parfois l'impression que les vêtements sales se régénèrent et s'amoncellent d'eux-mêmes. Elle est plutôt déçue par l'attitude de Jean-François; on dirait que le naturel est vite revenu au galop. Dès que les choses vont le moindrement mieux entre eux et qu'ils se réconcilient, c'est de courte durée. Elle sait qu'elle en demande pas mal à Jean-François, mais voilà: elle aurait aimé qu'il l'aide.

En attendant, Florence et Rosalie ont décidé d'aider leur mère tout en jouant à Cendrillon. À quatre pattes, les deux filles frottent le plancher en riant alors que leur frère joue aux Lego. Bien que Florence soit près de son frère et de sa sœur, il est évident qu'elle a un penchant pour Rosalie, qui la suit comme un chien de poche. Raphaël ne semble pas souffrir de faire certaines activités seul. De toute façon, les « jeux de filles » ne l'intéressent pas. Melissa les regarde faire, soudain attendrie. La vie des enfants est si simple. Il y a des jours où elle s'ennuie de cette innocence exempte de responsabilités. Ses enfants s'inquiètent si peu de l'avenir. Il y a longtemps qu'elle a oublié ce que c'était que vivre dans cet état d'esprit.

— On a fini de laver le plancher! s'écrie Florence. Qu'est-ce qu'on doit faire, maintenant, méchante belle-mère?

— Bien, vous pouvez toujours frotter la table, rigole Melissa.

Elle est encore à la course, avec encore une foule de tâches devant elle, mais se dit qu'elle devrait prendre exemple sur les enfants, au moins pour ce soir. Sa vie n'est pas parfaite, et alors? Elle devrait cesser de se culpabiliser, d'autant qu'elle n'est pas la seule dans cette situation; pourquoi donc avoir autant de mal à accepter ce fait? Tiens, pourquoi ne pas faire jouer une musique d'ambiance pour se mettre dans un bon *mood*? Melissa continue donc de ranger la maison en sifflotant sur l'air de *Ça va bien*, le grand – et presque unique – succès de Kathleen.

Ça va bieeeeen… Même quand il pleut, le soleil me tend la main, ça va bieeeeen…

❀ ❀ ❀

— Tiens, qu'est-ce qui sent bon comme ça?

Encore une fois, c'est Gabriel qui vient d'entrer. Évidemment, il ne manque pas une occasion d'émettre un compliment, ce qui attire toujours la sympathie et surtout, celle des femmes. Comme c'était le cas lorsqu'ils étaient collègues, Gabriel a toujours le don de faire sourire Melissa, et souvent de la faire rire.

Anne-Marie, assise à l'une des tables, est occupée à faire des croquis de la prochaine vitrine. Elle lui renvoie son sourire et retourne à ses plans, afin de laisser les deux amis et ex-collègues discuter ensemble.

Melissa se rend compte qu'il est très aisé de parler avec Gabriel de sa passion pour la gastronomie sucrée. Lui, il s'intéresse à ce qu'elle fait. Il y a longtemps que Melissa ne parle presque plus de son travail avec Jean-François. Au début, quand elle l'entretenait de ses formations en affaires ou des trucs qu'elle venait d'apprendre lors d'un cours de décoration

de gâteau, il faisait mine de s'y intéresser, surtout par poli-
tesse. Mais Melissa a bientôt vu qu'au fond, ça ne lui faisait
ni chaud ni froid. Pire : il s'en foutait peut-être carrément !

Gabriel, lui, l'écoute, l'encourage. Il lui fait des sugges-
tions – parfois loufoques, parfois pleines de sens – et ne
traite pas sa passion comme quelque chose de futile et
d'inintéressant. Chaque conversation avec lui la met de
bonne humeur pendant des jours.

— Je teste une recette de gâteau aux épices, répond
Melissa. Peut-être qu'il sera prêt pour l'Halloween, si tout
va bien. Qu'est-ce que je te sers ?

— Allons pour un paquet de macarons assortis avec un
chocolat chaud, tiens, dit Gabriel en s'assoyant sur son pro-
verbial banc-près-du-comptoir.

En quelques visites, Gabriel a établi sa routine et ses
habitudes. Il a sa place où il s'installe toujours pour parler
avec Melissa, qui travaille derrière le comptoir.

— C'est compliqué, faire un gâteau aux épices ? demande
Gabriel, étonné. Tes recettes ont toujours l'air bien
complexe.

Il a reconnu immédiatement les effluves de la muscade,
du gingembre et de la cannelle à son arrivée.

— Oui et non. Je pars de recettes existantes, mais je les
modifie. Je veux un produit original autant que possible.

— Alors, tant qu'il n'est pas à ton goût, tu vas le changer,
encore et encore… ce qui peut durer pas mal longtemps, à
ce que je vois.

— Mon Dieu que tu la connais bien ! rigole Anne-Marie
en se servant un café. Melissa n'est jamais satisfaite. Elle ne
veut jamais rien d'autre que la perfection.

— Tu en as un morceau ? On peut y goûter ? demande
Gabriel.

— Ouais, on pourrait avoir une opinion sur la chose, tu sais, ajoute Anne-Marie, ironique. Madame je-veux-tout-faire-toute-seule.

Melissa hausse les épaules et leur apporte une petite pointe à chacun.

— Il est très bien, ce gâteau, déclare Gabriel après une bouchée.

— Non, il est trop sec! coupe Melissa, un soupçon agacée.

Gabriel se met à rire. Anne-Marie secoue la tête et s'éclipse avec sa portion.

— Et puis, j'hésite encore entre un glaçage au beurre, un glaçage à la crème ou du coulis de caramel pour la garniture. C'est compliqué à choisir, tu sauras.

— Peu importe ce que tu choisis, c'est toujours bon, de toute manière, rit Gabriel en croquant dans un macaron. Tu t'en fais pour rien.

— Pffff! tranche laconiquement Melissa, croisant les bras sur sa poitrine.

— Console-toi, Gabriel, dit Anne-Marie. Avec Melissa, rien de ce qu'elle fait ne sera jamais assez bien. Alors, tu auras beau la complimenter et lui dire que c'est super, elle ne te croira pas et trouvera quand même un défaut.

— Toujours aussi perfectionniste… ajoute-t-il, amusé.

— On ne se demande pas pourquoi son papa l'a surnommée « Miss Caprice », dit Anne-Marie.

— Ton père t'appelait « Miss Caprice »? C'est pour ça que la boutique porte ce nom?

— Ben oui, quoi. C'est moi, la perfectionniste achalante et folle.

— Ça explique pourquoi tu mets si longtemps à tester tes recettes, conclut Gabriel.

— Bon, je vais faire un tour pour acheter quelques tissus pour la déco, dit Anne-Marie. Ça ne sera pas très long.

— Pas de problème. À plus tard.

— Tes amies et ta famille t'aident beaucoup, on dirait, dit Gabriel une fois Anne-Marie sortie. Ils te supportent drôlement bien.

— Une chance qu'ils sont là, oui. Je pense que ma mère, à elle seule, achète presque le quart de ma production.

Les deux se mettent à rire de manière complice.

— Tu es chanceuse, poursuit-il. Plusieurs entrepreneurs débutants n'ont pas la chance d'avoir un si bon soutien.

Melissa fronce les sourcils et fait la grimace. Un si bon soutien ? Elle a un pincement au cœur en songeant à Jean-François et à son absence de soutien, justement.

— Ouais, si on veut, laisse-t-elle échapper entre ses dents.

Aussitôt qu'elle prononce ces mots, elle les regrette. Gabriel s'en aperçoit.

— Quelque chose ne va pas ? demande-t-il.

— Oh non, non. Ce n'est rien, dit Melissa en faisant un geste de la main, comme pour chasser une mouche.

— Allons, Meli, je te connais. Je le vois bien que quelque chose te tracasse. Tu n'as pas à avoir honte. Dis-moi quel est ton problème.

Meli. Une autre chose de Gabriel qu'elle avait oubliée. Sa propension à donner des surnoms affectueux à tout le monde. Il n'avait pas prononcé le sien depuis longtemps. Elle remarque à quel point elle a effacé des choses de sa mémoire. Bien plus qu'elle l'eût cru. Ce fait la trouble. Elle s'aperçoit que ce monde, qu'elle a pourtant aimé, est aujourd'hui bien loin d'elle, comme si elle l'avait quitté il y a une éternité.

— Ah… c'est juste que… je trouve que Jean-François, justement, ne me soutient pas beaucoup là-dedans. Franchement, entre toi et moi, j'aurais aimé qu'il soit plus conciliant par rapport à tout ça.

Melissa regrette un instant ses paroles. Elle n'a avoué ça encore à personne. Il faut dire que depuis que les choses ont fait mine de se dégrader, Melissa s'est toujours dit qu'il s'agissait d'une mauvaise passe et que la situation s'améliorerait.

— Il n'est pas content que tu aies ta boutique ? demande Gabriel, l'air surpris.

— Disons que… tant que ça ne sort pas trop du cadre du neuf à cinq et qu'il n'a pas à s'occuper longtemps des enfants tout seul, ça va. Il se plaint souvent du fait que je donne pas mal d'heures au commerce. C'est que je suis au travail très tôt le matin et il m'arrive parfois de finir ma journée plus tard, lorsqu'il y a un imprévu, par exemple. Cela le dérange beaucoup.

— Pourtant, c'est ça, avoir un commerce. C'est tout sauf du neuf à cinq, justement. Jean-François est un homme plutôt terre à terre, si mon souvenir est bon. Je suis étonné qu'il ne comprenne pas la situation.

— Je pense qu'il le sait, mais qu'il a du mal à l'accepter quand ça me concerne. Je crois que si ça touchait n'importe qui d'autre, il ne trouverait pas ça anormal. Mais quand c'est de sa femme qu'il s'agit, c'est une autre histoire, dit-elle, cynique.

Melissa a appuyé volontairement sur *sa femme*, comme pour accentuer le fait qu'aux yeux de Jean-François, son statut faisait peut-être d'elle une forme de possession.

— Chaque fois que ça arrive, il se plaint d'avoir à s'occuper seul des enfants, ajoute-t-elle. Pourtant, je l'ai fait pendant longtemps, moi. Et souvent.

Gabriel soupire, croise les bras sur le comptoir. Il regarde le plafond, l'air pensif.

— As-tu songé qu'il était peut-être inquiet ? dit-il.

— Inquiet ?

— Tu sais, bien des hommes se sentent inquiets à la suite de la naissance de leurs enfants. Avant, l'homme dans le couple est la personne la plus aimée par sa femme. Il est souvent tout son univers et le seul objet d'amour de sa conjointe. Quand les enfants naissent, il passe au second plan. C'est sûrement ce qui s'est passé dans votre cas, non ? Il y a parfois des hommes qui deviennent jaloux de leurs propres enfants, même s'ils les aiment. Et maintenant, comme je te connais, tu te consacres corps et âme à ta boutique, n'est-ce pas ? Jean-François se sent peut-être délaissé, tout simplement. Il a probablement peur de ne plus compter pour toi. Seulement, il ne sait pas comment exprimer cela. Ses récriminations ne seraient donc qu'un appel maladroit et désespéré qu'il essaie de t'envoyer.

Melissa regarde Gabriel avec étonnement. Elle n'avait jamais vraiment vu les choses sous cet angle. Elle avait toujours pris les plaintes de Jean-François comme des caprices de macho, mais elle prend conscience qu'elle a pu se tromper. Chaque fois, elle l'avait subi comme un affront et un désir de la maintenir dans une position inférieure. Mais elle n'avait pas pensé qu'en fait, des sentiments d'abandon et d'insécurité étaient en cause.

C'était probablement une façon extrêmement malhabile pour Jean-François de lui dire son amour et de chercher le sien en retour.

Ça prenait bien une perspective d'homme pour le lui faire reconnaître. En fait, non, ça prenait justement un homme sensible, capable de réfléchir avec son cœur et n'ayant pas peur de parler d'émotions – un homme comme Gabriel –, pour le lui faire comprendre.

— Je n'avais jamais pensé à ça, dit-elle, songeuse.

— Les gens sont souvent peu doués pour parler de leurs désirs profonds et de leurs sentiments ; pour les hommes, c'est encore pire, dit Gabriel en souriant.

— Sauf quand on s'appelle Gabriel Auclair, répond Melissa, moqueuse.

— Oui, sauf quand on s'appelle Gabriel Auclair, répète-t-il en simulant un sourire faussement arrogant. Mais si ça peut te rassurer, je n'ai pas toujours été comme ça. J'ai travaillé fort pour arriver à ce résultat.

— Tu peux me donner l'adresse de l'école où tu as appris ça ? J'envoie Jean-François là demain matin !

— Allons, je suis sûr que ton mari n'est pas si mal que ça. Et puis, avec ton adorable tête de cochon, Meli, je ne suis pas inquiet. Je ne t'ai jamais vue échouer à quoi que ce soit. Même si tu es perfectionniste et jamais satisfaite, soi-disant. Je suis certain que tu trouveras une solution.

Melissa rit. C'est exactement le genre de propos dont elle avait besoin. Elle mesure l'importance de certains de ses ex-collègues dans sa vie. Et elle s'était toujours bien entendue avec Gabriel. L'enseignante d'arts plastiques et l'enseignant en musique. Les deux artistes de l'école, dont les autres se moquaient parfois gentiment. Pas étonnant que les deux s'entendaient comme larrons en foire. Elle regrette d'avoir coupé le contact. Peut-être devrait-elle renouer avec son ancienne gang ?

Elle s'approche de Gabriel et lui prend les mains, par-dessus le comptoir.

— Merci, Gabriel. C'est ce que j'avais besoin d'entendre. Tu m'as fait beaucoup de bien.

— Quand tu veux, dit-il en lui tapotant le bras. Tu sais

où me trouver, de toute manière. Je n'ai pas changé de place.

— Et moi non plus, d'ailleurs. Je suis encore plus facile à trouver.

— Parfait. Bon, je dois y aller, l'heure du repas approche et j'ai la chance de souper avec Dominique, ce soir.

— Oh, elle n'est pas de garde, aujourd'hui ! lance Melissa.

— En effet.

— Profites-en bien ! Et envoie-lui mes salutations.

— Avec plaisir. Et je vais aussi lui apporter quelques-uns de tes *cake pops*.

— Voilà. Alors, à la prochaine !

— Oui, une prochaine fois.

En regardant Gabriel partir, Melissa se dit qu'il a peut-être raison. Elle et Jean-François auraient surtout besoin de se retrouver comme couple, au fond. Elle va y mettre les efforts nécessaires. Elle a hâte de rentrer à la maison en parler à Jean-François.

❀ ❀ ❀

Le soir même, Melissa décide donc de s'adresser à Jean-François à nouveau pour s'expliquer et pour trouver un compromis où tout le monde serait heureux. Alors qu'ils préparent le souper et que Jean-François semble dans de bonnes dispositions, Melissa décide d'ouvrir le sujet.

— Je vois que je t'en demande beaucoup et que c'est exigeant pour toi, cette situation, lui dit Melissa. D'ailleurs, je tiens à te dire que j'apprécie tes efforts pour m'aider.

Jean-François la regarde, surpris, le couteau immobile au-dessus de ses carottes.

— Euh… je suppose que je dois te dire merci, bafouille-t-il. Pourquoi me dis-tu ça ?

— Parce que tenir un magasin est plus de travail que prévu alors que je croyais y être bien préparée. Et je suppose que pour toi, c'est encore plus inattendu. Tu dois souvent te débrouiller tout seul avec les enfants parce que je suis moins présente.

— C'est vrai que je ne m'attendais pas vraiment à tout ça, au fond, soupire-t-il.

Pendant un moment, tous deux continuent de couper leurs légumes en silence tandis que les enfants se tiennent devant la télévision.

— Et toi ? demande-t-il. Ça va bien ? Tu es heureuse là-dedans ?

— Ce n'est pas facile, c'est éreintant et nous sommes encore loin de la rentabilité, mais les choses s'améliorent et j'aime ce que je fais.

— Bonne chose, dit-il.

— Je souhaiterais être moins à la course et moins fatiguée, ajoute Melissa. J'ai l'impression d'avoir tellement de travail, de tâches. On dirait aussi que je n'ai plus de temps à moi. Mais je sais que c'est ton cas aussi. Je vais faire des efforts pour déléguer davantage et être plus présente à la maison. Tu aimerais ça ?

— C'est sûr. Si ce n'est pas dur pour toi, évidemment. Et toi ? Tu voudrais avoir plus de temps libre ?

— Bah... peut-être. Juste relaxer une soirée serait pas mal.

— Et qu'est-ce que tu dirais si je t'offrais ça ? Tu pourrais en profiter pour... je ne sais pas, prendre un bon bain et te détendre.

— Ah mon Dieu, ça fait tellement longtemps ! Quelle bonne idée. Je pourrais même lire un livre ! lance Melissa. Je ne sais plus c'était quand la dernière fois que j'ai eu le temps d'en lire un.

— Bon, alors dis-moi quelle soirée tu veux prendre et on arrange ça.

Trois jours plus tard, après le souper, Melissa est installée confortablement dans son bain. Mousse parfumée vanille et miel, un verre de sangria aux fruits, de la musique douce de son iPod branché sur des petits haut-parleurs, et un bon livre entre les mains. Jean-François et les enfants sont au salon. Elle a choisi *Orgueil et préjugés*, déjà parcouru des dizaines de fois avec la même délectation. Elle sait bien que ce n'est pas original, que plein de femmes rêvent d'amour romantique quasi impossible à cause de ce livre, que c'est un brin ridicule et plein de bons sentiments, mais elle s'en balance. Elle décide de sauter directement à la scène où l'orgueilleux Mr. Darcy fait sa demande en mariage à Miss Bennett, qui l'éconduit sèchement.

« Il s'assit quelques instants, puis, se relevant, se mit à arpenter la pièce. Elizabeth saisie d'étonnement ne disait mot. Après un silence de plusieurs minutes, il s'avança vers elle et, d'un air agité, débuta ainsi :

— En vain, ai-je lutté. Rien n'y fait. Je ne puis[1]*... »*

— Elle est où, maman ? fait soudain la voix de Raphaël à travers la porte.

Melissa interrompt sa lecture et prête l'oreille. Elle sent un danger potentiel imminent. Sa marmaille la cherche. Arrivera-t-elle à avoir une soirée tranquille ?

— Elle est dans le bain, répond Jean-François.

— Elle était sale ? demande Rosalie.

---

1 *Orgueil et préjugés*, Jane Austen, Paris, Le Livre de Poche, coll. « Les Classiques de Poche », [1813] 2011, 512 p.

— C'est ça, oui. Et elle a besoin de se détendre.

— Se détendre ? C'est quoi, ça ? demande Florence.

— Se reposer, répond Jean-François.

— Je peux aller lui chanter une berceuse pour l'aider ? propose Raphaël.

— Non, on va la laisser tranquille un moment. Écoutez votre émission, là.

Les enfants protestent mollement, puis deviennent silencieux. Ouf... elle l'a échappé belle. Melissa se concentre à nouveau sur son livre.

« *... Je ne puis réprimer mes sentiments. Laissez-moi vous dire l'ardeur avec laquelle je vous admire et je vous aime.*

Elizabeth, stupéfaite, le regarda, rougit, se demanda si elle avait bien entendu et... »

— Maman ! Papa pas capa'le de faire des t'esses à ma poupée ! interrompt Rosalie.

Rosalie est à côté du bain, une moue boudeuse sur les lèvres, et agite sa poupée à deux centimètres de la figure de Melissa. C'était trop beau pour durer. Jean-François ne fait pas un gardien très motivé. Il aurait pu empêcher Rosalie de venir la rejoindre dans la salle de bain, franchement ! Elle prend la poupée, fais une tresse à toute vitesse et la redonne à sa fille.

— Mais j'en voulais deux, des t'esses !

— Non, j'en fais une et c'est tout. Va dans le salon.

Rosalie se lamente en sortant de la salle de bain.

— Ferme la porte, il y a des courants d'air !

Melissa reprend son livre et continue. Où en était-elle, déjà ?

« *... se demanda si elle avait bien entendu et garda le silence. Mr. Darcy crut y voir un encouragement et il s'engagea aussitôt dans l'aveu de l'inclinaison...* »

— Maman! Je ne trouve pas mon étui à crayons! Tu sais où il est? demande Florence, qui a passé la tête par l'ouverture de la porte.

Melissa se retient de prononcer des gros mots. À croire que ces enfants n'ont qu'un seul parent dans la vie, bon sang! Qu'est-ce que Jean-François fabrique? Il était censé s'assurer qu'elle ait la paix! Pourtant, il est capable de s'occuper des enfants quand il est seul! Pourquoi, dès que Melissa met un pied dans la maison, il devient un parent de substitution? Comme si Melissa était le parent Bœuf Catégorie AAA, et Jean-François une espèce de sous-produit, genre galette à hamburger.

— Florence, laisse maman tranquille! crie mollement Jean-François, probablement concentré sur le jeu vidéo de son téléphone.

— Ma chouette, demande donc à papa de t'aider, répond Melissa, qui se domine pour ne pas perdre patience.

— Mais papa, il ne trouve jamais rien, grimace Florence.

— Fais ce que je te dis!

Florence soupire et referme la porte. Melissa prend une grande respiration pour se calmer. Allons, ce n'est rien de grave, et ça va passer. Elle se demande si elle ne devrait pas verrouiller la porte. Non, il ne vaut mieux pas. Elle soupire et reprend sa lecture.

« *... il s'engagea aussitôt dans l'aveu de l'inclinaison passionnée que depuis longtemps il ressentait pour elle.*

Il parlait bien, mais il avait, en dehors de son amour, d'autres sentiments à exprimer et, sur ce chapitre, il ne se montra pas moins éloquent que... »

— Maman, je viens faire caca! lance Raphaël en baissant ses culottes pour s'installer sur la toilette.

Melissa soupire et se passe la main sur le front. Évidemment, il fallait qu'il ait envie précisément à ce moment. Et pourquoi Jean-François ne lui a pas dit d'aller dans la salle de bain au sous-sol? Évidemment, il est déjà installé, plus moyen de le faire bouger, maintenant. Au même instant, Rosalie arrive en courant pour venir chercher sa brosse à dents. Elle perd l'équilibre et accroche le verre de sangria, qui tombe dans l'eau. Melissa lâche un cri en recevant le liquide froid sur la cuisse. Les morceaux de fruits se mêlent aux bulles dans le bain.

— Oups, dégât... désolée, maman.

Melissa est près de bouillir. Mais comment est-elle supposée relaxer un jour si elle est constamment dérangée? Pourquoi Jean-François lui avait-il proposé cette idée de bain si ça ne lui tentait pas de s'occuper des enfants?

Elle regarde le visage piteux de Rosalie, ses grands yeux dignes du Chat potté dans *Shrek*, alors que la petite presse sa poupée contre elle. Un peu plus et elle battrait de ses cils longs comme des éventails. Instantanément, la colère disparaît. Comment rester fâchée après sa fille si mignonne et innocente? Et puis, les enfants resteront des enfants.

— C'est pas grave, ma chouette, dit Melissa, gagnée par le découragement et résignée à abandonner le projet d'un bain tranquille.

Elle devra s'y reprendre une autre fois, sans doute. Mais quand?

❀ ❀ ❀

Le lendemain matin, Mylène se dirige vers le magasin. Encore une belle journée. Surtout que, lentement mais sûrement, les affaires commencent à décoller. Dans quelques années, voire quelques mois, le magasin sera très profitable.

Elle entre par la cuisine, dans l'arrière-boutique. Elle y trouve Melissa vêtue de son tablier rouge orné de dentelle qui lui donne des petits airs de « poupée Barbie cuisine des biscuits ». Son visage est couvert de farine et ses bras de glaçage mauve. Attendrie, Mylène l'observe en souriant. Son amie a des défauts, mais ça demeure une des meilleures personnes qu'elle connaisse ; elle se sent heureuse de la voir vivre sa passion ainsi.

Soudain, Melissa se retourne vers elle.

— Ben là, qu'est-ce que t'attends ? Tu ne vois pas que je suis débordée ? Ne reste pas plantée là et viens m'aider ! s'écrie-t-elle à bout de nerfs.

L'instant de grâce est passé. Mylène sent qu'elle a intérêt à obéir, parce que la marmite mentale de Melissa paraît sur le point de sauter.

— Hum… ta soirée détente d'hier n'a pas bien été ? demande-t-elle.

Melissa la fusille presque du regard.

— Qu'est-ce que tu en penses ? marmonne-t-elle entre ses dents.

— Bon, on va finir ces fournées de *cupcakes*. Après ça, j'irai chercher une bonne bouteille de vin et quand on aura un moment, tu me raconteras ça. On va trouver un moyen de se détendre ensemble, toi et moi, tu vas voir…

Chapitre 6

Septembre a apporté son cortège habituel de journées plus courtes, de rentrée scolaire, de préparation de conserves. Florence vient de recommencer l'école, en première année, cette fois.

Les choses se sont subtilement aplanies entre Melissa et Jean-François, mais leur vie émotive – pour ne pas dire tout le reste aussi – est plutôt au neutre. Plus de conflits ouverts, mais les deux sont toujours si occupés, tant par leurs emplois que par les tâches de la maisonnée, et semblent presque vivre des vies séparées. Les finances de la boutique sont stables pour le moment, et les filles ne perdent pas espoir que la situation ira en s'améliorant. En outre, certains clients sont déjà des habitués.

Les soirées se rafraîchissent et les arbres changent de couleur, se parant de rouge et d'orangé. Chez Miss Caprice, la vitrine montée par Anne-Marie est ornée des mêmes couleurs, agrémentée d'épis de blé et de paille, de fausses courges, de feuilles jaune-orange et de fleurs artificielles, pour suggérer l'arrivée de l'équinoxe, des pommes, des citrouilles décorées et des conserves.

Melissa a aussi amorcé, depuis quelques semaines, des expériences en vue de développer sa saveur de la saison : les parfums automnaux titillent les narines de tous les visiteurs. Des effluves sucrés de cannelle, de muscade, de gingembre, de cardamome, de noix, de citrouille et de pomme ont envahi le commerce. Avec pourtant très peu de moyens financiers et techniques, Melissa est aussi parvenue à développer rapidement une recette très acceptable de pain aux pommes et au caramel qui fait le bonheur des nez et des fins palais.

Et bien sûr, avec le temps frais, les maladies reviennent ! À la différence près que cette fois-ci, ce n'est pas Melissa qui est malade – elle qui, autrefois, attrapait quatre-vingt-dix pour cent des virus ambiants par le biais de ses enfants –, mais Anne-Marie.

Celle-ci, habillée d'un pantalon et d'un col roulé pêche en laine malgré le temps assez doux, tente de préparer la vitrine en toussant, en se mouchant et en éternuant aux trois minutes.

Après environ une heure de ce manège, Melissa et Mylène n'en peuvent plus.

— Rentre chez toi ! lui ordonne Mylène. Allez, du balai !

— Ben non, ça va, rétorque Anne-Marie. Je ne suis pas mourante.

— J'en ai assez de te voir morver dans ta vitrine, ajoute Melissa. Tu veux la décorer avec ton mucus ou quoi ? C'est bien beau, l'Halloween, mais j'ai pas envie d'avoir une ambiance à la *Ghostbusters* avec du *slime*, moi. Et si ça continue, tu vas nous refiler ta cochonnerie. Ouste, file te reposer.

— Mais qui va terminer la vitrine ? On ne peut pas la laisser comme ça.

— Je vais la finir, moi, dit Mylène.

— Toi ? Tu ne sais même pas faire la différence entre le cyan et le magenta !

— Euh... ben là, c'est des fleurs, non ? Franchement, comme si c'était important !

— Ce sont des couleurs, Mylène, répond Anne-Marie en levant les yeux au plafond avant d'éternuer une autre fois. Je t'avertis, si tu touches à ma vitrine, je vais m'immoler par le feu !

— T'exagères pas un peu? C'est pas le temple de Salomon, ton affaire.

— On n'y touchera pas, promis, dit Melissa pour la calmer. Tu la finiras quand tu seras de retour.

— D'accord, je retourne chez moi.

— Et tu ne reviens pas tant que tu n'es pas guérie! lui lance Melissa alors qu'Anne-Marie referme la porte du magasin derrière elle.

Assise dans son auto, Anne-Marie se doit d'admettre que ses amies ont sans doute raison. Maintenant qu'elle se tient immobile, elle reconnaît son état de fatigue. Depuis ce matin, c'est l'excitation et l'adrénaline qui l'ont gardée debout, mais ses réserves d'énergie s'épuisent. Un mal de tête commence à poindre. Elle sourit quand même: elle se considère chanceuse d'avoir des amies comme les siennes, qui se soucient de son bien-être, parfois presque malgré elle. Elle songe soudain: devrait-elle appeler Pierre-Luc pour qu'il vienne la chercher plutôt que conduire elle-même?

Elle hausse les épaules. Même si Pierre-Luc ne verrait sans doute aucun inconvénient à interrompre sa journée pour la ramener à la maison – un grand avantage à avoir un horaire souple comme le sien –, elle préfère rentrer seule. Elle lui en demande déjà tellement et il est si compréhensif. Elle va conduire prudemment, c'est tout.

Alors qu'elle se sent envahie de frissons, elle prend le volant. Elle évite de justesse une autre voiture en s'apprêtant à sortir de son espace de stationnement. L'autre chauffeur, qui n'avait visiblement aucune intention de ralentir, s'éloigne en klaxonnant, comme pour l'engueuler de loin.

«Quel crétin!» songe Anne-Marie en s'engageant dans la rue.

Elle conduit lentement en direction de la maison. À

l'occasion, elle perçoit, en particulier sur l'autoroute, les regards courroucés des autres automobilistes, qui la dépassent avec des airs furieux, se demandant sûrement ce qu'une telle tortue fiche sur la route. Surtout lorsqu'elle oublie de regarder dans ses angles morts, préoccupée par sa migraine qui lui vrille maintenant le front et les tempes.

De toute façon, Anne-Marie s'en fout. Il y a longtemps que l'opinion des autres ne lui fait plus grand-chose. Elle a beau aimer l'attention, elle a encore assez d'assurance pour ne pas se laisser trop influencer par ce que les gens pensent d'elle. Voilà un bon moment qu'elle se sait un brin hysté-rique, énervante et excentrique, et elle le vit très bien. Elle a donc l'habitude des yeux interrogateurs, curieux, voire cho-qués. Mieux, elle s'en amuse même.

Elle s'est fait une carapace et l'acceptation de sa propre personne – qu'elle entretient très bien à coups de crèmes rajeunissantes, de massages et de maquillage dispendieux – est son rempart quasi inébranlable. Anne-Marie accepte bien la personne qu'elle est devenue, sur le plan tant phy-sique que psychologique. Son positivisme et sa bonne humeur extrême en énervent certains, y compris son mari, à l'occasion. Pourtant, elle ne peut s'en empêcher. Elle se sait imparfaite, mais a appris à s'aimer malgré tout.

Elle se soucie donc peu de ce qu'on pense d'elle en ce moment, alors qu'elle attire des regards furibonds. Après avoir causé des émotions fortes à quelques conducteurs lorsqu'elle sortait de sa voie sans même s'en rendre compte, Anne-Marie arrive enfin chez elle.

Épuisée, elle se rend compte qu'elle est probablement plus mal en point qu'elle le croyait au réveil. Elle entre dans son condo situé au dernier étage d'une grande tour du centre-ville de Montréal. Au moment où elle franchit le seuil de l'appartement, elle remarque quelque chose d'inhabituel.

Des vêtements jonchent le sol de l'entrée et du salon. Étrange. Clarisse, la femme de ménage, devait pourtant passer ce matin. Peut-être est-elle en retard ou malade, elle aussi ?

Un bruit sourd attire l'attention d'Anne-Marie. Ça vient de l'étage du *penthouse*. Serait-ce Clarisse ? Probablement. Elle a dû être retardée et vient de commencer sa journée. Anne-Marie soupire. Elle aurait préféré que le ménage soit déjà terminé, histoire de mieux dormir. Elle se dit qu'elle va peut-être l'annuler pour cette fois.

Elle monte lentement à l'étage, avec l'impression d'être faite en béton et de peser trois tonnes. Alors qu'elle approche de la chambre des maîtres, elle entend un rire masculin, suivi d'un soupir de femme. Anne-Marie fige. Clarisse amènerait-elle ses amants ici lorsqu'il n'y a personne ? Dans leur chambre, dans leur lit ?

Anne-Marie a déjà entendu parler d'histoires plutôt cho- quantes où des domestiques utilisaient les lieux et objets personnels des gens pour qui ils travaillaient, et même leurs vêtements. Si c'est le cas, Anne-Marie compte la renvoyer sur-le-champ ! Clarisse a beau être la fille d'une de leurs amies de golf habituelles et faire ce *job* pour payer ses études à l'université, elle n'hésitera pas à la foutre à la porte.

Anne-Marie, résistant à l'envie de prendre d'abord une aspirine pour contrôler son mal de tête, s'approche à pas feutrés de la chambre, pour attraper la fautive sur le coup. Elle espère quand même que ce ne soit rien du genre. Peut- être a-t-elle seulement demandé de l'aide à un ami ? Elle entend des bruits étouffés qu'elle n'arrive pas à identifier à travers la porte.

Anne-Marie pousse discrètement le battant. Ce qu'elle voit dépasse toutes les images qui lui avaient traversé l'esprit aux instants précédents. En un quart de seconde, Anne-Marie a l'impression de recevoir plusieurs gifles. À tel point qu'elle ne sait pas ce qui la renverse le plus.

Sur la causeuse capitonnée située au pied du lit, Clarisse est assise, penchée par en arrière, le visage tourné vers le plafond, les jambes complètement écartées. La jeune femme est vêtue du dernier ensemble de lingerie fine en dentelle d'Anne-Marie. Sa guêpière lacée, ses jarretières et même ses souliers blancs à talons aiguilles ! Celui que Pierre-Luc lui avait offert pour la Saint-Valentin. Anne-Marie fulmine. Clarisse porte *ses* sous-vêtements !

Mais ce n'est pas tout.

Un jeune homme nu sous une cape à capuchon – un autre objet fantaisiste d'Anne-Marie et de Pierre-Luc pour leurs jeux privés – est assis aux côtés de la jeune femme, et a le visage enfoui dans son cou. Clarisse fait aller son bassin de haut en bas en soupirant, alors que le jeune homme fait aller vigoureusement un vibrateur dans son vagin.

Encore une fois, Anne-Marie reconnaît une de ses possessions. Clarisse ne s'est pas contentée de prendre sa lingerie, elle utilise même ses jouets sexuels ! Une vague de dégoût envahit Anne-Marie à la pensée que ce n'est sans doute pas la première fois qu'elle fait cela et qu'elle a sans doute « partagé » sans le soupçonner cet objet qu'elle a mis dans ses parties intimes !

Clarisse ouvre les yeux et l'aperçoit. Son visage en extase se transforme soudain en expression d'horreur. Elle pousse alors un petit cri. Elle repousse son compagnon et tente de refermer ses jambes pour maladroitement cacher son pubis et sa poitrine.

Le jeune homme, au cri de Clarisse, se retourne vers Anne-Marie. En le reconnaissant, elle est complètement abasourdie. Cette fois, ce n'est pas une gifle qu'elle a l'impression de recevoir, mais plutôt un coup de massue.

C'est Pierre-Luc.

❀ ❀ ❀

Anne-Marie n'a gardé presque aucun souvenir des moments et même des heures qui ont suivi son horrible découverte. Est-ce l'adrénaline qui lui a fait oublier son état et redonné des forces ? Ou la rage ? Elle l'ignore. Elle a une vague souvenance d'avoir entendu la voix de Pierre-Luc derrière elle, alors qu'elle dévalait les escaliers si vite qu'elle est presque tombée dans les marches. Elle n'avait qu'une idée en tête : fuir. Fuir à tout prix ce qu'elle venait de voir. Fuir cette maison, ce cocon douillet devenu subitement un lieu de souffrance. Mettre le plus de distance possible entre elle et l'odieuse trahison qu'elle venait de vivre.

Elle se rappelle confusément être remontée dans sa voiture, avoir roulé les yeux embués de larmes, sans trop réfléchir. L'a-t-on klaxonnée ou doublée agressivement ? Elle ne le sait même plus. Les images de Pierre-Luc avec Clarisse lui revenaient sans cesse en tête, provoquant chaque fois une forte nausée. Elle hésitait entre vomir et pleurer à gros sanglots, tentant de garder un semblant de contenance. Anne-Marie aurait tout donné pour oublier, arracher ce souvenir de son esprit qui lui brûlait le cœur comme un fer rouge. Retourner à sa vie d'avant, qui venait de basculer subitement. Car plus rien ne serait jamais pareil.

D'une façon presque inattendue, Anne-Marie est retournée au magasin, par réflexe. Elle y est entrée sous les regards hébétés de clients et s'est dirigée aussitôt dans l'arrière-boutique sous les yeux ahuris de Melissa, qui l'a vue les yeux bouffis, rouges, des coulisses de mascara sur la figure. Finalement, elle s'est jetée dans les bras de Mylène pour pleurer toutes les larmes de son corps.

Mylène, passablement habituée aux réactions excessives d'Anne-Marie depuis qu'elle la connaît, a simplement fermé la porte de l'arrière-boutique pour la soustraire aux regards interrogateurs des clients et l'a consolée du mieux qu'elle pouvait, sans même savoir si Anne-Marie venait d'apprendre la mort de sa mère ou de voir un reportage bouleversant sur la disparition prochaine de la gerboise de Sibérie.

Après une durée interminable, Anne-Marie a enfin pu expliquer à Mylène le drame qu'elle venait de vivre. Mylène n'a fait ni une ni deux. Elle a brièvement averti Melissa de ce qui se passait et a immédiatement décidé de quitter le magasin plus tôt pour emmener Anne-Marie chez elle.

Pendant trois jours, Anne-Marie est restée prostrée, en larmes, dans le canapé-lit de la chambre d'ami chez Mylène, écumant dix boîtes de mouchoirs, larmes et morve incluses. Pierre-Luc a appelé sur son cellulaire à plusieurs reprises, mais Anne-Marie a refusé de lui répondre. Son nom, son souvenir, sa voix, son visage, tout de lui l'écœurait et la troublait. Lorsque celui-ci, après plus de vingt-quatre heures de silence de sa femme, a fini par la retracer, Mylène lui a bloqué l'entrée de la maison et lui a formellement interdit de revenir.

— Laisse-moi parler à Anne-Marie, a plaidé Pierre-Luc. Je veux lui expliquer…

— Lui expliquer quoi ? de répondre Mylène avec dédain. Que le vibrateur et les sous-vêtements d'Anne-Marie sont tombés par accident sur ta femme de ménage ? Et que tu essayais de les lui enlever, peut-être ? Il n'y a rien à expliquer. Tu as fait assez de mal à Anne-Marie. Va-t'en. Et si je te reprends à rôder dans le coin, j'appelle la police.

— Sous quel prétexte ? a rétorqué Pierre-Luc, piqué au vif.

— T'inquiète, je suis débrouillarde, je vais trouver, a menacé Mylène.

Pierre-Luc n'a pas insisté. Il connaît bien Mylène et sait que personne n'a intérêt à la mettre en rogne. Elle ferait peur même à Maurice « Mom » Boucher quand elle décide d'être mauvaise.

Au bout de ces trois jours de géhenne où Anne-Marie a pleuré la fin de son mariage, la douleur de son cœur brisé, la perte de son innocence – et de ses illusions non seulement sur l'amour, mais sur son homme et sur son couple –, bref, la fin d'une vie tranquille et confortable, elle a pu sortir de sa torpeur et s'est mise à réfléchir.

Subitement, plein de choses prennent un tout autre sens. Anne-Marie est convaincue que cette infidélité était loin d'être la première. Les nombreuses réunions où s'attardait Pierre-Luc le soir, la facilité avec laquelle ce dernier acceptait que sa femme parte en voyage sans lui, tout paraît maintenant si louche. À plusieurs reprises, son époux lui a payé de longs séjours dans des spas à l'extérieur de la ville avec ses amies. Et si son objectif réel avait été d'éloigner Anne-Marie pour aller rejoindre ses maîtresses ? Pas étonnant qu'il tienne à ce qu'elle ait toute sa liberté ! Cela fait sûrement son affaire ! Depuis combien de temps toute cette mascarade dure-t-elle ?

Et dire qu'elle, de son côté, a été approchée par plusieurs hommes qui ont tenté de la séduire en vain, la complimentant abondamment sur sa beauté. Elle qui a eu des opportunités à portée de main aura toujours dit non. Aucun homme n'arrivait à la cheville de son époux, et même si elle appréciait les éloges, jamais elle n'aurait songé sérieusement à aller voir ailleurs.

Rien que de penser qu'elle a été trompée si longtemps, si souvent, pendant des années, lui déchire le cœur. Avec combien de femmes Pierre-Luc a-t-il baisé pendant qu'elle ne se doutait de rien ? Et dire qu'elle trouvait Pierre-Luc tellement souple, compréhensif et ouvert ! Elle se sent maintenant si naïve, si stupide. Comment a-t-il fait pour abuser de sa confiance ainsi, pour lui mentir en pleine figure toutes ces années sans broncher ? A-t-il déjà eu le moindre remords ? L'a-t-il vraiment aimée pour lui faire une chose pareille ?

Toutes ces interrogations et ces réflexions qui lui tournent dans la tête en même temps… C'est trop pour elle.

Une curieuse évidence s'est imposée à l'esprit d'Anne-Marie. Elle doit partir. Très loin. Pour raisonner en paix, repartir à neuf, se ressourcer, se changer les idées. Une impulsion subite, inexplicable, mais inéluctable. Et tant pis pour le reste, pour ses amies et la boutique.

Elle se rend à l'ordinateur, dans le bureau de Mylène, et réserve le premier forfait trouvé pour un complexe hôtelier de luxe au Mexique. Et ne manque pas de mettre le tout – vol en première classe, location de voiture et hôtel cinq étoiles tout inclus – sur la carte de crédit payée par Pierre-Luc ! Il n'a même pas pensé la faire désactiver. Peut-être est-ce volontaire ? Va-t-il hurler en voyant la facture ? Elle s'en fiche. Après ce qu'il lui avait fait, il ne méritait que de payer.

Elle se rend à la boutique pour avertir Melissa et Mylène et leur expliquer ce qui se passe ; elle leur annonce son départ d'une semaine à l'étranger et s'excuse de leur faire faux bond pour quelque temps.

— Prends tout ton temps, dit Mylène. On s'arrangera.

— Oui, c'est important que tu penses à toi d'abord, ajoute Melissa.

— Je peux vous demander une dernière faveur ? s'enquiert Anne-Marie.

— Évidemment, dit Mylène. Et si tu veux que j'aille casser les deux jambes de Pierre-Luc, pas de problème ! ajoute-t-elle, l'air mauvais.

Anne-Marie a un petit sourire.

— Je dois retourner à la maison pour aller chercher des trucs et faire mes bagages. Mais je ne veux pas y retourner seule. C'est trop dur pour moi. Est-ce que l'une de vous deux peut m'accompagner ?

— Je vais le faire, moi, dit Mylène.

En peu de temps, Mylène et Anne-Marie se rendent au *penthouse*. Au moment où elles se stationnent, Anne-Marie commence à se sentir mal. Sa gorge se serre, ses mains tremblent, son cœur bat la chamade et des larmes montent sous ses paupières. Elle ne pensait pas que ce serait si difficile.

Mylène pose doucement une main sur son épaule et lui sourit. Anne-Marie parvient à se calmer. Elle prend une grande respiration, rassérénée par la présence de son amie.

— Allons-y, dit-elle.

Les deux femmes entrent dans l'appartement. Elles tombent alors sur Pierre-Luc, qui est en train de manger à l'îlot de la cuisine, assis sur un tabouret. Visiblement, il ne s'attendait pas à une visite.

— Attends-moi ici, dit Anne-Marie à Mylène en s'avançant vers la cuisine.

— Si tu as besoin de moi, n'hésite pas, répond son amie.

— Anne-Marie, tu es revenue ? dit Pierre-Luc en se levant.

— Pas pour longtemps, répond-elle et lui jetant un regard glacial, je viens chercher quelques trucs, je vais à l'extérieur du pays pour quelque temps.

— Combien de temps ?

— Pas de tes affaires.

— J'ai renvoyé Clarisse, si ça peut te rassurer. Je ne la reverrai plus jamais.

— M'en fous, répond Anne-Marie, qui passe à côté de lui en lui jetant à peine un regard.

Elle poursuit son chemin et monte les escaliers, suivie de Pierre-Luc.

— Tu ne m'as pas laissé t'expliquer, dit-il.

— Aucune explication n'excusera ton comportement.

— Si au moins tu m'avais laissé te parler... tu es partie si vite.

— C'est sûr que c'est difficile de suivre quelqu'un dehors, tout nu avec une cape, rétorque Anne-Marie, sarcastique.

Pierre-Luc grimace. Anne-Marie entre dans sa chambre et prépare des bagages à toute vitesse, ignorant son ex-compagnon de l'autre côté du lit, qui se demande sûrement quoi dire pour la faire changer d'idée.

— Je n'en reviens pas que tu aies baisé cette fille dans *mes* vêtements, dans *notre* chambre à coucher ! lance-t-elle soudain, alors que les larmes lui remontent aux yeux.

— Je ne la baisais pas, j'utilisais le vibrateur, c'est pas pareil...

Anne-Marie arrête son mouvement, sa bouteille de parfum à la main, relève la tête de sa valise, et le regarde, des poignards dans les yeux. Il lui dit ça sérieusement ?

— Quoi ? demande Pierre-Luc.

— Rien. Je suis juste en train de me demander avec quelle force je devrais te jeter cette bouteille pour t'assommer.

Elle soupire, retrouve sa contenance et poursuit sa besogne.

— Anne-Marie, c'est toi que j'aime. Ça ne voulait rien dire pour moi.

— Ça ne veut peut-être rien dire pour toi, mais pour moi, ça voulait dire quelque chose ! explose Anne-Marie. Ce qu'on avait, toi et moi, c'était intime, c'était unique. On ne devait le partager avec personne d'autre ! Moi, je n'ai été qu'avec toi depuis que je te connais ! Je ne me suis ouverte à personne d'autre. Je ne suis jamais allée voir ailleurs ! Pourtant, Dieu sait que j'aurais pu !

— Je n'aime personne d'autre que toi, je t'assure. Ces filles-là ne valaient rien pour moi.

Le cœur d'Anne-Marie fait un triple tour dans sa poitrine lorsqu'elle entend ces mots ! Elle avait raison, alors, elle le savait ! Clarisse était loin d'être la seule !

— *Ces* filles-là ? hurle-t-elle.

Pierre-Luc a un rictus. Il comprend sa bévue, les mots lui ont échappé. Anne-Marie se penche sur sa valise. Elle en sort sa bouteille de parfum *Flora* de Gucci – sa fragrance préférée, que Pierre-Luc lui offrait chaque Noël – et la lance de toutes ses forces dans sa direction. Pierre-Luc a juste le temps de se baisser afin d'éviter de recevoir le flacon, qui va éclater contre le mur, répandant des morceaux de verre et du parfum partout.

— Merde, mais t'es folle ! crie Pierre-Luc.

— Complètement, oui !

Presque aussitôt, Mylène arrive en courant, alertée par le bruit.

— Tout va bien ? dit-elle en plissant le nez.

— Ça va, oui, marmonne Anne-Marie. Bon, j'ai assez de trucs pour l'instant. Je vais me débrouiller. Il me reste juste à prendre mon passeport et je fous le camp.

Quelques instants plus tard, elle sort avec Mylène, laissant un Pierre-Luc désœuvré et ayant probablement perdu presque tout espoir de reconquérir sa femme. Il ne reste que la forte odeur de parfum pour lui irriter le nez tout en lui rappelant son épouse.

❀　❀　❀

— Alors ? Comment ça s'est passé ? demande Melissa lorsque Mylène revient au magasin, un peu plus tard.

— Bah… aussi bien que possible vu les circonstances.

— Et là, où est Anne-Marie ?

— Partie chez sa sœur Nathalie en attendant. Je pense qu'elle commençait à se sentir de trop chez moi, même si je lui ai dit qu'elle ne dérangeait pas. Ou sans doute avait-elle besoin d'être avec sa famille. Elle prend l'avion dans deux jours pour le Sud.

— Hum… et la saison des ouragans qui commence.

— Bof… ce n'est pas comme s'il y en avait un tous les jours.

Melissa soupire.

— Pauvre Anne-Marie ! Qu'est-ce qu'elle va faire, maintenant ? Elle n'est pas habituée de s'occuper d'elle-même tant que ça. Pierre-Luc gérait presque tout et la faisait pratiquement vivre. Je veux bien croire qu'elle touchera une pension, mais quand même. Anne-Marie, ce n'est pas la débrouillardise incarnée, à part pour choisir quelles chaussures porter avec quels vêtements. Elle est comme un chihuahua relâché dans la jungle amazonienne.

— Je suppose qu'elle va s'adapter. Ah… et en plus, on a la certitude que cet abruti de Pierre-Luc n'en était pas à ses premières frasques !

— Comment ça ?

— Il a laissé échapper qu'il y avait plusieurs filles dans l'histoire...

— Tsss... siffle Melissa en secouant tristement la tête.

— Ah... Melissa, je ne sais pas ce qui me retient d'aller lui casser la figure !

— Bien sûr, Mylène, quelle excellente idée ! répond Melissa, ironique. Et si tu es poursuivie en justice après, tu vas faire quoi ? On sera bien plus avancées quand tu seras en prison.

Melissa joint les mains comme pour faire une prière, la tête inclinée, les yeux piteux, avec une pose style « Sainte Madone en pleurs ».

— Monsieur le juge, je voulais venger mon amie, dit-elle avec une petite voix. Toute une défense ! Arrête de te prendre pour la Che Guevara des cœurs brisés, ma belle. Tu ne rendras justice à personne, tu sais. Comme disait parfois ma mère : « Laisse le karma s'en charger. »

— Si le karma se charge de refiler la gonorrhée à Pierre-Luc ou de lui écraser les couilles, je veux bien. Mais si...

Soudain, le téléphone sonne et l'interrompt.

— Miss Caprice, bonjour.

— Bonjour, Meli.

— Gabriel ! Que puis-je faire pour toi ?

— J'aurais peut-être quelque chose à te proposer si tu le veux bien. Un contrat spécial.

— Je t'écoute.

— Je participe à l'organisation d'un congrès d'enseignants du primaire au Québec, qui se tiendra à Montréal dans deux mois. On aurait besoin d'un buffet de desserts, disons... d'envergure. Puisque c'est également le cinquantième anniversaire de l'organisme, on voudrait faire ça plus grandiose que les années précédentes.

— Continue… je suis tout ouïe.

— Donc, on aimerait quelque chose comme une table de desserts. Ce que tu cuisines est excellent, alors je ne suis pas inquiet. Et ton amie qui fait la déco est admirablement douée aussi. Bref, ce serait des montages de tes desserts habituels. Il en faudrait pour environ trois cents personnes, donc il faut prévoir à peu près dix-huit tables.

Melissa sourcille. Elle prend des notes et fait un calcul rapide. Que devrait-elle apporter, donc? Des montages de macarons et de *cupcakes*, des bâtons sucrés trempés dans du chocolat, des push pops, des sacs surprises remplis de dragées, des macarons, des tours de mini-gâteaux, *cake pops* sur présentoirs, un gâteau par table, et bar à bonbons. Et des accessoires décoratifs. Le tout, sur dix-huit tables. Elle doit aussi prévoir la livraison et l'inclure dans ses frais. Un événement avec tables sucrées pour un joli trois mille dollars! Ça dépasserait tout ce qu'elles ont eu jusqu'à présent. Les filles ont deux mois pour tout préparer. C'est donc humainement faisable.

— Ça me va. Je peux te faire un devis plus détaillé, si tu veux.

— Parfait. Alors, on s'en reparle?

— Oui, on jasera des détails plus tard. Et merci!

— Ça me fait plaisir.

Dès qu'elle raccroche, elle hurle un « Yes! » tonitruant sous les yeux amusés de Mylène, en sautillant dans une sorte de gigue plus ou moins élégante. Lorsqu'elle voit le prix inscrit dans le carnet de Melissa, Mylène lance elle aussi une exclamation de joie.

— Il était temps! Faudra s'organiser, en tout cas.

— On va s'arranger. T'inquiète.

Dès les jours suivants, Melissa a le cerveau en ébullition. Ça fait un bout de temps qu'elle constate partout le succès des tables sucrées et qu'elle jongle avec l'idée de se lancer là-dedans aussi. Ce serait un excellent test. Bon, un test ambitieux, mais quand même. En plus, cela remettrait Melissa en contact avec son ancien milieu, une prime!

Et puisqu'elle n'est jamais capable de faire les choses autrement que de manière intense, Melissa prévoit un thème, des saveurs et des couleurs dominants pour chaque table.

Mauve et lavande pour l'une, rose et framboise pour une autre, vert et menthe pour une troisième, brun et chocolat, jaune et citron, rouge et fraises, blanc et vanille... comme d'habitude, Melissa voit grand. Pourquoi faire les choses à moitié?

Devrait-elle prévoir des bouquets de tulipes, de jonquilles ou de roses? Mettre des baluchons de tulle sur certaines tables? Des mini-ardoises décoratives, des bouteilles illuminées, des confettis-étoiles, des crayons lumineux, des faux diamants?

Elle devrait sans doute songer à faire ses gâteaux d'avance avec du fondant et de la crème au beurre et les congeler par la suite. Oui, c'est sûrement ce qu'il y aurait de mieux. Elle doit déterminer immédiatement avec Mylène les types de friandises qu'elle compte apporter pour les bars à bonbons et s'assurer de s'approvisionner au plus vite.

Il lui faut aussi songer au transport. La boutique n'est pas équipée pour livrer autant de marchandises d'un seul coup. Même à deux voitures – car une personne devra rester à la boutique –, elles n'y arriveraient peut-être pas. S'il n'y a pas possibilité d'avoir accès à des frigos sur place et d'emporter des choses d'avance, elle devra sans doute louer un camion.

Elle aurait aussi besoin de l'aide d'Anne-Marie et de Mylène à plusieurs étapes de la production. En espérant qu'Anne-Marie soit « fonctionnelle » au retour de sa semaine de repos. Depuis quelques semaines, Melissa, qui s'occupait presque entièrement seule de faire la confection des gâteaux, des *cupcakes* et *cake pops,* décide qu'il est temps pour elle d'en déléguer certains aspects à ses deux amies.

Si elle continue de faire cette partie du travail seule, elle s'épuisera et finira par y laisser sa peau… voire son couple.

Elle avait déjà commencé à enseigner certaines techniques et certains rudiments culinaires à Mylène et à Anne-Marie. Elle pourra continuer au retour d'Anne-Marie. Après tout, fabriquer de la pâte à gâteaux et le crémage au beurre n'est pas terriblement compliqué. Surtout quand on dispose d'une recette précise à suivre. Melissa est certes la pro pour créer des recettes, mais elle se rend bien compte que ses amies peuvent l'imiter quand elle leur en donne l'occasion.

Il est maintenant temps, plus que jamais, d'en profiter pour lâcher du lest, d'aller à l'encontre de sa nature de *control-freak* et de faire confiance à ses copines. Qui plus est, Anne-Marie et Mylène lui ont clairement fait comprendre qu'elles seraient prêtes à assumer plus de responsabilités au magasin et que Melissa devait apprendre à en prendre moins sur ses épaules.

Melissa entreprend donc de planifier le congrès. Elle sait qu'elle a du pain sur la planche. Qu'importe, aucun défi n'est insurmontable pour elle !

❉ ❉ ❉

En atterrissant à Riviera Maya, Anne-Marie retrouve enfin le sourire. Pendant le vol, elle a feuilleté des brochures touristiques pour se donner des idées. Elle se délecte à l'idée de se faire masser à l'hôtel, de se promener sur la 5e rue, une longue avenue bondée de commerces en tous genres, de faire de la plongée sous-marine avec les poissons, de boire des piña colada sur la plage, de visiter le site archéologique de Tulum et l'île de Cozumel.

Cela lui fera tellement de bien, lui remettra les idées en place, la relaxera et lui redonnera sa bonne humeur. Anne-Marie sait qu'elle a besoin de se ressourcer avant de prendre des décisions et de s'engager dans un combat éventuellement difficile lorsque viendra le temps de tout régler avec les avocats. Elle anticipe tous les beaux souvenirs qu'elle rapportera, les photos qu'elle prendra. Un bon moment de détente dont elle a besoin et dont les bénéfices seront appréciables à long terme.

Elle ne se doute toutefois pas que la saison des ouragans viendra se mettre en travers de ses plans.

Dès le lendemain de son arrivée, de véritables trombes d'eau s'abattent sur Playa del Carmen, où elle loge, et des vents à décoiffer les dames frappent violemment la côte. Pas moyen de sortir du complexe hôtelier. De sa fenêtre, impossible de distinguer quoi que ce soit, à part une vaste immensité de gris entrecoupée de temps à autre des formes fantomatiques de palmiers secoués par des rafales dignes de l'apocalypse.

Anne-Marie ne peut même pas sortir du bâtiment, ne serait-ce que pour jeter un coup d'œil à la piscine. Tout ce qu'elle peut faire est de profiter du bain à remous de sa chambre, de la télévision avec ses canaux en trente-six langues ainsi que des rares installations internes, bars ou restos, gym, boutique et kiosque à cigares – lesquels n'ont aucun intérêt pour elle.

La saison n'étant pas au plus haut, il n'y a pas beaucoup de touristes. De toute manière, plusieurs ne parlent pas la même langue qu'elle et ne sont pas très intéressants. Sans compter qu'Anne-Marie ne tient pas vraiment à faire des rencontres.

Elle pense avec frustration aux ruines de Tulum, aux bateaux sur lesquels elle comptait naviguer, aux paysages magnifiques, au sable blanc. Tout cela était si proche, presque à portée de main. Les sources de joie auxquelles elle aspirait sont si près, pourtant inaccessibles. Même cette simple compensation pour lui remonter le moral lui est refusée. Elle n'en demandait pas beaucoup, pourtant. Anne-Marie est envahie par un profond sentiment d'injustice. Pourquoi tout cela lui arrive-t-il à elle ? Pourquoi n'a-t-elle plus le droit d'être heureuse ? Pourquoi le bonheur lui a-t-il été arraché aussi brutalement ?

Jusqu'à présent, elle menait une vie de rêve avec un homme de rêve. Pierre-Luc et elle étaient si complices, et tout allait si bien. Tout n'était pas parfait, mais elle se trouvait comblée. Était-ce trop beau pour être vrai ? Avait-elle rêvé toute cette perfection, au fond ? Comment a-t-elle pu se tromper à ce point sur l'homme qu'elle aimait ?

Après quatre jours à passer le plus clair de son temps enfermée dans sa chambre à ruminer et alterner entre le bain à remous et la télévision en espagnol, Anne-Marie en a assez. Elle épie un instant l'extérieur. Le vent a diminué un peu, mais l'ouragan fait rage.

Mue par une idée complètement saugrenue et dangereuse, Anne-Marie sort de sa chambre, descend au rez-de-chaussée et se dirige vers la sortie donnant sur la piscine et la plage. Pas question de rester encore enfermée. Elle va au moins pouvoir dire qu'elle est sortie, à défaut d'être bronzée. Ce n'est pas vrai qu'elle aura eu toutes ces merveilles à sa portée sans en profiter du tout. Elle aime mieux aller explorer, même dans ces conditions, que rester une minute de plus entre quatre murs.

Elle sait très bien à quel degré sa décision peut sembler irréfléchie et absurde, mais ne s'en soucie guère. Elle s'assure que personne ne se trouve dans les parages pour l'empêcher de sortir.

Regardant de nouveau dehors, elle prend une grande inspiration, pousse la porte et se retrouve à l'extérieur. La pluie et le vent la frappent de plein fouet. En revanche, il fait relativement chaud. Anne-Marie observe autour d'elle. À sa gauche, elle aperçoit les silhouettes des palmiers ballottés par les bourrasques. À sa droite, elle devine la piscine et le reste des bâtiments.

Elle a presque du mal à tenir debout tant la violence des éléments est intense. Elle hésite, n'ira probablement pas jusqu'à la plage, comme elle l'avait escompté. Tant pis, elle restera le temps qu'elle peut à l'extérieur. Tranquillement, elle continue d'avancer vers la berge, ses vêtements complètement trempés lui collant à la peau, ses cheveux plaqués sur son crâne. Étrangement, ballottée et mouillée de la sorte, Anne-Marie se sent bien. Comme si la tempête extérieure était parvenue à calmer celle qui faisait rage dans son cœur et dans sa tête.

Elle continue de faire quelques pas vers la plage. Elle s'arrête et, à travers les rideaux de pluie, observe la mer grise qui rugit, les nuages noirs formant des pics au-dessus de l'océan. Un éclair bleuté lézarde soudain le ciel.

Subitement, au milieu de la nature en furie, du vent, de

l'orage, Anne-Marie se sent si minuscule, si insignifiante. Elle n'est qu'une souris, une poussière, même. Qui est-elle, au fond ? Elle occupe une si petite place dans l'univers. Ses malheurs lui semblent presque ridicules, tout à coup. Elle ferme les yeux et se laisse bousculer par les éléments, presque avec délice.

En contact avec l'orage, elle prend aussi conscience d'un fait qu'elle n'avait pas encore considéré : ses problèmes sont non seulement infimes au regard du monde, ils ne sont que temporaires. Elle découvre soudain que malgré sa douleur et sa peine, oui, le monde continue de tourner et de fonctionner. Son univers à elle s'est peut-être écroulé, mais la planète n'a pas cessé sa course pour autant.

Et puis, si un ouragan, même de violence, ne dure pas, pourquoi en irait-il autrement du reste ? Le bonheur n'est pas éternel, pas plus que le malheur. Oui, elle souffre en ce moment, mais admet l'idée que cela ne durera pas. Qu'un jour, elle se sentira mieux. Même sans voir la lumière au bout du tunnel en ce moment, elle est confiante d'un jour la retrouver.

Subitement, elle entend des voix derrière elle. Des mains l'attrapent alors qu'elle entend des cris paniqués dans un mélange d'anglais et d'espagnol. Des employés l'ont sans doute vue et se sont précipités sur elle pour la ramener à l'intérieur. Docilement, Anne-Marie se laisse transporter dans l'hôtel. Elle n'a plus rien à faire dehors, de toute façon.

Chapitre 7

À la suggestion de Gabriel, Melissa a décidé de faire garder les enfants pendant un week-end, pour avoir du temps d'amoureux avec Jean-François. Ce qui compensera, au demeurant, les heures supplémentaires qu'elle travaillera en préparation du congrès qui aura lieu dans un mois.

Sa mère l'a confortée dans son idée en maintenant que la Lune en Balance est de toute évidence un signe favorable pour une reconquête amoureuse. En plus, Veronica a capté *L'amour existe encore* de Céline Dion sur sa radio d'auto, la veille, alors qu'elle pensait à Melissa et à Jean-François. Un autre signe infaillible, selon elle, qu'ils gagneront à passer du temps ensemble sans les enfants.

Leo a proposé de garder les enfants, puisque Veronica, après avoir entendu sa chanson-oracle, a attrapé une grippe qui la clouée au lit. Leo et son copain Stéphane arriveront donc chez Melissa vendredi après-midi, quand elle et Jean-François partiront pour la fin de semaine. Melissa sait qu'avec Leo et son amoureux, les enfants sont entre bonnes mains. Leo fait un prince charmant formidable et une excellente amatrice de thé, déguisé avec un chapeau et un boa à plumes. Stéphane est sûrement le plus inventif des créateurs avec les Lego, en plus d'être un excellent cuisinier, surtout pour les crêpes. Bref, pas d'inquiétude de ce côté.

— Partez en paix! a lancé Leo en agitant la main de la porte d'entrée.

Melissa a tout organisé en quatrième vitesse et gardé la

surprise pour Jean-François, refusant de lui dévoiler où ils se rendent. Ils aboutissent enfin, après un peu plus d'une heure de route, à un hôtel des Laurentides où un spa jouxte le complexe hôtelier en pleine nature, au bord d'un lac magnifique.

Les arbres qui les entourent sont parés de jaune, de rouge et d'orangé. Le soleil, qui achève de se coucher, jette une lumière dorée sur les lieux. Octobre va à ravir à cet endroit.

— C'est quoi ? demande Jean-François. Il y a quoi à faire ici ?

— Un spa ! s'écrie Melissa. Il y a un magnifique spa en bordure du lac, avec des massages et des bains. Alors je nous ai pris des réservations !

Jean-François fait une grimace comme si on lui avait proposé de manger des yeux de porc crus.

— Quoi ? Ah non, pas un spa ! Je ne vais pas me faire masser ! Tu le sais, que je suis pas fou de ça...

— Allons, ça va faire du bien. Ça va nous permettre de nous détendre, quoi.

— J'ai pas envie de me faire tripoter par un inconnu.

— Ha, franchement, t'as jamais essayé !

— À moins que ce soit une masseuse exotique nue... pas sûr que je vais y aller.

— J'ai déjà réservé ! Pas question que je paye pour rien.

Jean-François lève les yeux au ciel. Pourquoi a-t-il accepté de laisser Melissa lui faire une surprise ? Elle a de ces idées ridicules, aussi !

— Tu pourrais faire un effort, franchement ! dit Melissa. On passe si peu de temps ensemble, ça ne va pas te tuer de faire ça. Peut-être même que tu vas aimer.

Jean-François grogne.

— Aimer me faire masser ? J'en doute. On va vraiment devoir y aller toute la fin de semaine ?

— Non, j'ai juste réservé pour samedi au spa. On n'a rien de prévu pour dimanche.

— Tant mieux. Y a un golf dans le coin ?

Melissa soupire. Jean-François et son stupide golf ! Il a passé une bonne partie de l'été à y jouer, même en ligne quand il ne pouvait sortir avec ses copains ; il ne pourrait pas décrocher un moment ? Et elle déteste viscéralement ce sport !

— Je crois que oui.

— Cool, je pourrais y aller dimanche. C'est correct ?

Melissa a envie de lui rétorquer qu'ils prenaient ce week-end pour relaxer à deux, pas chacun dans son coin. Mais elle se dit que s'il fait l'effort d'aller au spa pour lui faire plaisir, elle peut bien faire cette concession et le laisser faire une activité qu'il aime.

— Ah oui, voilà une autre petite surprise, dit Melissa en lui tendant une boîte, alors qu'ils sortent les valises de l'auto.

— Qu'est-ce que c'est ?

— Je voulais t'impliquer un peu dans mon travail, puisque ça occupe une grande partie de ma vie et qu'il serait bien que tu saches ce que je fais, quand même. Alors, je te donne en primeur ma toute dernière création : mon *cupcake* pomme-caramel pour le mois prochain.

— Ah, cool. Merci.

La réaction tiède de Jean-François achève de rendre Melissa de mauvaise humeur. Elle se surprend à songer à Gabriel. Lui, dans cette situation, aurait demandé comment elle avait testé sa recette, combien de temps elle y avait mis, quel genre de pommes elle avait prises, pourquoi elle avait fait ce choix, et se serait extasié devant le travail en même temps que sur les rosettes de glaçage savamment disposées sur le petit gâteau.

Mais aux yeux de Jean-François, Melissa a de plus en plus l'impression d'être invisible. Ce week-end en amoureux aura été moins chaud que prévu, finalement.

❁ ❁ ❁

De son côté, Anne-Marie a pris les mesures nécessaires dès son retour à Montréal. Elle a immédiatement demandé le divorce, souffrant beaucoup de la situation et ayant l'impression de perdre tous ses repères, d'avoir quitté son petit paradis longuement construit à coups d'amour et de respect, pour aboutir dans un purgatoire à durée indéterminée. Dire que tout cela n'aura été que de la fumée ! Mais retourner avec Pierre-Luc est hors de question. Plus jamais elle ne lui fera confiance, et pas question de se mettre dans une situation où elle risquerait encore d'être blessée par lui. Son orgueil a été durement meurtri dans cette histoire.

Anne-Marie a été chanceuse dans sa malchance, car elle est bien protégée. Son mariage avec Pierre-Luc lui permet d'obtenir une bonne pension alimentaire, d'autant plus qu'elle n'a pas travaillé beaucoup et touche un revenu bien moindre que celui de son époux. C'est probablement le seul aspect positif pour elle dans toute cette histoire.

Pierre-Luc a bien tenté d'expliquer à Anne-Marie qu'elle est la femme de sa vie, la plus belle, celle qu'il aimait plus que tout, le reste n'étant que des escapades sans signification pour lui, avec des femmes ne lui arrivant pas à la cheville... Rien n'y fait.

En fait, ces discours ont mis Anne-Marie encore plus en colère et l'ont davantage insultée. Comment a-t-il osé lui faire ça en alléguant qu'il l'aimait ? Lui faire aussi mal et prétendre que ces aventures n'aient pas d'importance ? Rien n'effacera l'affront de son mari – il n'y a pour Anne-Marie que des circonstances aggravantes dans ce crime, peu importe ce qu'il dit.

Pierre-Luc, probablement rongé par la culpabilité, n'a pratiquement plus argumenté ni combattu par la suite. Il a acquiescé à presque toutes les exigences d'Anne-Marie sans broncher. Il sait aussi que quand Anne-Marie a pris une décision, rien ne l'en fera dévier. Cette dernière ne s'est pas gênée pour en profiter autant qu'elle le pouvait. Aucun bien matériel, aucun cadeau qu'elle a reçu par le passé n'a été épargné, elle a tout pris, continuant de tourner le fer dans la plaie de Pierre-Luc et de lui rappeler sa faute tant qu'elle en a le pouvoir.

De victime, Anne-Marie est passée au rang de bourreau, tourmentant son ex à loisir. Comme si le fait de presser Pierre-Luc comme un citron pourrait lui apporter quelque forme de satisfaction, comme si bijoux et fourrures apaiseraient en partie sa blessure émotive et son ego heurté. Tout cela pourrait-il diminuer la dette qu'il avait envers elle ?

Chaque fois qu'elle a mis le nez de Pierre-Luc dans le merdier qu'il a causé, comme chaque fois qu'il lui a cédé quelque chose, elle en a ressenti une intense satisfaction. Mais cette dernière ne dure jamais et quand Anne-Marie se retrouve seule le soir, elle finit toujours roulée en boule sous les couvertures à pleurer sa perte jusqu'à ce que le sommeil l'emporte.

En quelques semaines, avec l'aide de sa sœur et de ses deux amies, elle a réussi à se dégoter un condo dans le Mile-End, potable mais bien plus petit que son ancien, évidemment. Un vieux logement dans un triplex d'environ un siècle, rénové mais ayant conservé ses anciens planchers en bois franc, ses moulures et ses escaliers en fer forgé.

Anne-Marie a paqueté ses choses rapidement. Le grand *penthouse* du centre-ville s'est, du coup, vidé de ses affaires, dépouillé de la moitié du couple qui l'habitait depuis des années. Il n'a fallu que quelques semaines pour que la vie de Pierre-Luc soit virée à l'envers. Il se retrouve maintenant seul, celle qu'il croyait être son âme sœur et la moitié de son identité partie, et ce, sans possibilité de retour.

L'incendie aura passé dans la vie d'Anne-Marie, rasant la forêt qu'elle avait longuement fait pousser. Maintenant qu'il ne reste que de la terre brûlée, les graines qui restent sont prêtes à germer et à pousser de nouveau.

Anne-Marie a évacué Pierre-Luc de sa vie. Un nouveau chapitre, rempli d'incertitudes, s'ouvre pour elle.

※ ※ ※

Chez Miss Caprice, tout comme sur le reste de la planète, la vie continue malgré tout. Entre-temps, des araignées en plastique, des citrouilles, des chapeaux de sorcière et des chauves-souris artificielles se sont ajoutés aux décorations automnales de la vitrine.

Durant la semaine de vacances d'Anne-Marie et ses absences répétées à cause de son divorce et de son achat de condo, Melissa a dû mettre les bouchées doubles et passer davantage de temps à la boutique. Ce qui a eu pour effet de raviver les tensions entre elle et Jean-François, alors que leur relation s'était calmée après le week-end en couple.

Pourtant, Melissa a fait des efforts pratiquement surhumains pour tenter de pallier ses absences. Elle croyait aussi que ce week-end en amoureux – même s'il a été plutôt ordinaire et que tous deux n'ont échangé que des banalités tout le long – les aurait aidés. Elle pratique même les additions et les soustractions avec Florence ou chante avec Rosalie, avec la fonction mains libres du téléphone, alors qu'elle est au travail, afin de délester Jean-François. Même absente, elle est là. Que pourrait-elle faire de plus ?

Melissa a beau expliquer que vu les circonstances, elle ne peut pas en demander davantage à son amie, qui vient après tout de vivre un drame terrible et doit se remettre sur pied, ça ne semble pas convaincre Jean-François.

— Anne-Marie a besoin de notre soutien, plaide Melissa, alors qu'elle discute un soir avec lui dans la salle à manger, une fois les enfants endormis.

— Ben là, moi aussi, j'ai besoin de ton soutien, des fois, dit Jean-François. Je suis débordé avec les enfants.

— Je sais bien, mais c'est temporaire. Anne-Marie va reprendre ses activités normales bientôt. Et moi, je redeviendrai plus disponible. Essaie de comprendre...

Jean-François répond par un soupir. Melissa a envie de pleurer. Elle n'aurait jamais prévu qu'elle rencontrerait ce type de difficultés. Pourquoi doit-elle toujours se battre pour quelque chose d'aussi évident ? Elle a l'impression d'avoir affaire à un enfant réclamant de l'attention. Au même moment, Rosalie se réveille en pleurant. Un peu à contrecœur, Melissa se rend dans sa chambre, pendant que Jean-François va se préparer une tisane. Encore une fois, elle est interrompue dans ce qu'elle fait.

Melissa entre dans la chambre de Rosalie, qui crie en se débattant dans son lit, à moitié éveillée. Encore un cauchemar, sans doute. Melissa se demande quand Rosalie aura un sommeil plus paisible. Contrairement aux deux plus vieux, qui dorment bien, la petite a souvent des nuits agitées.

Melissa la prend dans ses bras et s'assoit dans la chaise

berçante. Alors qu'elle se balance pour rendormir Rosalie, Melissa songe qu'elle va devoir piger à nouveau de l'argent dans son héritage pour la location du camion et du matériel pour son contrat de tables sucrées, qui arrive à grands pas. S'il le savait, son mari en ferait certainement une syncope.

Tant pis, elle est même prête à marcher sur son orgueil et à affronter de nouveau son banquier Face-de-babouin-en-cravate s'il le faut.

Comme c'est souvent le cas lorsqu'elle berce ses enfants, Melissa finit par se détendre au contact de Rosalie. La lampe tournante de la petite projette des chevaux et des étoiles roses et bleus sur les murs et le plafond. Les figures lumineuses tournant lentement dans la pièce l'apaisent. L'enfance a quelque chose de si doux, d'enveloppant, de réconfortant. C'est si bon d'avoir un enfant blotti contre soi. Une petite boule chaude et douce, avec la tête appuyée sur son épaule et qui vous entoure le cou de ses petits bras potelés.

Melissa sait que ce genre de chose ne durera pas et que dans quelques années, les étreintes de ce genre se feront de plus en plus rares. Sa grande Florence lui paraît si indépendante depuis qu'elle a commencé l'école. Maintenant qu'elle travaille davantage, Melissa a l'impression que ses enfants sont tout de même plus empressés envers elle, heureux de la voir à la fin de la journée et leurs câlins, plus rares, sont maintenant une denrée plus précieuse à sa vie.

Lorsque Melissa finit par rendormir la petite Rosalie, elle va se coucher à son tour, vannée. Elle espère voir bientôt la lumière au bout du tunnel de ses angoisses. Une lumière faite d'étoiles roses et bleues et de chevaux !

❀ ❀ ❀

Le jour J est arrivé. Melissa et Anne-Marie sont arrivées sur les lieux du congrès, au centre-ville. Vêtues de leur uniforme rose et noir, elles ont plutôt fière allure. Melissa a craint qu'Anne-Marie désire se départir de ces habits, puisqu'ils ont été payés par Pierre-Luc et que presque tout ce qui a trait de trop près à cet homme finit dans la poubelle ou dans le broyeur à déchets. Or, Melissa n'a pas envie d'avoir à en acheter d'autres.

Mais puisque c'est Anne-Marie qui les a conçus et que Pierre-Luc n'a apporté aucune contribution autre que financière, Anne-Marie considère cet uniforme comme sa création personnelle, sa fierté à elle, et ne compte pas s'en débarrasser – au contraire.

Melissa et Anne-Marie entrent donc dans le grand local très tôt le matin et commencent à apporter la nourriture. Toutes les tables ont été dressées la veille, avec les présentoirs, les tours, les pots et décorations appropriées sur chacune d'elle. Ne reste à apporter que ce qui est périssable.

Assez rapidement, comme de petites abeilles, les deux femmes disposent gâteaux, macarons, mini-*cupcakes* sur les tables, qui prennent forme. L'agencement est spectaculaire, se déclinant par vagues de couleurs accompagnées de perles, de plumes, de rubans, de crayons, d'ardoises et de fleurs.

Melissa rit comme une fillette, elle qui adore ce moment où tout est encore intact, avant que les invités se servent: une véritable symphonie pour les yeux. C'est à cet instant qu'elle ressent le plus de fierté et de satisfaction dans son travail. Elle sait avec certitude que c'est exactement ce qu'elle veut faire de sa vie et qu'elle se trouve précisément là où elle veut être. Elle ne s'imaginerait pas faire autre chose. Anne-Marie a aussi travaillé fort, harmonisant taffetas, velours, tulle, coussins matelassés et tissus damasquinés.

Ce contrat l'a temporairement sortie de sa torpeur des derniers temps. Melissa et Mylène sont soulagées de voir que leur amie semble retrouver un peu de sa bonne humeur typique. Dernièrement, Anne-Marie a été plutôt morose, se plaint et broie du noir régulièrement, ce qui inquiète ses amies. La température fraîche et grise d'octobre est à l'avenant avec son tempérament actuel. Mais ses amies se gardent bien de lui dire qu'elle mine leur moral. Son humeur est instable. Une journée, elle est extatique et parle de tissus, le lendemain, elle se traîne péniblement dans l'arrière-boutique.

Quelques-uns des enseignants parmi les organisateurs ont commencé à préparer aussi le congrès, installant des feuillets sur les tables des membres, et admirent du même coup l'arrangement de Miss Caprice. Plusieurs s'exclament ou émettent des sifflements impressionnés.

Melissa prend une pause pendant qu'Anne-Marie fignole les derniers détails, et en profite pour reculer et admirer le tout avec fierté. C'est sa première installation du genre, et elle est vraiment contente du résultat. Digne d'un mariage à l'italienne! Elle saisit son téléphone intelligent et décide de photographier les tables. Ces images seront un formidable ajout à son portfolio. Elle les enverra également à Mylène pour qu'elles figurent aux albums photo événementiels sur la page Facebook de la boutique.

Peut-être même qu'elle pourrait s'en servir pour organiser un nouveau concours sur le Web… avec la chance de gagner une table sucrée gratuite, peut-être?

— Melissa, comment ça va, finalement? Tu n'as besoin de rien pour tes installations?

Gabriel est arrivé, essoufflé. Il est probablement à la

course, s'assurant qu'il ne manque rien pour le congrès.

— Tout va bien, ne t'en fais pas, l'assure Melissa.

— Gabriel ? Tu peux venir m'aider ? appelle soudain une voix, plus loin.

— J'arrive, Denise ! Désolé, je dois aller aider ma collègue à préparer les documents pour le congrès. Mais s'il y a quoi que ce soit, n'hésite pas à me demander de l'aide, je suis tout près !

— Pas de problème.

— Bon, alors à plus tard.

✿ ✿ ✿

Normalement, Melissa serait partie puis revenue quelques heures plus tard pour ramasser les restes, mais elle a décidé de rester sur place. Elle a une envie subite de se reconnecter à son ancien milieu. Elle a dit à Anne-Marie de retourner au magasin, lui assurant qu'elle pourrait boucler seule le congrès.

Assise discrètement à une table du fond, elle écoute. Maintenant qu'elle n'a plus besoin de son bonnet, d'ordinaire obligatoire pour retenir ses cheveux et éviter qu'ils ne tombent dans la nourriture, elle s'empresse de l'enlever. D'une main, elle secoue ses boucles cuivrées, qui retombent sur ses épaules. Le bonnet – ou le filet qu'elle porte parfois à la boutique – est probablement la seule chose qu'elle déteste vraiment de son métier. Elle n'a jamais aimé porter quelque chose sur la tête. Cela la dérange, la fait se sentir restreinte… et moins jolie.

Elle a traîné autour des invités, écoutant de loin le congrès et les divers ateliers. À sa grande surprise, elle n'a pas tellement vu de visages familiers. Du fond de la salle, elle a souri quand le propos lui rappelait de vieux souvenirs. On parlait de décrochage, de stress, d'accompagnement au programme, d'expérimentation, d'intervention, de stratégies de lecture, d'habiletés sociales, de TBI[2]. Un langage qui appartient à son passé et qu'elle a aimé, mais dont elle ne s'ennuie pas vraiment.

La présence des enfants, leur fraîcheur, leur soif de connaissance, leur imagination, leur façon de la surprendre constamment, oui, cela lui manquait. Mais ni les circonstances parfois difficiles de son travail, ni la lourdeur administrative, ni la détresse qu'elle pouvait parfois voir dans les yeux des membres du personnel ou des élèves.

Vers l'heure du lunch, Gabriel est venu la rejoindre et s'est assis à côté d'elle.

— Comment vas-tu ? demande-t-il.

— Bah… ça va.

— Pas plus que ça ?

— Le week-end avec Jean-François a pratiquement été un fiasco.

— Comment ça ?

— Monsieur n'aime pas les massages et les spas, et c'est ce que je voulais lui offrir comme surprise. Il m'y a suivie, mais il a pratiquement boudé tout le long. On jurerait qu'il a décidé de détester ça juste par principe. Et le lendemain, il est allé à son foutu golf de merde, alors je me suis promenée toute seule dans les alentours. Ça a vraiment été une fin de semaine ordinaire alors que ça devait nous rapprocher. Et là, il a recommencé à se plaindre que je travaillais trop.

— Je suis vraiment navré d'apprendre ça, Melissa.

— On dirait que rien n'est satisfaisant avec lui. Je suis

---

2   Tableau blanc interactif.

fatiguée de ne jamais réussir à lui faire plaisir. Et on dirait que moi non plus, je ne peux pas me permettre d'avoir du plaisir. Comme s'il ne me voyait plus que comme une mère, comme si en tant que femme je n'avais pas le droit d'exister. Et pas le droit d'avoir une entreprise non plus.

— Hum… Jean-François a sans doute peur de perdre son rôle de pourvoyeur à cause de ton commerce.

— Tu penses ?

— Je n'en sais rien, mais tu sais, il y a encore pas mal d'hommes qui pensent devoir amener le gros de l'argent à la famille. Ça ne veut pas dire qu'ils sont machos, mais c'est ce qu'on leur a appris, sans doute inconsciemment, et ils subissent cette pression. Autrement dit, ça ne veut pas dire qu'il craint ta réussite, mais qu'il a peur de ne plus être le pourvoyeur. L'entrepreneuriat est encore très associé au monde masculin. Et même si s'occuper des enfants est normal pour lui – car je crois qu'il les aime, vos petits –, l'idée de le faire seul au moment où tu travailles lui donne probablement l'impression d'une… comment dire… une rétrogradation ? Peut-être qu'il se sent vaguement émasculé, là-dedans. Si c'est le cas, ces sentiments ne sont pas dirigés contre toi, mais plutôt envers lui-même. Peut-être que ça lui donne un sentiment d'échec. Tu pourrais lui en parler pour le rassurer.

— Oui, ça se pourrait. Je n'avais pas songé à ça. Dis donc, ça te tenterait de devenir mon conseiller matrimonial ? ajoute-t-elle en riant.

— Quand tu veux. Bon, je dois y aller. On se voit plus tard !

— Oui, à plus tard.

Elle sourit de nouveau en le regardant s'éloigner. Elle consulte sa montre. Plus que quelques heures et elle pourra remballer le matériel. Subitement, il lui tarde de retrouver

Jean-François et les enfants, même si la présence de Gabriel l'a rassérénée.

❀ ❀ ❀

Anne-Marie termine son souper. Des filets de poisson pané avec du riz et des légumes. Elle soupire, se lève et va à la fenêtre. Dieu qu'elle s'ennuie! Son grand appartement blanc et lumineux lui manque. Ce n'est un secret pour personne qu'elle aime le blanc et la lumière.

Avant, elle aurait mangé un repas de traiteur avec Pierre-Luc, ils auraient jasé un bout de leurs journées respectives. Ensuite, elle aurait regardé la télévision, pris un bon bain chaud rempli de mousse dans leur mégabaignoire, et fini la soirée avec des coquineries au lit, à l'aide de quelques jouets de leur réserve.

Tout ça est bien fini. Elle n'avait besoin que de ça pour être bien. Anne-Marie avait une vie idyllique, faite sur mesure pour elle. Et elle l'a perdue. Elle n'avait pas saisi à quel point elle était bien avant. Elle a travaillé si fort avec Pierre-Luc pour bâtir cette vie. Tout est à recommencer.

Il lui arrive encore de vouloir appeler Pierre-Luc, de vouloir s'excuser et proposer de revenir ensemble. Mais dès qu'elle pense à ses aventures, elle a un haut-le-cœur et devient furieuse.

Elle allume la télévision, change de chaîne à plusieurs reprises. Rien d'intéressant à ses yeux. Elle éteint le téléviseur. Appeler quelqu'un pour parler? Sa sœur Nathalie, ou Mylène? Elle n'a pas envie de leur parler, à vrai dire. Elle n'a pas envie de parler à des personnes heureuses, bien dans leur peau, bien dans leur vie.

Elle considère les boîtes de déménagement qu'elle n'a pas

fini de défaire, par manque de motivation. Toute sa vie est là-dedans, cantonnée dans des cartons. Elle finit par les ouvrir et les vider. Elle tombe sur ses vieux albums de croquis du temps où elle étudiait la mode. Il y a une éternité qu'elle n'a pas dessiné. Pourquoi a-t-elle cessé, au fait?

Elle n'arrivait pas à se trouver un emploi dans le domaine, déjà contingenté, et Pierre-Luc lui a dit qu'il n'avait pas d'objection à l'entretenir. Elle a donc fait son deuil d'une carrière en mode et, sans besoin de travailler, a laissé les choses aller. Elle conçoit que cela a peut-être été un cadeau empoisonné. Elle a l'impression de s'être perdue en cours de route. Elle aimait tellement la mode, avant. Et ses clientes Mary Kay, elle les a délaissées ces derniers temps.

Où sont ses carnets d'adresses? Anne-Marie se dit qu'elle devrait s'y remettre. Après tout, elle aimait être représentante et elle était douée. Pour dessiner des robes extravagantes, surtout. Et ses crayons, et ses cahiers?

Anne-Marie se met à fouiller partout. Elle ne trouve qu'une partie de ses possessions, et n'est même pas foutue de rebrancher son ordinateur toute seule! Elle peste contre son incompétence technologique. En fait, elle se rend compte qu'elle a cessé de compter sur elle-même depuis longtemps, que les autres font toujours tout à sa place. Elle doit se démerder, désormais. Elle devra sûrement demander au mari de Nathalie de l'aider avec l'ordinateur.

Anne-Marie saisit une feuille et un crayon et dresse une nouvelle liste de choses à faire. Acheter des crayons et des cahiers, retrouver ses contacts Mary Kay. Acheter d'autres lampes pour éclairer davantage son appartement, tiens. Elle n'est pas très enthousiaste, mais c'est probablement la seule petite source de joie qu'elle a en ce moment.

Et elle va s'y accrocher, coûte que coûte.

❀ ❀ ❀

Encore une matinée tranquille à la boutique. Veronica est arrivée tôt le matin afin de profiter du café en grignotant le nouveau *cupcake* du mois.

Elle a continué d'abreuver Melissa de ses idées, arguant que le lendemain serait la fête de saint Simon.

— Saint Simon le disciple était un rêveur actif et activiste, un être de poésie et d'intuition ! Je suis sûre qu'il va t'aider si tu penses à lui !

— Bien sûr, maman, répond distraitement Melissa.

Mylène, pas très loin, se retient de pouffer de rire. La clochette de la porte tinte à l'entrée de madame Pinson. L'ancienne voisine d'Anne-Marie. Melissa est surprise. Elle croyait que la vieille dame n'aurait pas été tentée de revenir, vu ce qui est arrivé entre Anne-Marie et Pierre-Luc. Sans doute aurait-elle été mal à l'aise de rappeler à Anne-Marie son ancienne vie. Mais visiblement, il n'y a pas grand-chose à l'épreuve de madame Pinson.

Comme si elles s'étaient vues la veille, Veronica et madame Pinson – qui s'étaient déjà rencontrées à la dégustation gratuite – se mettent à discuter. Les conversations portent surtout sur la comparaison de leur veuvage respectif et sur leurs problèmes de santé.

— Vous savez, les bains de pieds à la paraffine, c'est excellent pour l'arthrose, dit madame Pinson, du ton de celle qui a découvert les secrets de l'univers.

— Ah oui ? Vous voyez une différence ? demande Veronica, fascinée.

— Une cadence ? Quelle cadence ?

— Non, une DIFFÉRENCE !

— Aaaah… Certainement, regardez bien ce pied…

Aussitôt, madame Pinson commence à retirer ses souliers et ses bas pour exhiber son pied comme une pièce à conviction dans un procès.

Melissa tourne la tête en grimaçant. Elle n'est pas dédaigneuse, mais elle n'a aucune envie de voir des parties de l'anatomie de Professeur Tournesol. Berk. Une chance qu'il n'y a pas d'autres clients ce matin.

— Hum… je devrais peut-être en parler à ma médium, songe Veronica.

— Quoi ? Maman, ne me dis pas que tu consultes une voyante ? s'exclame Melissa.

— Absolument ! Elle est tout près de l'Hippodrome et elle a une excellente réputation, en plus. Elle avait prédit que je serais malade et je l'ai été. Elle a aussi prophétisé la défaite du Canadien aux dernières séries, tu sauras.

« Même un raton laveur aveugle peut prédire la défaite du Canadien à n'importe quelle série ! » songe Melissa.

— Mon Dieu, est-ce que c'est Romilda Lombardo ? demande madame Pinson.

— Mais oui ! Vous la connaissez ?

— Moi aussi, je vais la voir depuis des années !

— Noooon ! s'écrie Veronica. Incroyable !

— Vous savez qu'on la surnomme la tourterelle sicilienne à cause de sa voix ?

— J'ignorais ! Mais c'est tellement vrai ! On dirait qu'elle roucoule quand elle parle. Brrrrouuu… je vois des choses… brouuu…

— Il paraît qu'elle reçoit plein de vedettes chez elle. Même des gens d'Hollywood seraient venus la voir !

— Aaaaaah… mon doux ! crie Veronica d'une voix haut perchée. Tu entends ça, Melissa ?

Melissa acquiesce mollement, découragée. On dirait deux poules hystériques. Elle aimerait bien s'enfoncer des caramels dans les oreilles et chanter : « Lalalala ! Je n'entends rien du tout ! Lalalala ! »

Elle se dit que c'est l'un des désagréments de travailler avec le public. On entend toutes sortes de choses. Ce n'est qu'un mauvais moment à passer. Une chance qu'elle a ses *cupcakes* pour compenser le fait qu'elle doit, malgré elle, se taper des conversations sur le tropique du Sagittaire ou les ongles incarnés !

Chapitre 8

—Alors, les filles, qu'est-ce que vous en pensez? demande Melissa. Soyez honnêtes, hein? J'ai besoin de votre avis éclairé.

— Allons, on ne te mentirait pas, dit Anne-Marie. De toute façon, on est sincères, *nous*!

Anne-Marie a insisté sur le dernier mot de sa phrase en faisant un rictus. Melissa et Mylène se jettent un regard discret. C'était clairement un sous-entendu envers Pierre-Luc. Voilà plusieurs fois qu'Anne-Marie y fait allusion depuis quelques semaines. Elle n'en parle pas toujours très ouvertement, car elle tente de faire la fière et de donner l'impression qu'elle s'en sort bien. Mais elle lance souvent des pointes peu subtiles à l'égard de son ex. Les quelques fois où elle en a parlé à l'une ou à l'autre de ses amies, souvent en privé, elle a avoué qu'elle trouvait plus difficile que prévu de s'affranchir de la dépendance financière de son ex, malgré la pension qu'elle reçoit.

Mylène et Melissa se doutent que sa récente demande pour travailler davantage à la boutique sert surtout à combler le vide laissé par son divorce et son besoin grandissant de s'occuper l'esprit à tout prix. Melissa accède à ses demandes et la laisse s'impliquer de plus en plus, ce qui lui permet d'avoir davantage de temps libre – au grand bonheur de Jean-François, qui, à la suite de leur dernière conversation où Melissa a tenté de le rassurer, a recommencé à être agréable et dévoué envers elle. Elle a l'impression de profiter de la situation et de la détresse de son amie, alors que Jean-François lui apporte un bouquet de lys blancs de temps en temps – sa fleur préférée –, lui redonne des massages le soir et lui écrit des mots doux sur le réfrigérateur le matin, son amie vit une grande peine d'amour. Melissa se sent mal du fait que la rupture d'Anne-Marie ait permis à son propre couple de se remettre sur les rails.

Malheureusement pour elle, la remontée d'Anne-Marie aura été de courte durée, malgré son épiphanie au Mexique, et cette dernière passe son temps à errer comme une âme en peine dans la boutique, en regardant distraitement par la fenêtre. Le reste du temps, elle se lamente d'habiter dans un condo qui, contrairement à son ancien loft où elle avait accumulé tant de souvenirs, est absolument vide de signification pour elle et pour lequel elle n'éprouve aucun attachement. Son humeur, instable, est ponctuée de petites remontées suivies de chutes dramatiques. Maintenant que la colère contre Pierre-Luc est en partie tombée, celle-ci a fait place à la douleur, à la peine et au doute.

Anne-Marie s'ennuie de ses longues conversations avec Pierre-Luc. Et surtout du fait qu'il pouvait l'écouter parler pendant des heures, d'un air calme et souriant. Mais l'écoutait-il vraiment, au fond ? Ou n'était-ce qu'une illusion, comme le reste ? Il y a des jours où elle parlerait à ses chaises, si elle n'avait pas peur que ce soit un signe possible de déséquilibre mental. Et pas question d'aller passer ses soirées chez Melissa, dans sa famille parfaite, ou chez Mylène, qui ne pense qu'à lui remonter le moral contre son gré ou à sortir au resto, au cinéma ou au bar.

Mylène et Melissa tentent parfois de la convaincre qu'elle est maintenant libre, qu'elle peut faire ce qu'elle veut, qu'elle ne vit plus avec un hypocrite indigne qui l'a trompée plusieurs fois, qu'elle pourrait se construire une autre existence tout aussi significative dans son nouvel appartement, mais leurs paroles paraissent vaines. Anne-Marie n'arrive pas à s'adapter à sa nouvelle vie.

Une partie d'elle souhaiterait retourner en arrière, ne jamais avoir découvert la vérité. Elle était si bien avant tout cela.

Le fait est qu'Anne-Marie, en plus de ressentir le creux émotif causé par son nouveau célibat, d'être désespérément seule le soir – elle qui aime tant parler et attirer l'attention –, se sent honteuse d'avoir développé une telle dépendance émotive et financière envers Pierre-Luc. Il y avait longtemps qu'elle ne comptait plus du tout ses dépenses et a perdu le sens de la valeur des choses. Elle a toujours eu l'impression d'être une femme plutôt libérée, en pleine possession de ses moyens, et s'aperçoit que c'est moins le cas qu'elle le croyait. Et cela la rend très mal à l'aise, mais elle ne l'avouera jamais à mots découverts.

Mylène lève les yeux au plafond en réaction à la boutade d'Anne-Marie sur la sincérité.

— Et moi, tu sais toujours ce que je pense, répond Mylène à Melissa, en tentant de changer de sujet au plus vite.

— On sait même un peu trop ce que tu penses, des fois, s'empresse de répondre Anne-Marie.

— Hé, je suis franche et authentique, tu sauras ! On ne pourra jamais me reprocher d'être hypocrite, en tout cas.

— Impossible de te reprocher ça, en effet… ironise Anne-Marie.

— Tu ne vas quand même pas commencer à te plaindre de ça.

— Bon, les filles, dites-le-moi si je vous dérange, hein ? les interrompt Melissa. Si vous pouviez arrêter de vous disputer et vous concentrer sur ce que je vous demande, ça m'aiderait.

— Allez, montre-nous tes trucs, dit Mylène.

Melissa leur montre des chocolats sur des plaques. Après encore d'autres efforts acharnés de sa part, elle s'apprête à franchir un nouveau jalon : la confection de chocolats maison. Mylène a tenté de la convaincre de conclure un partenariat avec un chocolatier pour éviter d'alourdir une fois de plus sa tâche. D'autant plus qu'elle vient depuis peu d'accepter de déléguer certains aspects de la production à ses amies et que celles-ci ne s'en sortent pas si mal.

Sans rejeter l'idée de Mylène, Melissa a décrété qu'elle préférait essayer par elle-même d'abord. Et que si elle n'y arrivait pas, elle donnerait le feu vert à sa copine pour dénicher un collaborateur. Mylène a fait une moue sceptique. Elle se doute que Melissa ne lâchera pas le morceau si facilement. Elle se prépare à devoir bientôt se défendre bec et ongles s'il le faut pour faire valoir son argument. Malgré tout, il y a longtemps qu'elle a compris que Melissa est de ces personnes qui doivent absolument essayer quelque chose avant de se rendre à l'évidence et de déclarer forfait. Bref, elle doit obligatoirement se casser la figure pour apprendre.

Voilà maintenant six mois que le magasin est ouvert et que les choses sont stables, au mieux. La rentabilité est encore loin. L'ampleur de la tâche est colossale et Mylène tente de s'assurer que Melissa ne finisse pas par se taper un *burnout* par excès de zèle et surtout par excès de contrôle aigu. Et Mylène, même si elle n'en parle pas, a bien vu les tensions entre Melissa et son époux depuis l'ouverture du magasin. Elle ne voudrait pas que tout cela ait raison de son amie et lui cause plus de tort que de bien.

— Bien, voilà. Il y en a plusieurs saveurs. Voilà quelques

tests que je fais, mais j'ai besoin de votre opinion, car je me demande où j'en suis. Et je suis encore débutante en la matière.

Anne-Marie et Mylène s'emparent des chocolats un par un et les goûtent.

— Prenez votre temps, s'il le faut.

— Celui au caramel est bon, mais il est un peu dur et très collant, dit Anne-Marie. Difficile à mâcher. Arrache-plombage sur les bords.

Aussitôt, Melissa prend des notes dans son calepin. Entre chaque bouchée, Mylène et Anne-Marie se rincent la bouche à l'eau pour éviter de mélanger les saveurs.

— Et lui ? Il est au citron ? demande Mylène en grima-çant imperceptiblement.

— Euh, oui. Il n'est pas bon ?

— Pas mal, l'arôme de citron est bien présent, mais ça manque vraiment de sucre.

— C'est noté.

— Celui-ci, il a un goût vraiment bizarre, affirme Anne-Marie en mastiquant pensivement.

— Oh ! Il goûte quoi ? demande Melissa, qui commence à angoisser devant les critiques qui s'additionnent.

— Je ne sais pas… le savon ?

— Le savon ? Ben là, je n'ai pas mis de savon là-dedans ! Attends, c'est lequel ?

— Pas certaine. La garniture est mauve.

— Tu es sûre que tu ne confonds pas avec celui au bleuet ? dit Mylène.

— Euh… je sais reconnaître la saveur du bleuet ! J'ai beau être blonde, je ne suis pas cruche. J'ignore quel est le parfum, mais il y a quelque chose dans le goût qui me fait penser au savon, c'est tout.

— Melissa, tu les connais tes chocolats. Qu'est-ce que c'est ? demande Mylène.

— C'est quoi, le numéro, Anne-Marie ? s'enquiert Melissa en regardant sa liste.

— Le numéro six. Alors ?

— Lavande, dit Melissa.

Mylène éclate de rire.

— Eh bien, voilà pourquoi ça te faisait penser à du savon, dit-elle à Anne-Marie. Faut croire que tu n'étais pas tout à fait dans le champ.

— C'est quoi l'idée de donner une saveur de fleur à des chocolats ? grimace Anne-Marie.

— Ben là, ce n'est pas nouveau que la lavande est utilisée dans les desserts, réplique Mylène. Arrive en ville ! Il y a même des desserts au poivre ou au piment de Cayenne !

— Au poivre ? Ark !

— Holà ! Vous avez vu l'heure ? s'exclame Melissa en regardant l'horloge murale. Je dois y aller, moi. Je dois encore passer à l'épicerie pour ramasser les derniers trucs de la fête à Raphaël.

— Moi aussi, je dois partir. Oh, et on a reçu un courriel d'une chroniqueuse du journal local. Il se pourrait qu'elle veuille faire un article sur la boutique.

— Hein ? Tu aurais pu nous le dire avant ! Mais c'est formidable, ça ! s'exclame Melissa. Tu me diras quand elle veut nous voir, hein ?

— Évidemment. As-tu besoin d'aide pour mettre le gâteau dans ton coffre de voiture ? demande Mylène.

— Ce ne serait pas de refus.

— Et tu as fait quoi, comme garniture, finalement ? s'enquiert Anne-Marie. Un gros « 4 ans » avec des motifs de Flash McQueen ?

— Non, madame. Figure-toi donc que Raphaël est encore dans sa phase *Reine des neiges* et m'a demandé un gros Olaf, le bonhomme de neige, comme décoration.

— *La Reine des neiges*? C'est pas plutôt un film, ben, disons... de filles? dit Mylène.

— Bof, à cet âge-là, ils font plus ou moins la différence.

— Et tu ne penses pas que... ça fait un peu... disons, gai?

— Mylène, franchement!

— On se poserait davantage la question s'il voulait une reine Elsa sur son gâteau, dit Anne-Marie avec un petit sourire.

— Je ne pensais pas que tu avais autant de préjugés, dit Melissa. Comme si le fait d'aimer ce film était un signe d'homosexualité! Tu me déçois vraiment.

— Hé, ho... je ne sous-entends rien. Je sais bien que ça ne veut rien dire en soi. Mais il y a des antécédents familiaux, non? Avec ton frère Leo. Et puis, certaines personnes homosexuelles développent très tôt des goûts « typiques » de l'autre sexe. Mais je sais bien que ça ne prouve rien non plus. Je ne voulais pas te froisser.

— Je ne suis pas froissée! dit Melissa plus sèchement qu'elle l'aurait voulu. Raphaël est jeune, ça ne veut rien dire, et il est comme il est de toute façon. Peu importe la personne qu'il deviendra, nous l'aimerons toujours.

— D'accord, d'accord. Navrée, je ne voulais pas faire de telles allusions. C'était juste une question en l'air.

— Bon, tu viens m'aider? dit Melissa. Et toi, Anne-Marie, tu seras correcte seule pour encore deux heures?

— Bien entendu.

Mylène et Melissa s'habillent chaudement pour sortir. La première neige est tombée la semaine précédente, légère, avec des allures de duvet, et la température chute de jour en jour. Au moment où elles s'apprêtent à sortir de la boutique, elles entendent la musique qu'Anne-Marie vient de mettre au fond du magasin, une voix féminine ornée d'un accent des maritimes, qui s'élève. *Aujourd'hui, ma vie c'est d'la marde*, de Lisa LeBlanc. Encore.

J'ai pu l'goût qu'on me parle de conte de Disney, le prince charmant, c't'un cave, pis la princesse, c't'une grosse salopeeeee… Y en aura pas de faciiiiiile… P't'êt' que demain, ça ira mieux, mais aujourd'hui, ma vie, c'est d'la maaaaarde !

— Pas encore cette chanson-là ! marmonne Mylène entre ses dents. Ça doit faire trois semaines qu'elle l'écoute presque tous les jours ! Je sais bien qu'elle traverse une période difficile, mais elle va me rendre dingue. Si ça continue, ça va finir par sentir la mer et la morue dans le magasin !

— Évidemment, tu n'exagères pas du tout ! lance Melissa en levant les yeux au ciel.

— Oui, mais il n'empêche que son état m'inquiète. La pauvre, je ne sais plus quoi faire pour l'aider. Sur le plan matériel, elle va bien. C'est son état psychologique, le problème. Elle paraît de plus en plus déprimée. Maudit Pierre-Luc !

— Je sais ce que tu veux dire, soupire Melissa. Moi aussi, elle m'inquiète. Ce qu'elle a vécu est sérieux, on ne s'en remet pas en quelques jours, tu sais.

— Je vois. Ce que je voudrais, c'est qu'elle comprenne que malgré ce qu'elle a vécu, la vie a du bon, qu'elle peut encore vivre de belles choses et qu'il y a une existence après Pierre-Luc. Qu'elle peut avoir du plaisir et être heureuse sans lui. Qu'elle regarde ce qu'elle a devant elle et qu'elle cesse un moment de ressasser ce qu'elle a perdu.

— Il faut lui donner le temps, répond Melissa en ouvrant son coffre. Elle a un deuil à faire et ça prend du temps. Il y a des émotions qui ont besoin d'être vécues, même si elles sont douloureuses, et non pas réprimées. Anne-Marie est forte, elle a du caractère et elle va retrouver sa bonne humeur, mais il faut être patiente.

— Tu vas sans doute me penser folle, dit Mylène en posant le gâteau dans la voiture, mais je crois avoir une idée qui va la distraire un instant. Une idée qui implique des animaux.

— Je t'ai toujours pensée folle, peu importe l'idée que tu vas me sortir, sourit Melissa. Mais je me demande si Anne-Marie a besoin de ça en ce moment.

— Je ne m'attends pas à ce que ça la remette sur le piton demain matin. Tout ce que je veux, c'est qu'elle comprenne qu'un jour, elle va retrouver la lumière au bout du tunnel et qu'elle pense à autre chose qu'à sa peine, ne serait-ce qu'un moment.

— On s'en reparlera alors, dit Melissa en entrant dans son véhicule.

— Parfait, alors à demain !

— Oui, à demain !

❀ ❀ ❀

Lorsque Melissa arrive à la maison peu de temps après, c'est le chaos. Rosalie et Raphaël courent autour de la table de la salle à manger pendant que Florence saute sur le sofa. Les trois ont le visage sale, ses filles sont complètement dépeignées. Des jouets traînent çà et là. Jean-François est en train de préparer à souper dans la cuisine. Melissa a l'impression qu'un ouragan est passé dans la maison.

— Bon sang, mais qu'est-ce qui se passe ici ? lance-t-elle.

— Ben là, rien d'inhabituel, répond Jean-François un peu sèchement.

— Ah oui ? C'est le bordel, ici. Ouf…

— Ce ne serait pas comme ça si tu avais été là, je suppose ? marmonne Jean-François. Je ne fais pas les choses comme toi, Melissa, mais je fais ce que je peux.

Encore une fois, un désaccord. Le moindre prétexte est bon pour se disputer. Comme si rien ne se réglait jamais entre eux. Ou en tout cas, jamais pour longtemps. Melissa doit tout de même admettre qu'il n'a pas tort. S'occuper seul des trois enfants tout en préparant un repas n'est pas une sinécure et elle le sait.

— Pardonne-moi, Jean-François. Je n'aurais pas dû dire ça. J'ai eu une grosse journée et j'étais de mauvaise humeur.

— Je comprends. Ça n'a pas bien été ?

— Ah… j'essaie de créer des chocolats pour la boutique et c'est plus complexe que je le croyais.

— Je vois.

Jean-François continue de faire cuire la viande dans la poêle, sans ajouter un mot. Melissa le scrute un moment. Est-ce parce qu'il ne sait pas quoi dire, parce qu'il se sent ignorant sur le sujet ou par désintérêt total qu'il réagit à peine quand elle lui parle de son travail ? Elle ne s'attend pas à ce qu'il soit passionné par la chose, mais il pourrait démontrer autre chose que de l'indifférence. Encore une fois, elle se sent blessée par le peu d'intérêt de Jean-François pour ce qu'elle fait. Pourtant, quand il lui parle de ses contrats à lui, elle réagit, lui pose des questions, même si elle n'enregistre pas tout. Un minimum d'enthousiasme, de temps en temps, lui suffirait pour chasser cette désagréable impression qu'elle a d'être un fantôme à ses yeux.

— Je vais m'occuper des petits.

Elle quitte la cuisine.

— Les enfants ! Venez vous laver les mains ! Et après, on va faire un jeu : aider à préparer la table pour le repas.

— Ouais, on va déremplir la table ? demande Raphaël.

— C'est ça, oui.

En amenant les enfants à la salle de bain, Melissa éprouve la triste sensation qu'encore une fois, trop de choses reposent sur ses épaules, et qu'elle a cessé d'exister, engloutie par les responsabilités. Elle se demande comment se réconcilier pour de bon avec Jean-François. Y a-t-il seulement une réponse à cette question ?

❀ ❀ ❀

Près d'une semaine plus tard, Mylène a convaincu Melissa de suivre son plan bizarre. Cette dernière est très sceptique, mais comme Mylène peut s'avérer une tête de pioche qui ferait changer d'idée le plus têtu des diplomates, Melissa n'a pas tenu à argumenter avec elle.

Pour être certaines qu'Anne-Marie ne refuserait pas leur offre et pour garder l'effet de surprise, les deux filles ont refusé de lui révéler la nature des lieux et de l'activité en question. Dès qu'elles ont quitté l'appartement d'Anne-Marie, dans la voiture de Mylène, Anne-Marie a eu les yeux bandés.

D'autant plus qu'elle a eu pour consigne de s'habiller d'une manière rustique, car elle devait prévoir qu'elle se salirait. Ce qui est déjà un gros obstacle pour Anne-Marie, précieuse comme la reine d'Angleterre.

Après avoir résisté mollement, la jeune femme s'est pliée de bonne grâce aux exigences de ses copines. Au bout de quarante minutes sur la route, elles arrivent enfin aux lieux en question. Anne-Marie a bien tenté de s'orienter et de deviner où elles allaient, mais après quelques virages, elle a dû déclarer forfait. Elle n'a absolument aucune idée de l'endroit où elle se trouve. Elle se doute seulement qu'elle est sortie de Montréal. Dès qu'elle descend de la voiture, Anne-Marie remarque une odeur bizarre et désagréable.

— OK, c'est quoi, ce truc? dit-elle. Ça pue la merde. On est dans une porcherie, ou quoi? Je vous avertis, c'est mieux de ne pas être dégueulasse! Je ne veux pas me faire jouer de mauvais tour!

— Ça pue, mais ce n'est pas un mauvais coup, je t'assure, répond Mylène. Et je parie que même toi, tu vas adorer!

— Je suis sceptique, mais bon.

— Tu es mieux d'apprécier, plaisante Mylène, j'ai fait des pieds et des mains pour réserver ici. C'est vraiment difficile à cette période de l'année, tu sauras.

— Ah oui, on jurerait être à l'hôtel Saint-James, lance Anne-Marie, ironique. Même ambiance raffinée.

— Allez, on te tient, viens avec nous, dit Melissa. Fais-nous confiance.

Encore un peu méfiante, Anne-Marie se laisse guider. Elle entend des bruits étranges et elle sent qu'elle marche dans quelque chose de glissant, mouillé et dur à la fois. Un peu comme de la boue gelée. L'odeur nauséabonde devient de plus en plus présente à ses narines.

Elle ne sait toujours pas où elle se trouve, mais elle commence à se dire que ses amies sont vraiment tombées sur la tête non seulement pour l'avoir amenée ici, mais également pour s'imaginer qu'elle va adorer. Pourtant, elles la connaissent bien. Elle n'a jamais démontré le moindre intérêt pour la nature ou la campagne, à moins que ce soit sur le site d'un spa ou d'une station de ski.

Après un temps qui lui paraît interminable, elle entend une voix d'homme parlementer de loin avec Mylène, comme Melissa lui tient toujours le bras. Mais qu'est-ce qu'elles veulent faire, bon sang ?

— On est chanceux aujourd'hui, la température est douce pour un mois de novembre ! lance la voix masculine. Alors, c'est cette dame, hem... mademoiselle Lachance, qui va m...

— Chuuut ! l'interrompt Mylène. Je vous l'ai dit, c'est une surprise, ne dévoilez rien !

— Euh... oui... hem... faire l'activité ? dit l'homme.

— C'est bien ça, dit Melissa.

— Suivez-moi.

Anne-Marie entend un cliquetis, comme une clôture qui s'ouvre. Elle se laisse guider, encore une fois. Elle trouve le préambule vraiment long. L'homme lui prend doucement un bras.

— Venez, mademoiselle.

Anne-Marie sent qu'elle approche de quelque chose qui, selon son sixième sens, paraît de grande taille et plutôt chaud.

— Faites bien attention et laissez-moi vous guider.

Elle sent qu'on l'assoit sur un gros objet rond et renfoncé, visiblement fait de cuir durci, d'après la patine. Alors qu'elle promène une main sur le siège en question, elle touche quelque chose de chaud et duveteux. Elle sursaute.

— Ah mon Dieu, mais qu'est-ce que c'est que ça ?

— Ne vous en faites pas, dit l'homme en riant. Il n'y a pas de danger.

Anne-Marie grogne. Elle commence vraiment à en avoir assez. Elle veut savoir ce qui se passe.

— Tenez-vous bien après les pommeaux de la selle, mademoiselle, dit la voix masculine.

La selle ? Elle est donc bien assise sur un animal. Mais pour avoir fait de l'équitation plusieurs fois avec Pierre-Luc, elle sait très bien qu'aucun cheval n'a du duvet de la texture qu'elle a touchée. Mais sur quoi donc est-elle assise ? Anne-Marie sourcille, alors qu'elle entend Mylène et Melissa rire pas très loin derrière elle.

— Vous êtes prête ? lui demande l'homme.

— Pas vraiment, mais on va dire que oui. J'en ai ma claque de toute cette mascarade.

L'homme retire alors le bandeau des yeux d'Anne-Marie. Elle cligne des yeux quelques instants, aveuglée par la lumière, même si le temps est nuageux. Voilà presque une heure qu'elle a les yeux bandés.

Elle baisse alors le regard et sursaute. Elle est bel et bien assise sur une selle. Et l'animal sur lequel elle est installée est... une autruche, accroupie sur le sol boueux ! De plus, cette dernière a un bas sur la tête. C'est une blague ? Anne-Marie s'attendait à tout, sauf à cela.

Avant qu'Anne-Marie puisse dire quoi que ce soit, l'homme retire brusquement le bas de la tête de l'autruche. Aussitôt, cette dernière relève la tête, avec son regard plutôt niais, observe un moment autour d'elle et se lève aussitôt sur ses pattes.

Anne-Marie, terrorisée, se cramponne de toutes ses forces après la selle.

— Mais qu'est-ce que je suis censée... Wouaaaaahhhh !

Elle n'a pas le temps de finir sa phrase que l'autruche part à courir à toute vitesse dans l'enclos, poursuivie par l'employé qui l'incite à courir plus vite et encourage Anne-Marie à ne pas lâcher. Est-ce pour éviter que la cavalière improvisée ne se casse la figure ?

— Ah mon Dieu, au secooooours ! hurle Anne-Marie.

— Ne vous en faites pas, ça va bien, rigole l'employé en la suivant.

— On voit bien que ce n'est pas vous qui êtes en train de monter un dindon géant !

Toujours en courant dans l'enclos, Anne-Marie aperçoit Mylène et Melissa qui se marrent à souhait, accoudées à un des barreaux de bois de la clôture. Elle se rend soudain compte de la situation. Elle est vraiment en train de chevaucher une autruche dans un enclos boueux ? Elle, Anne-Marie Lachance ? Qui caresse à peine un chat de peur d'attraper des puces ? C'est sûrement l'une des choses les plus absurdes qu'elle ait jamais faites de sa vie !

Ses jambes, serrées sur la selle, lui font mal et ses mains sont crispées au point où ses jointures sont blanches.

Puis, elle éclate de rire. Elle se sent brusquement grisée par la vitesse et ose regarder autour d'elle, sans cesser de rire. L'employé continue de courir près d'elle pour l'aider et ses amies, un grand sourire au visage, rigolent avec elle. Elle a le vent dans les cheveux et se sent prise d'une subite impression de liberté. Elle a envie de lever la tête et de regarder le ciel.

Au même instant, déséquilibrée, elle bascule et glisse sur le dos de l'autruche, pour atterrir, à plat ventre, dans la boue froide et la paille ! Et pourtant, étendue, la face à moitié couverte de terre, les bras en croix, elle ne peut s'empêcher de rire comme si elle était ivre de bonheur ! Elle n'a jamais rien vécu d'aussi saugrenu et d'aussi drôle !

Elle se relève tranquillement, aidée par l'employé. Une chance que ses amies l'ont enjointe à porter des vêtements qu'elle ne craignait pas de salir. Elle est pleine de vase et d'herbes séchées.

— Alors ? Comment tu as trouvé ça ? demande Melissa.

— Complètement ridicule et divertissant, dit Anne-Marie en s'essuyant à l'aide d'une serviette donnée par l'employé.

— Aurais-tu accepté de venir et de faire ça ? demande Mylène.

— Bien sûr que non, sourit Anne-Marie.

— Voilà pourquoi on a gardé la surprise, dit Melissa. On se doutait bien que tu refuserais. Et pour être honnête, j'ai d'abord trouvé l'idée de Mylène complètement farfelue au départ.

— Pourquoi avoir fait ça, alors ? s'enquiert Anne-Marie.

Mylène soupire.

— Parce que je voulais te rappeler que malgré ce qui t'arrive, même si tu traverses une période difficile, tu peux être heureuse quand même. Que tu n'as besoin de personne et surtout pas de Pierre-Luc pour avoir du plaisir et t'amuser. Je savais que de faire un truc aussi fou te rendrait ta bonne humeur, même si c'est pour un court moment.

Anne-Marie a un petit sourire. Elle enlace Mylène et Melissa.

— On est pleines de boue, maintenant, dit Mylène, sans pour autant relâcher son étreinte.

— Ça vous apprendra à me faire des trucs pareils, rigole Anne-Marie.

— On l'a bien mérité, dit Melissa.

— Eh bien merci de m'avoir rappelé tout ça, dit Anne-Marie. Je ne te garantis pas que l'effet va durer longtemps, mais tu as bien fait, Mylène. C'est vrai que je pense beaucoup à Pierre-Luc et que j'ai beaucoup de peine d'avoir perdu toute cette vie que j'avais bâtie avec lui. Je ne sais plus où j'en suis dans mes émotions. Je ne sais même pas si je vais retomber en amour avec qui que ce soit un jour. On dirait que ce n'est même pas envisageable, c'est trop dur à imaginer. Si vous saviez, les filles, à quel point je me sens mélangée à l'intérieur et perdue en ce moment. Mais je vais essayer de ne pas oublier cet instant. Pour me rappeler que je peux vivre et m'amuser sans Pierre-Luc. Un jour, j'y arriverai, je le sais. Mais pas maintenant.

— On sera toujours là pour toi, quoi qu'il arrive, dit Melissa.

— Merci, les filles. Je vous aime.

Anne-Marie étreint ses copines encore plus fort. Des gouttes commencent à tomber doucement, mais les trois femmes restent enlacées un moment, insensibles à la fine pluie d'automne.

Comme dirait la mythique Scarlett O'Hara : demain est un autre jour.

❀ ❀ ❀

— Bonjour, mesdames ! lance Gabriel en entrant dans le magasin.

— Bonjour ! lui répondent en chœur les trois filles.

Melissa a comme une bouffée de chaleur subite en même temps que sa bonne humeur apparaît instantanément. Elle commençait à avoir hâte de revoir son ami. Chaque visite de Gabriel apporte son lot de joie et de bonheur. Elle se sent comme le renard dans *Le Petit Prince*, qui s'agite à l'idée que celui qui est en train de l'apprivoiser s'en vient.

Ces derniers temps, elle n'a cessé de repenser à tous les bons moments qu'elle avait vécus avec lui lorsqu'elle enseignait, et qu'elle a relégués dans les méandres profonds de sa mémoire. Elle avait oublié combien il dégageait calme, sérénité et bonne humeur. Elle se rend compte également à quel point ces éléments ont manqué à sa vie récemment.

— Alors, comment était la visite des autruches ? demande Gabriel, qui avait été informé par Melissa.

— Très bien ! dit Mylène.

— Ouais, correct, rectifie Anne-Marie.

— Tu n'as pas aimé ? demande Gabriel en s'assoyant.

— Elle a adoré ! dit Melissa. Elle a acheté de la viande d'autruche, de l'huile et du savon d'autruche, un éventail de plumes d'autruche... qu'est-ce que j'oublie ?

— Elle n'a pas pris une sacoche et un genre de masque vénitien aussi ? ajoute Mylène, moqueuse.

— Ça va, ça va...

— Alors, quoi de neuf à la boutique ? demande Gabriel. Un nouveau *cupcake* saisonnier en vue ?

— Probablement chocolat et menthe pour le temps des Fêtes, mais je n'ai pas encore trouvé la recette idéale, répond Melissa.

Habitué au perfectionnisme de Melissa, Gabriel rigole.

— Ce sera sûrement excellent, comme d'habitude. Et la décoration, ça avance bien ?

— J'ai presque fini mes croquis et je suis en train d'acheter quelques accessoires, répond Anne-Marie. On va faire l'envie de tout le quartier avec notre vitrine de Noël !

— Bien... les affaires roulent, alors, dit Gabriel.

— Oui, j'ai même laissé tomber mon autre emploi de réviseure juridique, répond Mylène. Je vais essayer de faire des «midis motivation» sur une base régulière à partir du mois prochain. Je n'avais pas eu le temps jusqu'à présent, mais puisque je suis disponible à temps plein, je vais pouvoir m'y mettre plus sérieusement. Je crois qu'en janvier, la prochaine rencontre se tiendra dans une friperie pas loin d'ici.

— Excellent ! Dis donc, Melissa, je songeais à ça : as-tu déjà pensé à faire des pâtisseries sans allergènes ?

— Oui, mais j'ai fait des recherches et les contrôles sont serrés, ça prend des tests réguliers en laboratoire pour assurer la sécurité des aliments. Trop cher pour le moment. Quand on sera plus rentable, peut-être.

— Même chose pour le sans gluten, je suppose ?

— Évidemment.

— Et cachère ?

Melissa lui lance un regard assassin ; Gabriel rigole.

— Tu le fais exprès, n'est-ce pas ?

— Bien sûr, j'adore t'agacer.

— Ne lui donnes pas d'idées, s'il te plaît ! s'exclame Mylène. On a déjà du mal à lui garder les pieds sur terre ! Et elle travaille toujours trop !

— Et toi ? demande Melissa à Gabriel pour changer de sujet. Quoi de neuf ?

— Ah… toujours occupé. Je prépare un spectacle de chant avec les enfants pour Noël. On fait des pratiques le soir pour les prochaines semaines. Ça demande beaucoup de temps et de préparation avec les costumes, les décors et tout.

— Cool ! s'exclame Melissa.

— Ta copine ne trouve pas que vous êtes occupé avec tout ça ? demande Anne-Marie.

— Dominique est elle-même plutôt débordée. Elle suit un cours de secourisme par hélicoptère en ce moment.

— Secourisme par hélicoptère ? répète Melissa.

— Oui, ma chère. Elle vient d'apprendre comment intuber un patient dans un hélicoptère. Spécial, hein ?

— Assez, oui.

Anne-Marie, de son côté, fait une grimace de dégoût.

— Alors, parle-moi plus de cette recherche pour ton gâteau de Noël... continue Gabriel.

Melissa sourit. Elle jette un œil sur la vitrine, où des flocons commencent à tomber. Juste comme ils abordent le sujet des Fêtes. Elle a envie de penser que c'est un bon signe.

Elle respire à fond. La simple présence de Gabriel suffit à la rendre de bonne humeur. Encore. Et lui parler de sa passion, en regardant la neige tomber, a quelque chose de revigorant. Le moment lui semble juste parfait. Elle ne voudrait être nulle part ailleurs en ce moment.

— Eh bien, j'ai d'abord choisi de tester des sirops de menthe...

Chapitre 9

Décembre apporte ses premiers vrais flocons et ses bourrasques de vent. La température reste sous zéro et les rues, les maisons ainsi que les magasins arborent désormais les décorations de Noël. Des *jingles* aux sons de clochettes résonnent de toutes parts depuis déjà plusieurs semaines. Seuls les retardataires ou les réfractaires anti-Noël n'ont pas encore posé leurs lumières et leurs guirlandes.

Miss Caprice ne fait pas exception, bien sûr. Fidèle à elle-même, Melissa s'est lancée dans la grande production de toutes sortes de choses. Des *cupcakes* au glaçage argenté orné de flocons en fondant rouge ou vert, des pots en verre remplis de bonbons torsadés vermeils et blancs, des *cake pops* au chocolat décorés de feuilles de gui en sucre et de perles dorées, des petits trains en pâte de biscuits et couverts de bonbons, des présentoirs en forme de traîneaux, des gâteaux étagés au crémage blanc nacré, des sablés en forme de tête de renne, de Père Noël ou de lutin remplissent les présentoirs.

Le magasin et la vitrine sont jonchés de tentures bleues, argentées et blanches, de flocons chatoyants, de rubans perlés indigo et d'autres d'un blanc irisé, de chandeliers dorés, de grandes fleurs en papier de soie brillant et de lumières clignotantes aux teintes hivernales. Sa bonne humeur revenue, Anne-Marie a repris un peu du poil de la bête et décoré les locaux avec joie. Il faut dire que ça lui a changé les idées.

Melissa, qui s'est procuré un tablier assorti aux motifs

de bonshommes de neige, a réussi à concocter une recette de petits chocolats aux morceaux de canne de Noël ainsi qu'un mélange fromage à la crème et guimauve, coloré de rose et décoré de copeaux de bonbons mentholés. Sans compter qu'elle est parvenue à créer rapidement deux variétés de bûches : une au chocolat et une à la vanille, toutes deux garnies de ganache et de caramel.

Les commandes de Noël entrent à bon train. Il faut dire que c'est une période de l'année très occupée pour tous les commerçants. L'article du journal du quartier, qui vient de sortir, semble avoir aidé également. Melissa en a profité pour annoncer officiellement, dans l'article, qu'elle se lançait dans la production de tables sucrées. Un peu au désespoir de Mylène la frileuse, Melissa a décidé de plonger. L'occasion est trop belle pour la laisser passer. Elle a aussi annoncé l'arrivée d'une nouvelle carte fidélité et de rabais pour les étudiants sur présentation de leur carte. Cette fois, elle s'est retenue d'offrir des rabais aux personnes âgées !

Aussitôt, les demandes pour les tables sucrées, tant pour les partys de bureau que pour le réveillon, se sont mises à affluer. Les filles multiplient les heures supplémentaires, les livraisons.

Anne-Marie, quant à elle, a renoué avec ses autres activités. Elle a contacté toutes ses clientes Mary Kay – Noël est d'ailleurs un merveilleux prétexte – et a recommencé à dessiner dans ses carnets de croquis. De belles grandes robes à crinoline avec de beaux drapés, surtout. Son moral n'est visiblement pas au beau fixe, mais tout cela la tient occupée. Melissa lui a même permis d'apporter discrètement de la documentation dans un coin du magasin pour sa représentation Mary Kay. Ça ne lui nuit pas et ça peut juste aider son amie.

Un midi, un groupe de jeunes venant du cégep Montmorency sont montés jusque chez elle. L'un d'eux a agité le journal avec l'article sur la boutique à deux centimètres du nez de Melissa.

— C'est vous, ça ?

— Euh... oui.

— Vous offrez des rabais aux étudiants ?

— En effet.

— OK, ben on peut s'installer dans le coin là-bas ? demande le jeune homme en désignant les tables au fond.

— Si vous achetez quelque chose, oui.

— Ouais, alors on va vous prendre cinq cafés, avec les gâteaux, là.

— Quelles saveurs désirez-vous ?

Le jeune homme hausse les épaules avec une sorte de moue, l'air de s'en balancer comme de son premier tricycle.

— Eh bien, dans ce cas, vous allez avoir l'honneur d'être les premiers à goûter à nos *cupcakes* de la saison, chocolat-menthe ! propose Melissa avec enthousiasme.

— Ouais, cool.

Melissa a envie de lui envoyer une pichenette en plein front afin de voir si ce garçon n'est pas dans le coma. Il a l'indifférence typique des ados au-dessus de tout.

— Z'avez le wifi ?

— Eeeeuh... non, pas encore.

— Ah... c'est plate.

Melissa a l'impression que si elle ne remédie pas à la situation bientôt, les rabais pourraient être insuffisants pour garder cette jeune clientèle. À quoi a-t-elle pensé, aussi ? La plupart des gens et en particulier les jeunes ne peuvent être déconnectés plus de cinq minutes sans présenter des symptômes de sevrage. Il faut qu'elle arrange ça.

En quelques minutes, les cégépiens ont pris deux tables avec cinq ou six chaises, qu'ils ont déplacées et collées ensemble. Ils ont passé une bonne partie de l'après-midi à jaser et à réviser leurs examens. Mylène marmonne dans son coin que les jeunes sont rendus irrespectueux, qu'ils déplacent les meubles comme s'ils étaient chez eux et qu'en plus, ils ressemblent à des larves format géant. Melissa rigole de son côté en voyant comment elle pourrait tirer avantage de la situation. Et si elle essayait de modifier un brin le magasin pour recréer cette ambiance de café ?

Quelques jours après, elle en parle à Anne-Marie et ensemble, elles décident d'acheter deux bergères rayées beiges ton sur ton, ainsi qu'une vieille table en bois et un sofa rococo antique d'une couleur semblable aux bergères. Anne-Marie se les est procurés chez Christian, qui avait été si agréable avec elle et Mylène lors de leur visite en juillet. Elles réaménagent l'espace et admirent la vue. Oui, ces nouveaux meubles au look vieillot donnent un joli cachet douillet à l'ensemble.

Une bonne chose de faite. Elle doit s'occuper du wifi, maintenant.

✿ ✿ ✿

L'augmentation de l'achalandage et du nombre de commandes, ainsi que le réaménagement du magasin, ont eu des répercussions inattendues. Melissa, à son désarroi, a dû recommencer à travailler plus longtemps, plusieurs soirs par semaine afin de garder le rythme et de pouvoir répondre à la demande. La réaction de Jean-François ne s'est pas fait attendre.

— Bon, ça y est, ça recommence ! a-t-il lancé en apprenant

que Melissa allait travailler des heures supplémentaires. On était bien, pourtant, depuis un mois. Tu étais plus souvent là. Tu vas faire ça combien de temps encore ?

— J'en ai pour quelques semaines, tout au plus. Allons, c'est normal, c'est un moment super occupé dans l'année.

Jean-François grogne en inclinant la tête d'un côté. Melissa se sent de plus en plus agacée et impuissante. Tout est si compliqué ! Est-ce que leur rapprochement du mois dernier n'était que de la poudre aux yeux ?

Il y a des jours où elle se demande si tout ne serait pas plus simple s'il n'était plus là. Au moins, elle n'aurait pas d'attentes envers lui, donc pas de déception. Ni de comptes à lui rendre non plus.

— Et durant le temps des Fêtes, prendras-tu des vacances ? a-t-il demandé sèchement.

— Je te l'ai dit, on sera ouvert jusqu'en après-midi. C'est normal pour un commerce, surtout le nôtre. Mais moi, Mylène et Anne-Marie, on se partage les heures.

— Et en plus, tu devras travailler entre Noël et le jour de l'An… a-t-il ajouté, manifestement agacé. Bon sang, Melissa, je ne te vois plus.

Melissa grogne. Elle a l'impression d'avoir affaire à un enfant de cinq ans accroché à ses jupons. À croire qu'il est incapable d'être le moindrement indépendant. Est-il incapable d'une quelconque débrouillardise ?

— Évidemment, mais qu'est-ce que tu crois ? Sur quelle planète tu vis ? Une entreprise, c'est comme ça ! On en avait parlé avant l'ouverture, voyons. Je n'avais pas besoin de te faire un dessin pour que tu le devines.

— Les Fêtes, on est censé passer ça en famille, dit Jean-François. Si tu n'es pas là, ce ne sera pas pareil.

— Allons donc, on passe la moitié de nos vacances à

visiter ta famille ! Que je n'y sois pas tous les jours n'y changera rien.

— Mais on a toujours fait ça, c'est comme une tradition.

— Rien n'empêche de changer, des fois. La vie, c'est comme ça. Les choses changent, il faut s'adapter. Ce n'est pas comme si les enfants en souffriront. Ils verront leurs cousins et seront heureux simplement parce qu'ils sont en congé et reçoivent plein de cadeaux. Si je ne suis pas là une journée ou deux, c'est à peine s'ils s'en rendront compte, tellement ils ont du plaisir avec le reste de la famille et leurs cadeaux. On n'est pas obligé de faire toujours les mêmes choses.

— Avoir su, je pense que j'aurais refusé que tu ouvres ce foutu commerce, Melissa.

Melissa a la sensation d'avoir reçu un coup de poing à l'estomac. Elle retient les larmes qui lui montent aux yeux. Donc, il se fout complètement du fait que c'était son rêve à elle, que tout cela la rend heureuse ? Qu'elle a le sentiment de s'accomplir, d'être utile, de s'affranchir un peu et d'être comblée ? Tout ça n'a pas d'importance pour lui ? Alors qu'il est censé être celui qui l'aime, l'homme de sa vie ? Elle a la subite certitude qu'elle mérite mieux que ça.

— Alors, dans le fond, tout ce qui compte pour toi, c'est que je m'occupe de faire la lessive et les repas, c'est ça ? En réalité, tu t'en contrebalances que ma *business* fonctionne ou pas. Si je faisais faillite, ça t'arrangerait.

— Mais non, ce n'est pas ce que j'ai dit…

— Maman, papa, pourquoi vous criez ? demande soudain Raphaël, en s'approchant de la cuisine où se trouvent ses parents.

— On a juste un petit désaccord, ton père et moi. Ne t'inquiète pas mon chéri, tout va bien.

— Maman, j'ai besoin d'aide pour pratiquer l'écriture des lettres de mon nom ! s'écrie Florence de sa chambre.

— J'arrive, mon ange !

Melissa est partie rejoindre sa fille. Le sujet est clos pour l'instant. Mais elle reste insultée et déçue. Ce soir-là, Melissa et Jean-François se couchent sans se dire un mot. Ce n'est pas la première fois qu'il ne se passe rien sous les couvertures. Il y a déjà un certain temps que leur vie sexuelle est plutôt morne et que leurs ébats sont mécaniques et sans passion. Comme s'ils servaient essentiellement à répondre au devoir conjugal ou à un besoin biologique.

Le silence les a donc portés jusqu'au sommeil.

✿ ✿ ✿

Mylène descend de sa voiture. Elle s'immobilise sur le trottoir, lève la tête et voit la fine neige tomber du ciel. Elle est certes du genre cynique et parfois brusque, mais il y a encore de ces petites choses qui lui rappellent les doux plaisirs de l'enfance. Comme laisser les flocons de neige se poser doucement sur ses cheveux. Puis rentrer à l'intérieur avec sa parure blanche et scintillante sur la tête, qui fondra aussitôt en gouttelettes.

Elle ouvre la porte de la boutique, puis s'arrête.

— Ben là, si je t'écoutais, je mettrais de la menthe et des morceaux de canne de bonbon partout à longueur d'année ! fait la voix de Melissa. Si j'utilisais ça tout le temps, ça ne ferait même plus « saveur de Noël ».

— La menthe, c'est ce qu'il y a de mieux ! répond Anne-Marie. Les autres saveurs, c'est fade, à côté. Tout devrait être aromatisé à la menthe en tout temps !

— As-tu oublié de me dire que tu avais des origines

anglaises ou quoi ? Pourquoi pas du sanglier bouilli à la menthe, tant qu'à faire ?

Mylène sourit. L'amitié qu'elle partage avec Anne-Marie et Melissa est tout ce qu'il y a de plus vraie. Les trois femmes sont unies par de véritables sentiments de partage et de sollicitude l'une envers l'autre, mais elles n'hésitent jamais à se dire leurs quatre vérités et à se parler franchement, même des sujets les plus triviaux. Et ça, cette amitié fidèle et fiable, c'est plus cher que la présence de n'importe quel homme à ses yeux. Enfin, sauf peut-être pendant la période de Noël, qui la rend nostalgique. C'est un des rares moments où elle souffre un peu d'être célibataire. Là, et à la Saint-Valentin.

Alors qu'elle s'apprête à faire un pas dans la boutique, quelque chose de particulier, de l'autre côté de la rue, attire son attention. Mylène traverse la rue pour aller voir de plus près. Elle s'approche du mur situé en face de chez Miss Caprice. Sur la brique rouge se trouve un grand dessin, de presque 1,5 m de haut, fait à la bombe aérosol et représentant un visage de femme, encadré d'une grande crinière de cheveux bruns en bataille.

Ce visage, c'est le sien.

Aucun doute, ce dessin n'était pas là la veille. Quelqu'un a crayonné son portrait dans la soirée ou pendant la nuit. Et l'a fait à cet endroit pour qu'elle le voie en arrivant au matin. Mais qui a pu faire cela ? Et pourquoi donc ?

Mylène se précipite dans le magasin et appelle Melissa et Anne-Marie.

— Les filles, vite, venez voir ça dehors !

Melissa et Anne-Marie n'ont d'autre choix que de suivre leur amie tant son ton de voix est à la fois intrigant et excité ; elles s'habillent et la suivent à l'extérieur. Melissa garde un œil sur la boutique, au cas où.

— Regardez ça !

Au tour d'Anne-Marie et de Melissa d'être stupéfaites lorsqu'elles voient la fresque.

— Mon Dieu, mais c'est toi, ça ! s'exclame Melissa. Qui a fait ça ?

— Je n'en sais rien, mais en tout cas, cette personne dessine bien, dit Mylène. Elle a manifestement du talent.

— Tes yeux sont d'un réalisme ! On jurerait qu'ils brillent pour vrai, renchérit Melissa.

— Oh mon Dieu, et si c'était un *stalker* ? s'écrie Anne-Marie. Tu devrais peut-être appeler la police !

— Ben voyons, n'importe quoi ! rétorque Mylène. Miss dramatique en personne…

— Hé… on n'est jamais trop prudent, tu sauras. Je te ferais remarquer que pour faire ton portrait, cette personne a dû t'observer pendant une assez longue période. Peut-être même qu'elle a pris des photos de toi à ton insu.

— C'est sans doute un admirateur secret, dit Melissa.

— Oui, et qui va sûrement la chloroformer, l'enlever, la dépecer et la passer au mélangeur après, dit Anne-Marie.

— Et qui prendrait bien le temps de m'avertir en faisant des dessins de moi juste avant ? ajoute Mylène en riant. Je pense que tu t'inquiètes pour rien.

— Il n'y a rien d'écrit ? Pas de signature ? demande Melissa.

— Non, pas du tout.

— Peut-être qu'il finira par se manifester à un moment, dit Melissa.

— Ce serait quoi, un timide ? lance Anne-Marie.

— Un timide, un romantique, allez savoir, répond Melissa, songeuse.

— Tu ne soupçonnes personne en particulier, Mylène ?

demande Anne-Marie. Quelqu'un qui semblait te reluquer, te tourner autour ?

Mylène réfléchit un moment, en observant le sol et en jouant avec une de ses mèches de cheveux.

— Non, franchement, je ne vois pas. Je n'ai rien remarqué ces derniers temps. Mais on verra bien. Peut-être que ce mystérieux portraitiste finira par se manifester. Je doute qu'il en reste là.

— On surveillera bien le mur au cas où il reviendrait, en tout cas, sourit Melissa en retournant à la boutique.

Au moment où les filles entrent dans le magasin, le téléphone sonne. Melissa court répondre.

— Miss Caprice, bonjour !

— Alors, quoi de neuf, docteur ?

Melissa sursaute. Elle a l'impression d'un petit choc au cœur et une vague de chaleur lui monte aux joues. Instantanément, son sourire s'élargit. C'est Gabriel.

— Rien, que du vieux ! rétorque-t-elle en riant.

À son tour, Gabriel se met à rire dans le combiné.

— Que puis-je faire pour vous, monsieur ? dit Melissa d'un ton faussement solennel.

— Je sais que c'est à la dernière minute, balbutie Gabriel, mais si c'était possible, j'aimerais bien réserver vos services pour une table sucrée à l'école, pour notre collecte de fonds de Noël, mademoiselle. Et si ce n'est pas trop demander, serait-il possible de demander ton assistance pour cet événement ? Je me souviens comme tu étais douée et dévouée à cette activité dans le temps. Ça te dirait, Meli ?

— Si ça me dirait ? Mais bien entendu !

Melissa se rappelle avec délice les collectes de fonds de son ancienne école. C'était toujours un vrai party. Les enfants décoraient l'école avec leurs nombreux bricolages, allant même jusqu'à faire des mises en scène et des décors assez élaborés. Tout le monde préparait des chocolats chauds et des friandises. C'était une véritable fête.

Elle songe avec plaisir aux moments, même brefs, qu'elle pourra passer avec Gabriel. Elle se surprend elle-même à espérer qu'il soit disponible pour l'aider.

— C'est sans doute serré comme échéancier, mais tu penses qu'on pourrait avoir ça pour le 19 décembre ?

— On va s'arranger, t'inquiète. Je ne te garantis pas que tu auras les trucs les plus élaborés parmi nos choix offerts étant donné le court délai.

— Comme quoi, des *cupcakes* sans glaçage ? rigole-t-il.

— Eh que t'es niaiseux ! lance-t-elle. Bon, tu peux remplir notre nouveau formulaire en ligne pour faire ta commande personnalisée, et on pourra te cuisiner tout ça. Si tu faisais ça aujourd'hui, ça m'arrangerait beaucoup.

— Pas de problème, on se voit le 19, alors !

— Salut, à la prochaine !

Melissa raccroche alors que Mylène et Anne-Marie s'approchent lentement.

— C'était Gabriel, hein ? demande Mylène.

— Oooh... oui, je vois, minaude Anne-Marie.

Melissa recule et observe ses amies qui la regardent en souriant d'un air entendu.

— Quoi, qu'est-ce qu'il y a ?

— T'avais le sourire fendu jusqu'aux oreilles, dit Mylène. Encore.

— Ouais, t'as l'air de plus en plus... intime avec lui et pas mal heureuse de lui parler, je trouve, ajoute Anne-Marie. Comme la dernière fois, d'ailleurs...

Pendant un court instant, Melissa n'est pas sûre de bien comprendre. Est-ce que ses amies sont vraiment en train de suggérer ce qu'elle pense qu'elles sont en train de suggérer ?

— Hein ? Ben là, vous êtes folles !

— On n'a rien dit, nous, réplique Mylène innocemment.

— Je connais très bien vos esprits tordus. Je connais Gabriel depuis presque dix ans, c'était un super bon collègue et je m'entendais bien avec lui, rien de plus.

— Ouais... et moi, je m'appelle Minnie Mouse, ajoute Anne-Marie. Vous avez toujours l'air méchamment heureux de vous revoir, en tout cas.

Melissa se plonge dans son livret de commande et fait un mouvement de la main. Ses amies l'énervent vraiment, par moments. Elle sent soudain des bouffées de chaleur lui monter à la tête. Tout ça est ridicule.

— On s'entendait bien parce qu'on enseignait les arts tous les deux et on était les marginaux de l'école, c'est tout.

— Regarde, elle rougit, dit Mylène à l'attention d'Anne-Marie.

— Franchement ! Je dois vous rappeler que je suis mariée ou quoi ?

— Comme si c'était pertinent ! lance Anne-Marie les yeux en l'air. Malheureusement, j'en sais quelque chose. Ça n'empêche pas d'avoir des petits papillons, des fois.

— Ben oui, c'est ça ! Bercez-vous d'illusions, les filles. Mylène a vingt fois plus de chances d'avoir quelque chose avec son admirateur anonyme que j'en ai avec Gabriel, croyez-moi.

Et sans laisser le temps à ses copines de répondre, Melissa s'engouffre à toute vitesse dans l'arrière-boutique, pour faire l'inventaire de ses emporte-pièces et couper court à cette conversation qui la met mal à l'aise plus qu'elle veut bien l'admettre.

❁   ❁   ❁

Quelques jours ont passé et, à part un petit poème apparu sous son portrait, Mylène n'a toujours pas eu de nouvelles de son admirateur. Malgré sa boutade après la réaction d'Anne-Marie, elle a dû admettre secrètement qu'il y avait effectivement quelque chose de vaguement inquiétant à l'idée que quelqu'un l'observe à son insu et surveille ses allées et venues.

Orgueilleuse comme dix, elle ne l'aurait jamais avoué, mais depuis, elle reste prudente, s'assure de ne jamais marcher seule le soir et vérifie constamment les bancs arrière de sa voiture en quittant la boutique. Au cas où un maniaque s'y serait caché pour lui bondir dessus, comme dans les films.

Durant les jours qui ont suivi le dernier coup de fil de Gabriel, ce dernier a effectivement occupé une partie des pensées de Melissa. Elle se surprend à imaginer, de manière tout à fait hypothétique, ce que serait sa vie avec lui, ou comment et où il passe les Fêtes.

❁   ❁   ❁

À la mi-décembre, Melissa a déjà fait le nécessaire pour installer le wifi dans le magasin. Mais bien que le technicien du fournisseur s'occupe d'une partie de l'installation, elle a encore besoin de Leo pour faire en sorte que tout fonctionne.

Elle n'arrive pas à configurer l'ordinateur avec le routeur. Et puisqu'elle a une capacité d'attention d'environ cinq minutes avec la technologie, elle a demandé à son frère.

— Tu y arrives ? lui demande-t-elle en entrant dans l'arrière-boutique.

— Ça va. Alors, comment vont les enfants ?

— Bien, toujours aussi pleins d'énergie.

— Tu sais que je peux les garder n'importe quand, hein ? Ça me fait plaisir et à Stéphane aussi. Jean-François et toi avez sérieusement l'air d'avoir besoin de temps à vous.

— Ouais, sauf que la dernière fois, notre week-end d'amoureux ne s'est pas super bien passé, en fin de compte.

Leo s'arrête et se tourne vers sa sœur.

— Quoi ? Tu ne m'avais pas dit ça.

— Ben non, je sais. Ce n'est pas le genre de chose qu'on crie sur tous les toits.

— Je suis navré pour toi, Melissa.

Elle fait un geste de la main.

— Bah… tu sais, ça fait un bout que je ne crois plus aux papillons et tout ça. On est un vieux couple, maintenant.

— Quand même… je trouve ça triste que tu penses comme ça.

— Bah… ne t'en fais pas pour moi. Mais promets-moi une chose : ta flamme avec ton chum, garde-la toujours en vie, quoi qu'il arrive. Si tu y crois, mets-y du temps et des efforts. Ne te laisse pas avaler par la vie comme moi.

— Et toi ? Peut-être que tu peux renverser la vapeur, voyons.

— S'il y a une méthode, je ne la connais pas. Et puis, qui sait ? Peut-être qu'on est juste rendu ailleurs.

— Ouais… tu sais ce que dirait maman ?

— Que Mars est en Sagittaire et que je ne dois pas m'inquiéter ?

— Non, qu'elle a vu un bon présage dans son steak haché, cette semaine !

Melissa sourit. Leo n'ajoute rien, mais il demeure inquiet. Ce que sa sœur lui a avoué ne le rassure pas.

❄ ❄ ❄

Le 19 décembre s'est pointé, mais pas assez vite pour Melissa, qui a trépigné pendant trois jours à l'idée de retourner dans son ancienne école, de revoir plein d'enfants, de renouer un peu avec ses anciens collègues – et surtout, de revoir Gabriel, en fait.

Tout au long du trajet, elle a eu le sourire planté sur le visage. Elle a mis à fond la caisse la musique de son groupe préféré, Bon Jovi, et chanté les paroles mythiques de *Keep the Faith* pour faire durer sa bonne humeur.

Faith! You know you're gonna live through the raaaaaain; Lord, you got to keep the faith. Faith! Don't let your love turn to haaaaaaate; Right now, we got to keep the faaaith!

Arrivée sur le site, Melissa a le cœur qui bat et l'impression que son estomac va se retourner sur lui-même. Elle se secoue. Mais qu'est-ce qui lui prend tout à coup ? Il y a longtemps qu'elle n'avait pas été aussi excitée. L'idée de revoir ses anciens collègues et les enfants, sûrement.

Des notes de musique s'élèvent dans l'air. C'est probablement Gabriel qui joue de la guitare pour faire de l'animation. Chaque fois qu'il en avait l'occasion, Gabriel sortait un instrument de musique – la guitare, de préférence – et mettait de l'ambiance partout où il le pouvait. Comme s'il s'était donné pour mission de rendre les gens heureux.

Melissa aperçoit les tables, placées sous une tente, dans la cour d'école. Malgré le froid, tout se passe bien, car le ciel est clément. Les élèves, fous comme des balais, courent en tous sens pendant que les professeurs essaient tant bien que mal de terminer l'installation.

« Décidément, il n'y a rien comme des rires d'enfants pour rendre des lieux vivants », songe Melissa.

Alors qu'elle descend de sa voiture, Gabriel, qui jouait de la musique autour des tables extérieures, l'aperçoit et se dirige vers elle. Melissa a soudain l'impression que toutes ses entrailles sont en train de faire trois tours dans son ventre. Elle secoue la tête et se ressaisit.

— Meli ! Je suis si heureux de te revoir ! lance Gabriel en l'enlaçant chaleureusement.

— Toujours aussi rayonnant, « Monsieur Sourire », répond Melissa en riant.

— Toujours ! J'aime mieux ça, la vie est moins chiante avec un sourire dans la face.

Melissa rigole. Si seulement tout le monde avait cette philosophie, la Terre s'en porterait mieux.

— Melissa ! Comment vas-tu ?

Melissa se tourne vers France, l'enseignante de maternelle. France est une professeure d'une cinquantaine d'années, douce et dévouée. Une vieille routière aux cheveux poivre et sel coupés courts et aux grands yeux bleus.

— Tu nous manques tellement, ma chérie, s'exclame France en lui prenant le visage à deux mains. Et comment va ta *business* ?

— Ça va, mais ça ne fait que six mois, alors c'est sûr que ça peut prendre un bout de temps avant d'atteindre la pleine rentabilité. Mais en ce moment, ça va très bien. C'est une grosse période et on est très occupées.

— *Good !* Alors, on t'aide à installer tout ça ?

— S'il te plaît, oui.

Aidée de Gabriel et de France, Melissa installe ses

desserts sur la table, avec les nombreux chocolats chauds et quelques décorations pour agrémenter le tout. Cette fois, les arrangements et la nourriture sont vert forêt, rouge pompier et blanc. Des rayons de soleil percent les nuages çà et là au-dessus de la cour.

Comme chaque année, enfants et enseignants gèrent la vente de sapins de Noël, de friandises et autres trucs pour leur collecte de fonds annuelle.

Melissa admire le dynamisme de ces anciens collègues et des élèves – les plus vieux, surtout – impliqués dans l'activité. L'ambiance est à la bonne humeur et à la légèreté. Les parents et les gens venus participer à la collecte sont merveilleux. Melissa s'amuse à chanter des cantiques de Noël avec Gabriel, qui, en plus de jouer de sa guitare surnommée Gertrude – une autre de ses fantaisies –, siffle comme un véritable rossignol.

Subitement, Melissa a l'impression que c'est ce qui lui a manqué durant les derniers mois : de la légèreté. Certes, elle a beaucoup de plaisir à faire ce qu'elle fait, rien ne la rend plus heureuse que de produire des gâteaux, de les décorer, de créer de nouvelles saveurs et de voir la satisfaction de ses clients lorsqu'ils mordent à belles dents dans une de ses créations. Et aussi merveilleuses soient ses amies, la relation qu'elle a, avec elles, est différente.

Quant à Jean-François, inutile même d'en parler. On dirait que n'importe quelle demande équivaut à exiger de lui qu'il se rende sur la Lune à pied.

Depuis qu'elle a créé Miss Caprice, malgré son bonheur au travail, sa vie est surtout remplie de soucis, de problèmes financiers, d'ennuis administratifs, de pression de la part de son conjoint et de ses fournisseurs. Son rêve est difficile à faire vivre et lui demande plus de sacrifices qu'elle l'aurait cru. Il doit sûrement y avoir un moyen de lui rendre l'existence plus aisée, plus simple.

Ses copines, pleines de qualités, arrivent rarement à lui remonter le moral comme le fait Gabriel. Elles n'ont pas la même sensibilité ni la même sagesse. Parler avec Gabriel est aisé, relaxant. Il a toujours le mot pour rassurer, redonner le sourire. À chaque conversation que Melissa a eue avec lui, il a fait remonter son énergie et son humeur, apportant toujours un point de vue éclairé.

La journée avance à la vitesse grand V. Une heure avant la fin de l'activité, Melissa aperçoit un message sur la boîte vocale de son cellulaire. C'est Jean-François. Elle n'a pas dû entendre la sonnerie.

« C'est moi. Juste pour savoir d'avance si tu penses rentrer à une heure qui a de l'allure ou si tu comptes encore faire des heures supplémentaires. J'aimerais que tu ne me confirmes pas ça à la dernière minute comme les autres fois. Bye. »

Une vague de frustration monte en Melissa. Le message brusque et le ton sec de Jean-François, en plus de ses sous-entendus peu agréables, la mettent en colère. Bon sang, ce qu'ils tranchent avec la légèreté et la beauté de la journée qui s'achève! Il vient littéralement de gâcher sa bonne humeur. Pour une fois, elle n'avait pas vécu d'insatisfaction ni de stress aujourd'hui! Jean-François vient de tout foutre en l'air!

Combien de fois va-t-il encore saboter son bonheur?

Démontée, Melissa s'éloigne des tables et de l'animation et va s'asseoir sur une chaise, près de l'entrée de l'école. La peine et l'amertume lui tordent la poitrine. Quelques instants plus tard, Gabriel la rejoint.

— Tiens, on te cherchait! Est-ce que tu... mais... qu'est-ce qui t'arrive, toi?

Melissa sent une boule monter dans sa gorge. Non... Elle ne va pas se mettre à pleurer! Elle se ressaisit avec peine. Elle se sent si démunie, si impuissante en ce moment. Elle voudrait disparaître, fuir vers ailleurs, n'importe où. Elle aimerait tant qu'on la couve et qu'on la protège, comme son père faisait quand elle était petite.

Gabriel s'est assis à ses côtés et la contemple visiblement inquiet.

— Est-ce encore Jean-François qui te met dans cet état?

— Peuh! Quel état? dit Melissa avec un rire cynique.

— Allons, Meli, je t'ai côtoyée pendant quelques années, sourit Gabriel. Je te connais bien. Et puis, tu es si facile à lire. Avec toi, tout est en surface, jamais rien de caché. Tes émotions sont juste là, ajoute-t-il en faisant un mouvement de la main devant le visage et le poitrail de Melissa. Dis-moi ce qui ne va pas.

— Ouais, c'est encore Jean-François, avoue-t-elle finalement.

— Ce n'est toujours pas réglé entre vous?

— Pas vraiment. C'est... en dents de scie, disons. Quand je réduis mes heures de travail et que je suis plus disponible à la maison, tout va bien. Il redevient agréable. Mais dès que je travaille plus, comme en ce moment, il est épouvantable. Il se plaint sans cesse et me culpabilise de ne pas être là. Comme si je n'avais pas droit à ma vie. Je me sens perdue, je ne sais pas quoi faire avec lui pour qu'il comprenne que j'aime ce que je fais plus que tout et que cette entreprise, c'est ce qui me rend heureuse. J'ai besoin de tout ça pour vivre.

— Être un artiste ou un entrepreneur est prenant et demande souvent des sacrifices, dit Gabriel. Ce ne sont pas des *jobs* ordinaires. Ça demande beaucoup de dévouement et de compréhension de la part du conjoint aussi. C'est

dommage, mais ce n'est pas tout le monde qui peut apprécier ça. Et toi, en attendant, tu en souffres.

— Ouais, je commence à douter que Jean-François a
autant de compréhension qu'il m'a laissé croire. Et tu as
raison, ça m'affecte beaucoup. J'aimerais tant qu'il me
soutienne.

— Meli, je suis vraiment désolé, je ne sais pas quoi te
dire.

Gabriel ôte sa mitaine et prend la main de Melissa dans
la sienne. Melissa se tourne et le fixe des yeux. Même habillé
d'un gros manteau d'hiver et d'une tuque rouge qui lui
donnent des allures de Bonhomme Carnaval, elle remarque
qu'il est resté un homme très séduisant, charmant. Lumineux aussi.

— Sais-tu ce que je vois, moi ? ajoute-t-il.

— Non.

— Que tu as toujours été animée par... je ne sais pas
comment nommer ça... disons un genre de feu sacré. Je sais
que ça sonne cliché, mais c'est comme si tu brillais tout le
temps. Avant, c'était pour l'enseignement. Maintenant, c'est
pour ta cuisine. Mais j'ai l'impression que cette étincelle,
Jean-François en a peur et qu'il est en train d'essayer de
l'éteindre.

Était-ce vraiment ça ? Jean-François ne tolérait pas
qu'elle ait ce feu pour autre chose que lui ou leur petite
famille ? Il ne supporterait pas de ne pas être tout son univers, de ne pas avoir toute son attention ? Et donc, il essayait
d'anéantir ce feu ?

Melissa ne comprend pas. Ne l'aime-t-il pas ? Ne veut-on
pas le bonheur de ceux qu'on aime, habituellement ?
Pourquoi cette crainte ? Avoir une passion n'a jamais porté
d'ombre à l'amour qu'elle portait à Jean-François. Du moins

jusqu'à présent. Melissa a l'impression d'étouffer, de n'avoir pas d'issue de secours. Elle voudrait se sentir protégée. Qu'on lui prenne la main, comme Gabriel vient de le faire et qu'on lui dise que tout va bien aller.

Instinctivement, elle appuie sa joue sur l'épaule de Gabriel. Il lui entoure les épaules de son bras.

Combien de temps restent-ils ainsi, Melissa ne sait pas. Quelques minutes, tout au plus? Elle sait seulement que pendant ce laps de temps, elle s'est sentie entourée, détendue et supportée. Cela doit faire une éternité qu'elle ne s'est pas laissée aller. Elle aurait aimé que cet instant ne finisse jamais.

Elle se redresse et lève le visage vers Gabriel. Elle plonge à nouveau dans ses yeux et ressent une bouffée d'affection. Elle sourit et lui prend les deux mains.

— Merci, Gabriel. Encore une fois, tu réussis à faire ce qu'il faut pour me rendre heureuse.

Au moment même où les mots sortent de sa bouche, Melissa a un sursaut. Ça ressemblait presque à une déclaration d'amour! Si certains avaient entendu ça, il y aurait eu des rumeurs! Elle se lève aussitôt en replaçant sa tuque.

— Melissa, je te donne mon numéro de cellulaire et mon courriel, dit Gabriel. Promets-moi une chose: quand tu te sentiras mal, appelle-moi ou écris-moi, je t'en prie. Je ne veux plus te voir dans cet état. D'accord?

— D'accord. Maintenant, excuse-moi, je vais rappeler Jean-François.

Elle s'éloigne et rappelle son conjoint. Boîte vocale.

— Salut, dit-elle simplement. Je n'arriverai pas tard, alors à tout à l'heure.

Avant de quitter la fête, Gabriel l'aide à rapporter du matériel dans la voiture.

— Donne-moi des nouvelles, d'accord ? dit-il.

— Promis.

Elle l'étreint une nouvelle fois avant de partir. L'espace de quelques secondes, elle se sent une nouvelle fois détendue entre ses bras et se laisse aller. Pourquoi doit-elle partir ? Elle voudrait rester là, au chaud dans les bras de Gabriel, pendant des heures. C'est si bon, cette chaleur.

Elle quitte finalement les lieux à contrecœur. En chemin vers la maison, bouleversée, elle s'interroge. Elle a l'impression de voir Gabriel sous un nouveau jour. Se pourrait-il qu'elle n'ait jamais vraiment eu conscience du bien-être qu'il provoquait chez elle ?

Elle songe aux blagues de Mylène et Anne-Marie. Ses amies avaient-elles perçu une attirance avant qu'elle-même s'en doute ?

❁ ❁ ❁

La veille de Noël, Mylène a trouvé un nouveau portrait d'elle dessiné sur un autre mur pas loin de la boutique. Elle y a reconnu la coiffure qu'elle portait quatre jours plus tôt, une grande tresse. Son admirateur secret l'a donc vue à ce moment-là.

« Vous étiez magnifique avec les flocons dans vos cheveux, ce jour-là. Je sais que vous aimez rester sous la neige qui tombe et ça vous va bien. J'espère que vous ne m'en voulez pas de cette admiration que j'ai pour vous. »

Mylène a beau tenter de se rappeler qui elle a vu ce jour-là, elle n'a remarqué personne qui la détaillait en vue de faire son portrait. Elle est partagée entre être flattée de cette attention romantique et platonique, et être inquiète à l'idée qu'on l'observe. Si ce gars connaît son petit plaisir, c'est qu'il la connaît bien ou est un bon observateur qui la voit souvent. Sûrement quelqu'un pas loin de la boutique. Un client, un autre commerçant ? Il faudra qu'elle en parle avec ses amies et qu'elles soient à l'affût.

La période des Fêtes se déroule sans anicroche pour Melissa, malgré une certaine tension palpable chez Jean-François. Il a accepté à contrecœur que sa femme travaille pendant les Fêtes, mais il s'en irrite. Les enfants ont été noyés de cadeaux et ont apprécié les petites douceurs que leur maman leur rapporte le soir. Veronica les a tous reçus, avec Leo et Stéphane, autour d'un risotto et d'un panettone traditionnel. Melissa n'a pas cessé de penser à Gabriel. C'est comme s'il la suivait partout, en esprit. Son sourire, sa bienveillance la rassurent. Pas une journée sans qu'il soit dans sa tête. Quand elle se sent mal, elle entretient des conversations imaginaires avec lui pour se remonter le moral.

Elle l'imagine assis à côté d'elle dans sa voiture, dans son dos quand elle se brosse les dents, tout près lorsqu'elle prépare une volée de *cake pops*. Elle se dit qu'elle devient complètement folle.

« Qu'est-il en train de faire, en ce moment ? » pense-t-elle dès le lever du lit. Songe-t-il à elle ? Est-il en train de déjeuner avec sa Dominique ? Melissa se rend compte qu'il a toujours été plutôt discret sur sa copine et que même s'il en glisse souvent un mot, elle sait peu de choses à son sujet.

Elle a vu, avec une joie trop intense pour ne pas être suspecte, un courriel de joyeux Noël de sa part arriver dans sa boîte de réception. Il prenait de ses nouvelles et demandait si tout allait bien. Alors, il a bel et bien pensé à elle ! Il s'inquiète vraiment de son sort. Elle est si heureuse de son intérêt. Enfin, un homme qui la comprend, qui a son bien-être à cœur ! Mais elle se doute que ce n'est pas tout à fait anodin que cette compréhension provoque autant d'émotions chez elle.

Qu'est-ce que tout ça signifie ? N'est-ce que le symptôme passager de ses problèmes ?

Chapitre 10

Janvier est fort avancé, le froid, bien installé et la morosité, à la suite de l'euphorie des Fêtes, s'est bien établie à son tour. Les étudiants sont revenus au magasin et semblent là pour rester. Ils viennent souvent en groupes – en meutes, dirait Mylène –, s'amassent autour d'une ou deux tables qu'ils déplacent, boivent de grandes quantités de café et restent souvent jusqu'à la fermeture, au point où il faut presque les mettre dehors. Mais la quantité de caféine qu'ils ingèrent vaut tout à fait les petits désagréments qu'ils provoquent.

Le wifi était donc une bonne idée. Mieux encore, Mylène a instauré quelques partenariats intéressants. Un café à quelques coins de rue ainsi qu'un centre d'esthétique ont accepté de vendre des *cupcakes* de chez Miss Caprice. Melissa a même décidé d'offrir un rabais aux utilisatrices du centre de beauté sur présentation d'une facture.

Évidemment, madame Pinson, après une session chez sa voyante – la tourterelle sicilienne – a décidé de profiter de ce duo de choc : une épilation et un croissant ! Ce qui lui a permis de revenir faire un tour chez Miss Caprice pour montrer sa nouvelle permanente – ainsi que sa coloration de blanc aux accents de bleu – et ses varices.

L'état d'Anne-Marie a peu changé au cours des dernières semaines. Noël lui a bien apporté un soupçon de joie, mais sans plus. Son premier réveillon sans Pierre-Luc, quoique moins difficile que prévu, fut source de douleur.

— Toutes les premières fois après un deuil, une rupture, sont difficiles, lui dit Mylène. Je suis passée par là quelques fois. On croit que c'est insurmontable, mais on finit toujours par s'y habituer.

— Comment fais-tu pour vivre seule ? répond Anne-Marie. C'est si pénible. Je m'ennuie tellement. On dirait que je ne sais plus rien faire seule, que j'ai perdu mon identité.

Mylène hausse les épaules.

— Je te l'ai dit : on s'habitue. Il faut apprendre à être heureuse par soi-même, à ne pas compter sur les autres pour ça. Ton identité, c'est à toi de la refaire seule.

— Le pire, c'est que je croyais y être arrivée. Je ne pensais pas dépendre de Pierre-Luc à ce point. Je me rends compte à quel point il était présent dans ma vie, dans chaque petit recoin et chaque petit moment quotidien de la vie.

— Ça va arriver, crois-moi, dit Mylène en passant son bras autour des épaules d'Anne-Marie. Ça prend du temps, mais avec du travail, on parvient à se reconstruire soi-même. N'attends pas après les autres pour répondre à tes besoins. Tu seras immanquablement déçue. Tu dois ne compter que sur toi-même. Tu n'as pas besoin de l'attention ou de l'approbation des autres pour être bien. Tu ne t'es jamais souciée de ce qu'on pensait de toi et c'est bien ainsi. Maintenant, va plus loin et apprends à te libérer de ton besoin des autres.

— Mais on ne peut pas vivre sans les autres. On est en société, pas en solitaire. C'est déprimant, ta façon de voir les choses. On peut compter sur nos proches quand même, non ?

— Évidemment. Mais les autres devraient être des compagnons qui marchent à côté de toi. Pas des béquilles sans lesquelles tu ne puisses pas marcher. Tu comprends ?

— Ouais, en théorie, je saisis.

Anne-Marie décide de changer de sujet. Cette conversation la déprime.

— Et ton admirateur-*stalker*? Des nouvelles?

Mylène sourit.

— Figure-toi donc qu'un paquet m'attendait hier matin à la porte du magasin. Une boîte de chocolats de mon groupie avec un autre mot mystérieux.

— Euh… il sait dans quel type de commerce tu travailles?

— Évidemment. Mais les chocolats, c'est souvent le présent romantique par excellence. Je suppose que c'est voulu.

— Et s'il te suivait jusque chez toi?

— Je ne pense pas. S'il savait où j'habite, c'est chez moi qu'il aurait laissé ça, pas ici. Peut-être tient-il à ce que je le trouve dans le coin. Peut-être que de me savoir observée ici est moins stressant que chez moi.

— J'espère qu'on va le découvrir un jour, dit Anne-Marie.

Melissa, de son côté, pense encore et toujours à Gabriel. Il occupe toutes ses pensées. Au réveil, elle songe à lui. Dès qu'il surgit dans son esprit, son sourire réapparaît. Elle a continué de correspondre avec lui de manière régulière. Parfois, ils se téléphonent à l'heure du lunch. En fait, ils se parlent presque tous les jours. Ils discutent des aléas de la création. Gabriel s'émerveille des nouvelles saveurs et des produits inédits qu'elle tente de développer. Lui propose de nouvelles idées.

— As-tu déjà songé à faire du glaçage bleu royal? propose Gabriel. Ce serait très beau.

— Si je veux que les clients aient les dents bleues par la suite, sûrement!

Gabriel rit.

— Comment ça?

— Il y a des couleurs qui tachent plus que d'autres, explique Melissa. Ça donne de drôles de résultats.

— Et du rouge vif ? C'est joli, non ? Surtout pour la Saint-Valentin.

— Oui, mais attention, en mettre trop donne un goût chimique.

— C'est compliqué, la gastronomie, dis donc.

— C'est sûr que quand j'utilisais des pigments pour les cours d'arts plastiques et que les élèves n'avaient pas à les manger, je n'avais pas cette restriction, rigole Melissa.

Plus le temps passe, plus Melissa cultive son besoin de lui parler. Il lui fait tellement de bien. Elle attend impatiemment chaque réponse à ses courriels. Chaque fois, elle se sent ragaillardie, motivée. Finalement, il lui a proposé un contrat – encore un ! – pour un autre congrès pendant une fin de semaine, à Québec, fin janvier. Cela impliquerait la présence sur place de quelqu'un de la boutique pendant deux jours pour s'occuper des tables sucrées.

Pas question qu'une autre que Melissa s'en occupe ! Quelque chose en elle refuse de déléguer cela. Et pour une fois, ce n'est pas qu'elle veuille garder un contrôle sur la qualité du travail ou de la marchandise. Elle tient absolument à avoir ce contrat : il générerait deux fois plus d'argent que la dernière commande du genre, effectuée pour le dernier congrès. L'occasion est trop belle !

Et l'idée de passer un week-end entier en compagnie de Gabriel – même si elle risque, dans les faits, de ne pas le voir beaucoup – est très attrayante. Comment convaincre Jean-François de la laisser partir un week-end entier sans avoir droit à une crise ?

Melissa, après avoir discuté avec Mylène et Anne-Marie, a finalement obtenu leur accord pour prendre quatre jours de congé. Et elle a promis à Jean-François de s'impliquer à la maison pendant ces journées-là, bien sûr. Un gros effort de sa part, puisqu'elle ne s'absente jamais plus qu'une journée du magasin. Et ses deux amies, conscientes de son implication quasi maladive, sont plus qu'heureuses de lui donner cette permission.

Avec cet argument en poche, Melissa est parvenue à convaincre Jean-François de la laisser partir à Québec pour le week-end du congrès.

✿　✿　✿

Trois semaines plus tard, voilà Melissa partie à Québec pour le week-end : du vendredi soir au dimanche après-midi. Elle a conçu et installé le même genre de tables qu'à l'activité de financement de décembre dernier.

Pour changer, elle y est allée de choix plus colorés, avec du vert, du jaune et du rose. Après tout, les participants doivent déjà avoir hâte au printemps. Les friandises et décorations habituelles y sont ; plumes, fleurs, perles et papillons aussi. Les filles commencent à être habituées, ce genre de commande est de plus en plus routinier.

Le congrès se déroule à merveille et, comme la dernière fois, rappelle des souvenirs à Melissa de son ancienne vie. Elle y a rencontré quelques vieux collègues également. De temps en temps, Gabriel vient la voir pour échanger quelques mots avec elle, s'assurant qu'elle ne manque de rien et la complimentant sur ses arrangements.

— Où trouves-tu toutes ces idées incroyables ? demande-t-il. Tu parviens à te renouveler chaque fois ! Et tu y mets tant de détails, ce sont de véritables œuvres d'art. Un vrai crime de les manger.

— Secret professionnel! répond Melissa en riant. On ne dévoile pas tout ça à ses clients!

Dès que Melissa a un instant de libre – il faut tout de même surveiller les tables et les bars à bonbons – elle part à la recherche de Gabriel pour l'observer discrètement. Parfois, il travaille en coulisse avec les autres organisateurs du congrès; à d'autres moments, il participe à des tables rondes ou anime des ateliers.

Gabriel est si beau, si dynamique, si passionné! Il irradie littéralement lorsqu'il monte sur scène! Ou même lorsqu'il parle de tableaux numériques interactifs, de ludification de l'enseignement ou de technopédagogie. Tout comme quand il enseigne aux enfants, Gabriel a la capacité, quand il parle, de rendre tout magique et de captiver son audience. Les participants sont suspendus à ses lèvres, imprégnés de sa flamme. Son amour pour la profession est contagieux.

Lorsque Gabriel remarque Melissa au fond de l'assistance, il lui envoie un petit clin d'œil ou un sourire. Melissa ressent alors une chaleur envahir son ventre, et elle rougit. Elle ne peut s'empêcher de l'admirer.

Elle a l'impression que ses plus belles expressions, ses plus beaux sourires, il ne les réservait qu'à elle. Que quand il la voyait, il s'illuminait encore plus. C'était elle, Melissa Bélanger, qui lui faisait cet effet? Qui le faisait rire, qui l'émouvait, le rendait de bonne humeur? Il y avait si longtemps qu'elle n'avait pas eu un effet si positif sur un homme qu'elle n'y croyait plus. Elle a l'impression que la femme en elle vient de se réveiller d'un long, trop long sommeil.

Comment a-t-elle fait pour ne pas remarquer plus tôt le charme de Gabriel? Pour ne voir en lui qu'un sympathique collègue de travail? Il est vrai qu'auparavant, ils ne discutaient pratiquement que du travail. Parfois un peu d'art, mais sans plus.

Et que signifie vraiment cet éveil soudain ? En ce moment, Melissa n'a pas envie d'élucider cette question. Elle préfère se laisser envahir par le charisme de Gabriel, qui prend tout l'espace sur la scène et illumine la salle de son simple sourire. Pendant un court instant, elle a l'impression qu'il ne s'adresse qu'à elle, tout le reste disparaît et elle s'imagine presque dans ses bras. Elle peut bien se permettre de rêver doucement, non ? Elle retire si peu de plaisir de sa vie de couple qu'elle mérite un peu de fantaisie. Cela ne lui fera que du bien.

Pas de mal à ça, non ?

❀ ❀ ❀

Le soir venu, samedi, un cocktail est organisé pour les participants à l'hôtel annexé au Centre des congrès. L'alcool coule à flots et tout le monde a visiblement beaucoup de plaisir. Un orchestre plutôt modeste joue des airs de toutes sortes : chansons connues, *slows* ou musiques endiablées. Melissa s'est empressée de changer son uniforme de chez Miss Caprice pour une tenue « de ville ». Dans sa valise, elle a apporté des robes élégantes, qui la mettent bien en valeur, sans être trop chic. Pour la première fois depuis longtemps, elle a envie d'être belle aux yeux de quelqu'un. Même si elle sait que ça ne mènera nulle part, que ce n'est sans doute qu'un genre de petit flirt, savoir qu'elle va peut-être attirer le regard de Gabriel la réconforte. Elle choisit finalement une robe rouge évasée, tombant juste au-dessus du genou, avec un décolleté léger en cache-cœur.

Rapidement, Gabriel a pris Melissa sous son aile,

puisqu'elle ne connaît presque personne, et l'a présentée à la majorité des participants. Il n'hésite pas à insister sur le fait que c'est elle qui a fait les extraordinaires arrangements de gâteaux, de macarons, de chocolats, de rubans et de fleurs des tables sucrées qui font le régal des congressistes.

— Les créations de Melissa sont toutes superbes, clame-t-il. Melissa est une artiste de la farine et du sucre ! Vous devriez voir ses gâteaux avec des rosettes en glaçage et les cascades de fleurs en fondant.

Melissa devient rapidement un centre d'attraction grâce à son ancien collègue qui n'hésite pas à vanter ses mérites et à en rajouter. Elle parle même avec les congressistes de leur milieu et de ses enjeux, qu'elle connaît bien même si elle n'y œuvre plus. Rapidement, elle a conquis une partie des invités.

Après quelques heures à festoyer, Gabriel, qui n'a pas quitté Melissa de la soirée, se joint à l'orchestre. Ceux et celles qui le connaissent savent que c'est dans ses habitudes. Gabriel aime chanter et jouer de la musique, ce n'est un secret pour personne, et toutes les occasions sont bonnes.

— Tiens, il en a mis du temps ! rigole même une vieille dame près de Melissa. Il a dû être drôlement occupé ou distrait pour ne pas avoir fait ça plus tôt.

En entendant ces mots, Melissa a un sourire. Était-ce elle, la distraction ? Elle l'ignore, mais elle aime à penser que oui, juste pour se flatter l'ego.

Fidèle à lui-même, Gabriel a mis la main sur une guitare et s'approche du micro. Il en tire quelques notes, que reprend aussitôt le reste de l'orchestre, qu'il a averti avant. Une musique lente et langoureuse se fait alors entendre. Melissa a d'abord du mal à reconnaître la chanson, car la version originale était jouée au piano et non à la guitare. Ooohhh…

(Everything I do) I do it for you, de Bryan Adams !

Look into my eyes – you will see... What you mean to me. Search your heart, search your soul. And when you find me there you'll search no more.

Don't tell me it's not worth tryin' for. You can't tell me it's not worth dyin' for. You know it's true : Everything I do, I do it for you.

Look into your heart – you will find... There's nothin' there to hide. Take me as I am, take my life. I would give it all, I would sacrifice.

Melissa a le cœur qui bat la chamade. Elle a l'impression que ces paroles s'adressent directement à elle. Rêve-t-elle ? Elle a toujours eu l'imagination fertile. Elle parie que Mylène rirait si elle l'entendait. Et pourtant... Gabriel lui a jeté plusieurs regards furtifs mais appuyés pendant qu'il chantait. Elle déglutit.

Gabriel quitte la scène après sa prestation, tandis que Melissa se retire dans un coin reculé, près des ascenseurs, préférant être seule pour se calmer et réfléchir. Que lui arrive-t-il ? Que veut-elle, au juste ? Simplement de l'attention, dont elle manque cruellement ? Au même instant, un texto fait vibrer son téléphone.

Pour ton info : Les enfants vont bien. Reviens pas trop tard demain.

« Mais qu'est-ce que c'est que ce message merdique ? » songe Melissa. Laconique, plate. Pas de « je t'aime », « comment vas-tu ? » ou « j'espère que tu t'amuses bien pendant ta SEULE fin de semaine d'entière liberté depuis six ans ». Encore une fois, Jean-François est d'une insensibilité à faire rager. En ce moment, Melissa se surprend à le détester.

Melissa interprète le message comme une accusation à demi-mot, qui laisse entendre qu'elle aurait dû prendre des nouvelles de la famille et qu'elle a intérêt à ne pas pousser le bouchon trop loin en s'éternisant hors du foyer, où elle a sa place. Sa *vraie* place. Va-t-elle cesser de se sentir coupable, un jour?

Au même instant, Gabriel surgit derrière elle.

— Melissa, tout va bien?

Elle se tourne vers lui et le regarde dans les yeux. Subitement, elle se demande pourquoi il vient toujours la voir chaque fois qu'elle se sent en détresse. Comme s'il lui courrait après, comme s'il était attiré par elle. Est-ce le cas? Il voit le cellulaire dans sa main et l'expression désabusée sur son visage.

— Pas encore Jean-François... murmure-t-il découragé.

— Mais qu'est-ce que j'ai fait pour me retrouver dans cette situation? lui dit-elle. Pourquoi est-il comme ça? S'il m'aimait, il n'agirait pas comme ça, non? Pourquoi ne puis-je pas être heureuse, Gabriel?

— Je ne sais pas, dit-il. Je me figure mal comment on peut faire du mal à quelqu'un qu'on prétend aimer.

Aussitôt, Gabriel la prend dans ses bras et la serre contre lui. Melissa se laisse aller, se colle sur sa poitrine et appuie sa tête sur son épaule. Que c'est bon, de se sentir protégée ainsi! La sensation de bien-être que Gabriel provoque chez elle ne lui donne qu'une envie: être toujours avec lui. Il y a une éternité qu'un homme – ou même une personne, en fait, à part ses enfants – ne lui a fait tant de bien.

— Viens, dit-il, je vais te faire une tisane pour te calmer et on va parler de tout ça, d'accord? Il y a sûrement une solution. Tu ne peux pas rester misérable comme ça.

Fatiguée, Melissa suit Gabriel jusque dans la chambre de celui-ci. Elle se sent confiante. Il prend si bien soin d'elle. En ce moment, elle le suivrait même au bout du monde.

En quelques minutes, Gabriel a fait chauffer de l'eau dans sa petite bouilloire. Melissa, assise au pied du lit, a retiré ses souliers et se masse distraitement les pieds. De temps à autre, elle lui jette un regard furtif, le sourire aux lèvres. Dans la lumière tamisée de la chambre, elle le trouve beau.

Il vient s'asseoir à côté d'elle, les tasses à la main, et lui en tend une. Elle sirote doucement, une boule dans la gorge.

— Que vas-tu faire, Melissa ? demande-t-il enfin en déposant ses lunettes et sa tasse sur un bureau. Je trouve ça pénible de te voir dans cet état, de te savoir malheureuse. Est-ce que je peux faire quelque chose pour t'aider ? ajoute-t-il en lui flattant le bras.

Elle tourne son visage vers lui et plonge son regard dans le sien. Elle observe ses yeux bleu-gris, si tristes. Tristes pour elle.

Elle a envie de le toucher, de le réconforter. Comme pour enlever la peine qu'il ressent pour elle. Elle tend doucement sa main libre vers la joue de Gabriel et la caresse avec tendresse. Elle a l'impression d'une légère décharge électrique. Un frisson. Elle effleure ensuite ses lèvres du bout des doigts. Son cœur bat à toute vitesse et elle sent une chaleur envahir son corps en entier. Son souffle s'accélère.

Dans un mouvement synchronisé, Melissa et Gabriel se rapprochent et leurs bouches fusionnent l'une avec l'autre. Les lèvres de Gabriel sont chaudes, douces et ont un goût sucré. Comme le plus délicieux des fruits que Melissa a envie de déguster, encore et encore. Gabriel entoure la taille de Melissa et l'attire encore à lui, la colle contre lui. Melissa aimerait l'enlacer à son tour, mais elle tient encore sa tasse dans sa main droite. Elle ne veut pas s'éloigner de Gabriel, elle veut s'en rapprocher, être soudée à lui. Sans cesser de l'embrasser, elle tente vainement de déposer sa tasse sur la commode.

Tant pis ! Elle la laisse carrément tomber sur le tapis.

La tisane se répand sur les fibres à ses pieds, mais elle s'en fout éperdument. Elle entoure le cou de Gabriel et l'étreint aussi fort qu'elle peut. Elle s'accroche à lui comme si sa vie en dépendait. Les mains de Gabriel, qui se baladent maintenant sur sa taille, remontent jusqu'à sa poitrine pour redescendre jusqu'à ses cuisses, provoquant des vagues de chaleur dans son corps entier. Chaque parcelle de sa peau est à vif ct parcourue de frissons.

Les doigts de Gabriel remontent encore et glissent sous le tissu de sa robe. Melissa a le bas du ventre en feu. Elle est si excitée qu'elle se met à trembler. Elle a l'impression de ne pas avoir assez de mains pour caresser Gabriel comme elle le voudrait. Elle aimerait parcourir son visage, ses cheveux, sa bouche, sa taille tout en même temps. Ses vêtements commencent à la gêner, elle voudrait sentir sa peau contre la sienne. Tout de suite.

Gabriel l'attire vers la tête du lit, où elle s'étend sur le dos. Elle sourit en le regardant se coucher lentement sur elle. Il plonge son regard dans le sien pendant un instant, lui rendant son sourire.

— Tu es magnifique, Melissa, murmure-t-il à son oreille.

Melissa ne répond pas, buvant les paroles de Gabriel, tentant de les imprimer dans son cerveau à jamais. Elle se sent bien, détendue. Elle est prête à s'abandonner complètement. Elle ne voudrait pas être ailleurs en ce moment.

Il l'embrasse de nouveau sur la bouche, plus doucement, cette fois. Comme s'il voulait prendre le temps de la savourer. Sa main gauche effleure sa joue et descend sur ses seins. Melissa lui entoure la taille avec ses jambes repliées et caresse ses fesses avec la plante de ses pieds.

La main de Gabriel continue de descendre sur la cuisse de Melissa, glisse sous sa robe pour ensuite continuer jusqu'à son mollet. Le contact de sa peau à travers ses collants de nylon la fait frémir et ses soupirs excités s'intensifient. Elle sent ses doigts remonter à l'intérieur de sa cuisse, tout près de l'aine. Elle ouvre les jambes, comme pour lui laisser le champ libre.

Gabriel se redresse alors, tire sur les collants de Melissa et les lui enlève. Le glissement du tissu sur ses jambes l'excite encore davantage. Gabriel s'est relevé, se tient à genoux devant elle, relève sa robe et l'embrasse lentement sur le ventre. Melissa a l'impression qu'elle va exploser de désir. Elle passe ses doigts dans les cheveux de Gabriel, si lisses et si fins. Gabriel lui saisit la taille et la ramène vers lui.

Ils se tiennent agenouillés sur le lit, l'un en face de l'autre. Gabriel lui retire sa robe. Bien qu'elle soit maintenant vêtue uniquement de ses sous-vêtements, Melissa a de plus en plus chaud. Elle ressent des pulsations intenses dans son ventre et dans son sexe. De nouveau, Gabriel et Melissa s'embrassent et s'étreignent.

Autant ils aimeraient aller plus vite, autant ils aimeraient faire durer le plaisir le plus longtemps possible. Melissa a besoin de toucher Gabriel, ses vêtements lui nuisent. Elle lui ôte d'abord son chandail, puis sa chemise. Le souffle rauque et les gémissements de Gabriel attisent encore son envie.

Il la serre contre lui et l'embrasse dans le cou, juste sous l'oreille gauche. Enfin, la peau de leurs ventres se touche, se frotte l'une contre l'autre. Enfin, elle peut le caresser de ses mains nues. Chaleur contre chaleur. Melissa a l'impression que son univers n'est que volupté et sensualité. Les lèvres de Gabriel descendent lentement jusqu'à son épaule, son souffle sur sa peau, lui arrachent des cris étouffés. La bouche grande ouverte, elle a l'impression qu'elle va manquer d'air. Elle veut qu'il la prenne. Sur-le-champ.

— Gabriel, j'ai tellement envie de toi, chuchote-t-elle.

Elle veut détacher la ceinture de Gabriel, mais ses mains tremblent trop. Gabriel recule alors et entreprend de se déshabiller par lui-même. Melissa en fait de même et jette ses sous-vêtements par terre. Tous deux retombent aussitôt sur le lit, Gabriel au-dessus.

Quelques secondes plus tard, il est déjà en elle. Melissa ferme alors les yeux en poussant un soupir de plaisir. C'est si bon de le sentir enfin là. Leurs mains s'entremêlent sur leur peau, mêlant leur sueur. Leurs corps ne font plus qu'un.

Gabriel donne de langoureux coups de bassin, qui déclenchent des vagues électrisantes chez Melissa. L'odeur citronnée, la chaleur, la peau hâlée et les lèvres de Gabriel, sucrées comme de la vanille, sont aussi suaves que le plus merveilleux des desserts. Elle pousse un long cri de jouissance qui la surprend elle-même.

Elle n'avait jamais été embrassée, caressée et baisée d'une manière à la fois aussi intense et aussi suave. Elle a l'impression que la femme en elle vient d'être ranimée après des années de sommeil. Les mains et la bouche de Gabriel explorent tout son corps à la fois. Même le frottement des hanches de Gabriel à l'intérieur de ses cuisses l'excite. Encouragé par les gémissements de Melissa, Gabriel accélère la cadence. À chaque va-et-vient, Melissa ressent des ondes électriques lui parcourir le corps en entier. Elle gémit de plus en plus et s'agrippe à Gabriel, comme pour ne pas perdre le contrôle, enfonçant ses ongles dans son dos.

Melissa s'abandonne complètement au plaisir, n'est plus qu'un corps envahi de sensations qui crie sa jouissance. Quelques instants plus tard, elle sent une nouvelle chaleur envahir son ventre alors que Gabriel vient de jouir à son tour.

Les amants retombent comme des poupées de chiffon, essoufflés, et en sueur. Melissa se roule en boule sur le côté, délassée et assouvie. Elle aimerait cristalliser pour toujours dans sa mémoire chaque détail du raz-de-marée de sensations qu'elle vient de vivre. Alors qu'elle se détend complètement et que le sommeil la gagne, elle sent Gabriel l'enlacer de nouveau et se masser contre son dos. Pour la première fois depuis longtemps, elle s'endort avec le sourire.

❀ ❀ ❀

Le lendemain matin, dès qu'elle ouvre les yeux, Melissa se remémore sa nuit torride avec Gabriel. Mais au lieu d'un sentiment de bien-être, c'est plutôt un sentiment d'affolement qui l'envahit. Elle se revoit, nue et mouillée, enlacée par Gabriel, hurlant et râlant de plaisir sous les assauts répétés de son amant. Elle est soudain horrifiée. Elle n'a pas rêvé cela !

Elle se retourne pour voir Gabriel, endormi à ses côtés. Elle l'a vraiment fait. Elle a trompé Jean-François, son époux, son compagnon des quinze dernières années, le père de ses enfants. Elle a trahi celui à qui elle a promis d'être fidèle pour le restant de ses jours, devant sa famille et ses amis. Le seul homme qu'elle avait vraiment connu et aimé, avant Gabriel. Elle constate l'ironie d'avoir dit à Gabriel qu'il était son conseiller matrimonial.

« Mais qu'est-ce que j'ai fait ? » songe-t-elle, effrayée.

Le désespoir et le dégoût l'envahissent. Incapable de rester encore dans ce lit où elle a commis cette délicieuse abomination, elle se lève. Son regard tombe sur sa petite culotte rouge, négligemment jetée au sol, la veille. Son soutien-gorge gît tout près. Melissa a l'impression que ses vêtements la narguent, qu'ils ne font que lui rappeler sa trahison.

Elle se laisse glisser jusqu'au sol et s'accroupit. Elle replie les jambes contre son corps. Elle aperçoit alors la tache de tisane, qui a séché sur le tapis blanc, au pied du lit, et la tasse, plus loin. Elle effleure la tache des doigts. Un autre rappel de son infidélité. Des larmes lui montent aux yeux.

Que va-t-elle faire ? Tout avouer à Jean-François ? Plus jamais elle n'arrivera à se regarder dans un miroir. Plus jamais elle ne pourra embrasser ses enfants sans avoir honte. Ces enfants issus d'un amour hypothétiquement condamné à mourir, si ce n'est déjà mort. Et si elle détruisait sa famille ?

Elle se retient de paniquer. Tout, dans cette chambre, la dégoûte à présent. Et là, que doit-elle faire ? Se sauver avant que Gabriel se réveille ? Que va-t-il faire en revenant à lui ? Que va-t-elle lui dire ? Est-ce une simple aventure pour lui ou est-ce un amour « sérieux » ? Elle ne veut pas l'affronter, elle veut fuir.

Mais la simple vue des vêtements qu'elle portait la veille l'écœure. Elle n'a pas envie de les remettre, elle aimerait les foutre au feu et ne plus jamais les revoir.

Elle tente de retenir les sanglots qui lui montent à la gorge, mais n'arrive plus à endiguer le déferlement de larmes.

— Melissa, ça va ? demande Gabriel, éveillé par ses pleurs.

Il se précipite aussitôt vers elle, mais elle le repousse.

— Non, je t'en supplie, ne me touche pas... ne me touche plus jamais.

Recroquevillée, Melissa continue de sangloter. Malgré son avertissement, Gabriel s'approche d'elle.

— Melissa, je suis désolé. Je croyais que...

— Qu'est-ce qu'on a fait, Gabriel ? C'est abominable, je suis un monstre. Et Dominique ? Et Jean-François ?

Gabriel n'a pas de réponse.

— Je suis navré, Melissa. Je n'ai pas pensé sur le coup, je...

— Je sais bien, moi non plus, je n'ai pas pensé. Que j'ai été stupide ! Si je pouvais revenir en arrière et effacer tout ça...

— Si j'avais su que ça te mettrait dans cet état, jamais je n'aurais fait ça, Melissa.

— Je sais.

Melissa prend une longue inspiration. Elle doit oublier tout ça, l'enfouir quelque part dans un recoin sombre de sa psyché pour ne plus jamais l'en sortir. Faire comme si toute cette aventure ne s'était jamais produite.

— Ce qui s'est passé entre nous doit être oublié, Gabriel, dit-elle en se tournant vers lui. Et je pense que nous devrions cesser de nous voir. Ça devient dangereux.

En s'entendant prononcer ces paroles, elle voit la déception sur le visage de Gabriel. Elle ressent comme un coup de poignard au cœur en voyant la souffrance qu'elle lui cause. Elle-même a déjà envie de revenir sur sa décision. Quelque chose se brise en elle. Le désir de conserver sa famille intacte, de ne pas faire souffrir Jean-François, affronte celui de protéger Gabriel, de se lover contre lui, d'aller refaire sa vie avec lui. Lui qui la cerne si bien...

Non. Elle doit être forte et résister. Elle doit mettre fin à toute cette histoire. Et même si cela doit la rendre malheureuse, elle doit renoncer à Gabriel pour protéger sa famille. De toute façon, comment pourrait-elle mériter le bonheur après ce qu'elle a fait ?

— Je vois, répond Gabriel d'une voix blanche. Je

respecterai ta décision. Mais si tu changes d'idée, tu sais où me trouver.

Melissa baisse la tête. Elle se sent odieuse en ce moment. Mais elle n'a pas le choix. Elle finit par se lever, se rhabille. Les larmes aux yeux et la honte au cœur, elle dit un dernier au revoir à Gabriel.

❄ ❄ ❄

Pendant la deuxième journée du congrès, Melissa erre comme une âme en peine. Elle n'a presque pas vu Gabriel, qui a bien pris soin de l'éviter. Elle n'est pas restée jusqu'à la fin du congrès et s'est dépêchée de remballer ses affaires.

Le retour à la maison s'est fait sur le pilote automatique, alors que Melissa n'a cessé de se repasser le film de la nuit précédente. Comment va-t-elle vivre avec cet événement sur la conscience, maintenant ?

Elle arrive enfin chez elle, peu après l'heure du souper. Elle refoule à nouveau ses larmes alors qu'une nausée lui monte à la gorge. Elle respire un grand coup. Faire comme si de rien n'était. Oublier, pour le bien de tous. C'est mieux ainsi.

Melissa prend son courage à deux mains et entre finalement dans la maison. Ses mains tremblent, son estomac se noue. Elle voit alors Florence qui termine sa collection de boutons pour l'école dans la salle à manger, Raphaël qui fait un casse-tête avec son père dans le salon et Rosalie qui coiffe une de ses poupées à leurs côtés.

— Maman !

C'est Florence qui a lâché ce cri. Aussitôt, ses enfants et Jean-François se précipitent vers elle. Ils sont en pyjama et sentent bon le shampoing au raisin. Elle est soudainement entourée d'amour, ses enfants accrochés à sa taille, souriants et heureux.

— Maman, tu vas me lire des histoires, ce soir ? demande Raphaël.

— Non, moi, les histoires ! rétorque Rosalie.

— Je vais lire des histoires à tout le monde, dit Melissa en riant.

— Bon retour, lui dit Jean-François souriant.

Melissa se retient de trembler. Elle a l'impression que son infidélité est inscrite en lettres de feu sur son front. Jean-François l'embrasse rapidement sur la bouche. Melissa lui rend son sourire, un peu crispée. À son grand étonnement, pas de drame, de catastrophe nucléaire. La vie semble juste se poursuivre normalement. Est-ce vraiment si facile ?

Les enfants n'ont pas lâché Melissa de la soirée jusqu'au dodo, la gardant bien occupée. Une distraction bienvenue, car pendant ce temps, Melissa a pu oublier son aventure. Après que Jean-François et elle se sont brièvement raconté leur fin de semaine, Melissa a prétexté de la fatigue pour se coucher tôt.

Dans le noir, Melissa a enfin laissé ses larmes couler silencieusement, déchirée entre la culpabilité d'avoir été infidèle à l'homme qui a partagé les quinze dernières années de sa vie et lui a donné ses enfants et la douleur de savoir qu'elle renonce peut-être au grand amour de sa vie, qu'elle a reconnu trop tard.

Chapitre 11

Le mois de février apporte des froids aussi mordants que ceux de janvier. Où que se pose le regard, les décorations de la Saint-Valentin ont fait leur apparition et tout se teinte de rouge, de rose et de paillettes. Les jupettes à gâteaux vermeilles, les cœurs et les lèvres écarlates. Évidemment, le rouge velours est à la mode dans toutes les pâtisseries et confiseries du magasin.

Un nouveau portrait de Mylène est apparu sur le mur en face de la boutique. Un dessin magnifique, la montrant de profil, cette fois. Avec le vent soulevant ses cheveux, de la neige tout autour. Et une dédicace : *À Mylène, la véritable Reine des neiges.*

Comme les dernières fois, la qualité du dessin, même fait rapidement, est à couper le souffle. Le mouvement, les courbes et les couleurs sont superbes. Le réalisme est étonnant, malgré une touche impressionniste. Cette fois, Mylène est bien décidée à trouver qui est son mystérieux admirateur. Elle a beau être flattée, cette mascarade commence à l'agacer superficiellement, à défaut de l'inquiéter. Il lui déplaît d'ignorer qui est cet homme énigmatique.

En fait, Mylène n'aime pas le mystère, point. Elle aime que les choses soient claires. Pas de détours ou de faux-semblants. D'ailleurs, avec elle, on a toujours l'heure juste. Elle trouve que les gens ne disent pas assez ce qu'ils pensent réellement. Si tous s'exprimaient librement et franchement, il y aurait moins de malentendus et de frustration dans le monde. Et elle se représente mal pourquoi ce type qui, visiblement, à l'œil sur elle, ne veut pas se montrer. Est-il bizarre, difforme ou marié ?

Elle a demandé à plusieurs commerçants du quartier s'ils ont aperçu quelqu'un griffonner cette œuvre, sans dévoiler les détails de l'histoire. Tous ont répondu par la négative. Mais plusieurs se sont montrés intrigués ou inquiets à l'idée que quelqu'un rôde la nuit.

Mylène se demande si elle ne devrait pas braquer une caméra sur le mur d'en face pour voir son homme. Elle a également décidé de tenter de prendre des photos des gens qui viennent au magasin, de noter leur signalement. Ne pas savoir à qui elle a affaire la dérange.

Anne-Marie et Melissa ont promis d'être vigilantes à leur tour. Ses amies lui en parlent peu, mais même si ce type semble être un romantique plus qu'un maniaque, elles restent méfiantes. Une attention de ce genre, d'apparence inoffensive au début, peut virer à l'obsession maladive dangereuse. Anne-Marie, en particulier, n'est pas rassurée du tout. Elle craint un Hannibal Lecter comme la peste. Elle a déjà mis en garde Mylène à plusieurs reprises, même si celle-ci se moque d'elle chaque fois. Même certains de leurs voisins à qui elle a parlé ont promis de garder l'œil ouvert.

En attendant, Mylène va tout faire pour démasquer son admirateur.

❈ ❈ ❈

Melissa a tenté, depuis l'incident du congrès à Québec, de continuer sa vie normalement. Mais elle a l'impression que quelque chose est définitivement brisé en elle. Ses pensées alternent entre la culpabilité et la tristesse. Elle n'arrive pas à se débarrasser des souvenirs de son aventure.

Elle se revoit embrasser Gabriel, le toucher. Elle revoit ses yeux tristes, elle entend sa voix, sent son souffle sur sa peau. Cela lui manque tellement. Une partie d'elle donnerait n'importe quoi pour retrouver Gabriel à nouveau. Lui qui apportait tant de bonheur, elle s'en ennuie. Mais aussitôt, ses souvenirs sont teintés par la faute. Le visage de Jean-François apparaît dans son esprit. Jean-François qu'elle ne veut pas faire souffrir, même si les choses ne vont pas bien entre eux. C'est le père de ses merveilleux enfants, et elle lui doit le respect, ne serait-ce que pour ça.

Par chance, Gabriel a tenu sa promesse et n'a pas redonné signe de vie. Elle ne sait pas ce qu'elle aurait fait s'il avait tenté de la contacter. Rien que d'y penser, elle tremble.

Et comment réagirait Jean-François s'il apprenait ce qu'elle a fait ? Il serait furieux, et avec raison. Ce serait comme une bombe dans son univers. Chaque fois qu'elle le zieute, elle se demande s'il se doute de quelque chose. Peut-il lire dans son cœur ? Elle aimerait tant parvenir à se secouer pour oublier tout ça, faire comme si ce n'était pas arrivé, mais elle n'y parvient pas. Les souvenirs sont trop vifs et trop doux à la fois. Porteurs de souffrance.

Depuis, elle fait tout pour éviter Jean-François, de peur qu'il lise la culpabilité dans ses yeux. Elle passe du temps au magasin – ce qu'il ne manque pas de lui reprocher, d'ailleurs –, ou s'occupe plus que jamais des enfants, des tâches ménagères, du souper, etc.

Elle aide Florence à faire des bricolages de rouleaux de papier hygiénique, joue aux chevaliers avec Raphaël et chante des comptines avec Rosalie. Une partie d'elle se dit qu'en s'occupant davantage des enfants, de sa famille, de la maison, elle rachètera éventuellement sa faute. Elle ne s'est jamais fait autant de plaisir avec ses enfants, qui sont pour le moment sa plus grande source de distraction et de joie.

Néanmoins, elle a de la difficulté à se concentrer sur son travail et à élaborer de nouvelles recettes.

— J'avais pensé à une saveur inusitée, confie Melissa à Anne-Marie. Genre rôti à la menthe ou bacon, peut-être.

Anne-Marie la dévisage du même air que si elle avait proposé des gâteaux à la boue.

— Ben là, pourquoi pas cornichon et crème glacée tant qu'à y être ?

— Euh... ouais, peut-être pas.

— Ça va bien ? lui dit Mylène. Tu sembles pas mal distraite, ces temps-ci.

— Oui, oui, ça va.

— Tu en es bien sûre ? Tu es souvent... disons... ailleurs, ces derniers temps. Tu sais, si quelque chose ne va pas, tu peux m'en parler. On se connaît depuis longtemps, Melissa. Tu sais bien que tu peux tout me dire, hein ?

Melissa a simplement souri. Elle ne peut pas mettre un tel fardeau sur les épaules de son amie. Elle doit porter seule le poids de son secret. Faire semblant, rassurer tout le monde. Il faut garder la bombe à l'intérieur et tout ira bien.

— Oui, je le sais. Rassure-toi, tout baigne. Je suis juste un peu fatiguée, c'est tout. Le manque de soleil sans doute.

— Bon d'accord. Mais si tu as besoin de te confier, je suis toujours là.

Melissa l'a remerciée et est retournée à ses fourneaux. Il est quand même vrai qu'elle se sent fatiguée. Ses nuits, souvent blanches, sont agitées. Elle a eu des vertiges à plusieurs reprises et ressent souvent des brûlures d'estomac. La nervosité, sans doute.

Cette anxiété passera-t-elle un jour ?

Melissa sort un gâteau qu'elle doit décorer pour le baptême d'une petite fille. Elle ouvre la chaudière de fondant rose bonbon pour en prendre une partie. Mais au moment où elle ouvre le sac de plastique de la chaudière, l'odeur puissante de la pâte de sucre aromatisée la saisit au nez.

Des nausées lui montent à la gorge et son estomac se contracte brutalement. Elle parvient à courir à la toilette de l'arrière-boutique juste à temps pour vomir son dîner.

Quand elle a terminé, elle reprend son souffle, en nage. Son cœur bat la chamade. Elle se regarde dans le miroir. Elle a le teint pâle et cireux. Elle a l'impression de ressembler à une mourante. Mais qu'est-ce qui vient de se passer ? Elle ne se sentait pas mal il y a quelques instants à peine.

Elle ferme les yeux pour se calmer.

Soudain, la réalité la frappe en pleine figure. La fatigue, les vertiges, les brûlures d'estomac. Les dernières fois où elle a été malade de cette manière, c'était lorsqu'elle attendait un enfant. Est-ce qu'elle pourrait ?... non ! Il faut qu'elle se trompe !

❀ ❀ ❀

Pendant les heures suivantes, Melissa a vainement tenté de calculer la date de ses dernières menstruations, celle de son ovulation, le cycle de la dernière pleine Lune. N'importe quoi qui démontrerait qu'elle est dans l'erreur. Sa journée terminée, Melissa est accourue à la pharmacie pour chercher un test de grossesse. Dès qu'elle a pu – c'est-à-dire dès que les enfants ont été au lit –, elle s'est enfermée dans la salle de bain pour le passer.

Elle attend impatiemment et nerveusement le résultat sur

le petit bâton de plastique. Après un moment qui lui paraît interminable, une deuxième ligne apparaît sur le test.

Positif.

Elle est bel et bien enceinte. Mais comment cela a-t-il pu lui arriver ? Elle et Jean-François font attention, pourtant. Avec la méthode du calendrier et le condom, elle peut difficilement se tromper. Fébrile, elle refait le calcul, règles et tout, histoire de reconstituer la suite des événements.

Quand ont eu lieu ses dernières règles ? Elle compte cinq semaines environ. Ce qui ferait remonter son ovulation à il y a trois semaines. Ce qui correspond... à son aventure avec Gabriel. Melissa se sent mal, elle a la tête qui tourne et elle a l'impression d'étouffer.

Non, ce n'est pas possible ! Comment a-t-elle pu être aussi bête ? Elle a agi comme une vraie collégienne, sans réfléchir aux conséquences. Elle ne peut pas être sûre à cent pour cent, mais les dates correspondent. Que faire, maintenant ?

Si Jean-François sait compter aussi – et Dieu sait qu'il en est capable ! – il s'apercevra des dates possibles de conception. Bien qu'elle ne puisse en être certaine, il y a peu de chance que cet enfant soit de Jean-François. La fréquence de leurs relations sexuelles n'est pas particulièrement élevée et la date de son dernier rapport avec Jean-François ne concorde pas avec ce qu'elle estime être la date de conception. Peut-elle l'induire en erreur quant au moment de la conception ?

Melissa a l'impression que la pièce est en train de se refermer sur elle. Elle a soudain l'illusion de voir les canards en plastique et les brosses à dents Mickey Mouse valser sous ses yeux. Elle secoue la tête et réprime son envie de pleurer. Doit-elle garder cet enfant ? Jean-François soupçonnera-t-il qu'il est d'un autre ? Et si elle donnait naissance à un enfant qui ressemble à Gabriel ?

Et son commerce ? Que fera-t-elle avec Miss Caprice ? Anne-Marie et Mylène ne peuvent se débrouiller entièrement sans elle. Devra-t-elle engager du personnel alors qu'elle commence tout juste à être capable de payer ses comptes à temps ? Pourrait-elle s'en occuper tout en prenant son congé de maternité ?

De plus, Jean-François et elle avaient décidé que la famille, c'était terminé. Sera-t-il déboussolé ou contrarié d'apprendre qu'il y en a un autre en route ? Un enfant de plus, c'est quand même un gros imprévu dans une famille.

— Melissa, ça va ? demande Jean-François à travers la porte. Ça fait un bout de temps que tu es dans les toilettes !

— Euh... oui, oui. Tout va bien.

— D'accord. En passant, la finale de ton téléroman va commencer dans quelques minutes. Juste comme ça...

— Ah oui, c'est vrai. J'avais oublié.

Melissa ravale ses larmes et tente de se redonner une contenance. Elle jette le test et l'emballage dans la poubelle en l'enfouissant sous les pansements Dora, un emballage de sirop à la banane et des mouchoirs.

Elle passe à côté de Jean-François, les yeux au sol, pour éviter son regard. De nouveau, elle prétexte la fatigue pour se coucher tôt – en route pour une autre nuit blanche, déchirée par le dilemme.

❁ ❁ ❁

C'est le petit matin et Mylène s'apprête à ouvrir la boutique. Elle trouve alors à nouveau une petite boîte de chocolats devant la porte. Un mot y est attaché.

Chère Mylène,

J'ai entendu dire que vous cherchiez qui était l'auteur de vos portraits. Si vous le désirez, je peux me dévoiler à vous. Mais avant, j'aimerais vous avertir. Le voulez-vous vraiment ? Peut-être serez-vous déçue ? Si vous désirez tout de même briser le mystère, rien ne me fera plus plaisir que d'accéder à vos désirs.

Ainsi, son fameux admirateur n'est vraiment pas loin. L'un des voisins à qui elle a parlé aurait-il transmis l'information ? Si ce n'est pas l'un de ceux qu'elle a interrogés, c'est l'explication la plus logique.

Mylène a une petite hésitation. Ainsi, l'homme semble bien s'amuser de faire durer le suspense. Du reste, son avertissement installe un doute chez elle. Il a peur qu'elle soit déçue. Est-il si moche que ça ? Sinon, pourquoi se cacher ? Si elle lui plaît vraiment, pourquoi ne cherche-t-il pas à la draguer directement, comme le font la plupart des gens normaux ?

Non, elle veut savoir. Elle préfère connaître la vérité, même si celle-ci s'avère décevante, plutôt qu'être dans le noir et se faire plein de scénarios. Et puis, la Saint-Valentin approche. Il serait sans doute payant de savoir qui est cet admirateur et de passer du temps avec lui pour l'occasion plutôt qu'avec un mur.

Elle a échangé avec Anne-Marie et Melissa, qui semble préoccupée par autre chose que cette histoire d'admirateur secret. Ses deux amies l'approuvent. Il est temps que cesse la comédie, aussi charmante soit-elle.

Au soir, lorsque les filles ferment boutique, Mylène remet la boîte de chocolats – préalablement vidée – au pied de la porte avec un message à son tour.

Oui, cher admirateur, je veux savoir qui tu es.

Et voilà, les dés sont jetés.

❀   ❀   ❀

Le lendemain, en fin d'après-midi, Mylène décide qu'il est temps de prendre un autre taureau par les cornes – ou en termes plus élégants, de s'occuper de Melissa. La journée est tranquille et elles sont seules, dans une accalmie de fin de journée.

— Es-tu enceinte, Melissa ? demande-t-elle à brûle-pourpoint, alors que les deux femmes sont en train de préparer le magasin pour la fermeture.

Melissa sursaute. Elle s'arrête subitement, une liasse de billets entre les doigts, abasourdie. Elle a l'impression d'avoir été prise la main dans le sac.

— Comment tu as deviné ? dit-elle d'une voix blanche.

— C'est Gabriel, n'est-ce pas ?

Melissa est encore plus interloquée. À croire que Mylène consulte une voyante, tout comme sa mère, pour avoir deviné ses deux plus grands secrets aussi vite.

— Mais comment sais-tu tout ça ?

— Bah, ça fait quelque temps que j'ai des doutes, dit Mylène en haussant les épaules. Depuis le jour où vos chemins se sont recroisés en juin dernier, je voyais bien que tu avais changé. Chaque fois que tu lui parlais ou que tu le voyais, tu étais métamorphosée, tu rayonnais. En quand tu es revenue de Québec, j'ai bien vu que quelque chose avait encore changé. Tu t'es renfermée, tu semblais torturée. Tu n'arrêtais pas de traîner ta carcasse comme une âme en peine. Mais je n'aurais pas cru que tu avais couché avec lui.

Je ne te juge pas, ceci dit. Je pensais plutôt que vous vous étiez engueulés ou quelque chose comme ça. Et peu après, tu es subitement devenue faible et malade. Sans compter tes nouveaux goûts bizarres. Je t'ai déjà vue enceinte trois fois, alors j'avais des soupçons. Jean-François le sait-il ?

— Non, je ne pense pas.

Melissa soupire. Elle se sent finalement soulagée de partager le poids de son secret avec Mylène. Le silence est un peu moins lourd.

— Ça m'étonne. Il doit vraiment être aveugle. Et là, que vas-tu faire ?

— J'en sais tellement rien, Mylène. Je me sens mélangée, en ce moment. Et comment dire ? Pas à ma place dans ma propre vie.

— Tiens, prends un *cupcake*, lui dit Mylène en lui tendant le triple chocolat couvert de coulis de caramel. C'est ton meilleur.

Melissa dévisage sa copine. Elle vient de lui avouer vivre un des pires moments de sa vie et tout ce qu'elle trouve à faire, c'est lui offrir un gâteau ?

— Euh… c'est pas un *cupcake* qui va me faire sentir mieux.

— Il est au triple chocolat. Et le chocolat, ça dégage des endorphines, une hormone du bien-être. Tu te sentiras mieux après.

— Mes fesses n'aimeront pas ça, grimace Melissa.

— Oui, mais ton cerveau va adorer. Et ton cerveau m'importe plus que tes fesses.

— J'aimerais, mais si je mange ça, je risque d'être malade.

— Bon, dit Mylène en engloutissant le *cupcake*. Alors, tu vas faire quoi, maintenant ?

— Honnêtement, je n'en sais rien. Ne le dis à personne pour l'instant, d'accord ?

— Pas de problème. Enfin, si tu as besoin de quelque chose, n'hésite pas. Je serai toujours là pour t'aider.

— Merci, Mylène. Je verrai et je te préviendrai quand je prendrai une décision.

Les deux scellent leur entente avec un chocolat chaud réconfortant.

❈ ❈ ❈

Le lendemain matin, Mylène découvre son portrait à la peinture à l'huile, sur une petite toile, déposé au pied de la porte de la boutique. Cette fois, il n'y a pas que son visage, elle est peinte jusqu'à la taille. Elle y est représentée de dos, mais avec le visage légèrement tourné vers la personne qui l'a peinte – ou vers le spectateur qui admire l'œuvre, c'est selon. Ses cheveux sont attachés par un peigne argenté et elle porte un chemisier blanc.

Collée dans la peinture, une note dans une enveloppe.

Chère Mylène,
J'espère que vous aimez votre peigne d'argent et de cristal. Il vous allait très bien les rares fois où vous le portiez.

Mylène a une hésitation en lisant ce message. Le peigne d'argent et de cristal ? Elle l'avait complètement oublié ! Il y a effectivement une éternité qu'elle l'a mis. Il a fini par aboutir dans sa boîte à bijoux, alors qu'elle s'était promis de le rapporter à son propriétaire.

Alors, ce serait… Christian Carpentier, l'antiquaire !

Mais oui, bien sûr. C'est sûrement lui. Qui d'autre ?

Il avait tant insisté pour qu'elle porte ce peigne. Et

Christian est un homme plutôt étrange, bien qu'inoffensif. Le mystère romantique est tout à fait son genre.

Mylène se demande ce qu'elle va faire, maintenant qu'elle sait. Curieusement, elle n'avait pas songé à ce qu'elle ferait une fois qu'elle connaîtrait l'identité de son admirateur.

Quand elle entre dans le magasin et trouve Melissa, elle est toujours songeuse, regardant distraitement la peinture et la note.

— Qu'est-ce que c'est que ça ? demande Melissa, occupée à enfourner ses croissants.

— Un portrait de moi et une lettre, répond Mylène.

— Alors, ça dit quoi ?

Mylène lui montre le message.

— Je ne comprends pas, dit Melissa.

— Le peigne dont il est question et qui est sur le portrait, c'est celui que Christian Carpentier m'avait donné en juillet dernier. Tu te souviens ?

— Christian, l'antiquaire ? Nooooon !

— C'est évident que c'est lui.

— Effectivement. Et tu vas faire quoi ?

— Honnêtement... aucune idée.

La journée passe avec une Melissa fatiguée qui se tient loin des odeurs trop fortes, une Mylène songeuse et une Anne-Marie perplexe.

Mylène a passé une partie de la journée assise à une table, à observer le portrait et la missive. Anne-Marie, installée derrière le comptoir avec Melissa, lui chuchote à l'oreille.

— Dis donc, elle va rester combien de temps comme ça, à fixer son tableau ?

— Dieu seul le sait, sourit Melissa.

— Elle pense que des rayons lasers vont surgir de ses yeux et percer les secrets de ce truc ou quoi ?

— Je pense qu'elle hésite, c'est tout. Après tout, elle va lui dire quoi, à son antiquaire ? Je ne l'ai pas vu. Il est si moche que ça ? Il est borgne ?

— Pas du tout, il est plutôt mignon. Et très gentil. Je ne vois pas ce qu'elle attend pour aller le voir, d'ailleurs. Moi, si j'avais un gars pas mal qui me courrait après en ce moment, je n'hésiterais pas et j'irais le voir illico. Au moins, pour être fixée, quoi.

— Sans vouloir t'offenser, tu irais voir la première personne qui t'accorderait de l'attention.

— Tu rigoles ? Le prochain gars qui m'approche de trop près, je l'attends avec une pelle.

— Vraiment ? Tu te contredis, là.

— D'accord, peut-être pas, soupire Anne-Marie. Bon sang que je m'ennuie de partager quelque chose avec quelqu'un... De parler, de raconter ma journée, de partager les petites choses idiotes et simples de la vie, comme se brosser les dents ensemble, je ne sais pas... et puis, tous ces stupides trucs de Saint-Valentin partout, ça m'écœure. C'est injuste, pourquoi je suis toute seule ?

— Toujours difficile, hein ? Je suis sûre que tu trouveras quelqu'un de bien, dit Melissa.

— Je présume, dit Anne-Marie. La question, c'est quand ? Et qui ? Est-ce que je trouverai quelqu'un comme Pierre-Luc ?

— J'espère que non ! Pour être blessée encore ? Tu mérites mieux qu'un autre Pierre-Luc.

— Oh... merci, mon amie, dit Anne-Marie en enlaçant soudain Melissa. Merci de t'inquiéter pour moi.

Melissa sourit, mais en respirant le parfum d'Anne-Marie, elle a un haut-le-cœur et s'éloigne rapidement, faisant mine d'aller chercher quelque chose dans le four.

— Et toi, va donc parler à ton antiquaire! lance Anne-Marie à Mylène. Tu m'énerves, à force de rester assise à épier ton portrait comme si tu attendais qu'il prenne vie.

— Tu n'avais pas peur que ça soit un maniaque, toi? Tu veux m'envoyer chez un tueur sans pitié?

— Y a que les fous qui ne changent pas d'idée, répond Anne-Marie.

— Et en plus, Anne-Marie dit qu'il est bien, ajoute Melissa.

— Ouh... le radar infaillible d'Anne-Marie, ironise Mylène.

— Allez, va le voir!

— Ouais, d'accord, dit-elle peu enthousiaste.

— Pourquoi tu hésites? gronde Anne-Marie.

— C'est bête, mais j'ignore quoi lui dire, répond Mylène, un peu irritée.

— Ça alors, c'est une première. Melissa, faut marquer cette date au calendrier! Un événement incroyable se passe aujourd'hui!

— Ahh... La ferme!

— Tiens, tu as retrouvé la parole. Chassez le naturel et il revient au galop, taquine Anne-Marie.

— Bon, bon, je vais parler à Christian. Vaut mieux ça que de me faire niaiser ici.

Mylène enfile rapidement son manteau, ses gants et sa tuque et sort, la peinture entre les mains. En marchant vers le magasin Le temps retrouvé, elle réfléchit. C'est vrai, que va-t-elle dire?

«Salut, comme ça, c'est toi qui m'espionnes et qui fais des portraits de moi? La drôle d'idée, t'es un *weirdo* ou quoi?» Charmant...

Et puis, pourquoi il en pincerait pour elle? Ils sont

tellement différents l'un de l'autre. Il est fantasque, elle est sérieuse. Il est romantique, elle est pragmatique.

Elle arrive devant la vitrine. Pour la première fois depuis longtemps, elle est mal à l'aise. Ça ne lui est pas arrivé souvent. Et si Anne-Marie ne l'avait pas agacée, aussi. Elle espère qu'il y aura des clients. Personne. Elle inspire et pousse la porte.

La clochette en métal oxydé tinte pour annoncer son arrivée. Mylène voit la même densité dans l'air, le même plancher de bois franc usé et le même bazar que la dernière fois – à quelques détails près, certains articles ayant été vendus ou ayant fait leur apparition.

Mylène entre, nerveuse, puis ôte sa tuque et ses gants. Pas un chat à l'horizon. Elle continue d'avancer, scrutant tout autour. Elle se demande si elle ne devrait pas rebrousser chemin sans demander son reste.

— Je peux vous aider ? dit une voix derrière elle.

Mylène sursaute en poussant un cri. Elle n'avait pas remarqué Christian, penché derrière une table, sûrement à fouiller dans une boîte.

— Désolé, je ne voulais pas vous faire peur, rigole-t-il.

Mylène est indécise et ne sait pas quoi dire. Finalement, elle lui montre la toile.

— C'est vous, ça ? demande-t-elle.

— En fait, ça ressemble plutôt à vous, ce portrait, sourit Christian. Et joli, en plus.

— Je voulais dire : c'est vous qui l'avez fait, grimace Mylène.

— D'accord, pardonnez-moi cette blague. Oui, c'est bien moi.

— Ah…

Christian ne semble même pas gêné ou mal à l'aise de

faire un tel aveu, ce qui surprend Mylène. Elle ne s'attendait pas à cela. Un silence s'éternise – trop à son goût.

— Déçue ? demande Christian sans animosité.

— Oh non, pas du tout ! Euh... disons plutôt surprise.

— Pourquoi ?

— Bien, on n'a pas grand-chose en commun.

— Et c'est mauvais ? Bien des gens sont en couple alors qu'ils semblent n'avoir rien en commun.

— C'est bien vrai. Bon, alors... vous vouliez quoi ? Vous voulez coucher avec moi ?

— Oh... vous êtes vite en affaires !

— Ben, la plupart des gens qui *cruisent*, c'est ce qu'ils ont en tête. En tout cas, ceux que j'ai connus.

— Je voulais commencer par vous connaître un peu d'abord. Je vous trouve très jolie depuis le premier jour où je vous ai vue. J'aime bien vous regarder. Et puis, j'aime votre sens de la répartie et votre humour, je vous trouve très drôle. Vous avez du caractère.

Mylène est étonnée d'autant de franchise. Elle n'en a pas l'habitude. La plupart des gens tournent autour du pot avant de faire ce genre de compliments.

— Si je suis vite en affaires, vous, vous êtes franc.

— Pourquoi pas ? Je n'ai pas de mal à distribuer les compliments, ni à dire à une personne si elle me plaît. Ça évite les malentendus et si je ne dis rien, il ne se passera rien.

Entendre ces mots d'une autre bouche que la sienne surprend Mylène. Voilà au moins un point commun entre eux.

— Et vous me draguez en me vouvoyant. Vous vous rendez compte combien c'est étrange ?

— Pourquoi pas ? dit-il encore. C'est une marque de respect. On ne vouvoie plus assez, je trouve.

— Et tout ce mystère avec les portraits et les notes... C'était pour quoi ?

— Faire durer le plaisir, dit Christian en haussant les épaules. Aujourd'hui, tout va très vite et la romance se vit en direct. Deux ou trois clics sur Internet, on se rencontre tout de suite, et hop ! Au lit. On ne prend même pas le temps de se connaître, de s'apprécier, de s'apprivoiser. Pourquoi ne pas prendre son temps ?

Mylène est étonnée à chacune de ses répliques. Christian est vraiment un marginal. Néanmoins, il y a quelque chose qui lui plaît dans son attitude. Avec lui, pas de faux-semblants ni de prétexte. Il est effectivement différent de tous les hommes qu'elle a rencontrés.

— Et si je vous demandais d'arrêter, par exemple ? Vous le feriez ? demande Mylène.

— Évidemment. Vous me plaisez, mais je n'irai pas vous harceler si ça ne vous tente pas. Et je ne serai pas anéanti par votre rejet, vous savez. Pardonnez-moi de vous le dire directement, mais je ne suis pas épris de vous à ce point. Je ne vous connais pas assez pour ça.

— Eh bien, voilà qui est séduisant, comme paroles, répond Mylène, un peu abasourdie.

— Je sais que vous aimez la franchise, Mylène, et moi aussi. Alors, je ne vous conterai pas d'histoires. Vous me plaisez beaucoup, mais je ne suis pas encore rendu au point où je ne peux pas vivre sans vous. Il est tôt pour ça. Vous ne trouvez pas ?

— Oui, je suppose.

Sans savoir pourquoi, Mylène est déçue. Comme si elle avait espéré une déclaration d'amour si enflammée qu'elle aurait succombé au coup de foudre. Elle songe ensuite que c'est plus le genre d'Anne-Marie ou de Melissa, et que ça ne lui ressemble pas finalement. Elle prend conscience que le mystère créé par cette histoire de portraits lui a monté à la tête. Elle se demande pourquoi Christian s'est donné tout ce mal pour monter cette mise en scène s'il n'a pas de sentiments plus profonds à son égard.

— Alors, maintenant, que désirez-vous faire, Mylène ?

— Euh... aucune idée. Je... je peux prendre le temps de réfléchir ?

— Évidemment.

— Bon, bien... je... je vais y aller, dans ce cas.

— Si vous voulez me joindre, vous savez où me trouver, dit Christian.

— Hem... oui, bien sûr.

Mylène quitte les lieux avec l'impression d'avoir fini cette conversation en queue de poisson. Qu'aurait-elle dû dire de plus ? Elle ne se sentait pas encore prête à aller plus loin avec Christian pour le moment.

Il lui semble que cette histoire finit trop facilement et trop vite.

Chapitre 12

Une semaine a passé depuis que Melissa sait qu'elle est enceinte, et elle hésite encore à savoir ce qu'elle doit faire. Elle sait qu'elle devra prendre une décision très bientôt, car sa grossesse est déjà visible pour un œil averti. Une quatrième grossesse paraît plus vite qu'une première. Sans compter la fatigue et les nausées de plus en plus envahissantes.

Son frère Leo a remarqué quelque chose, sans mettre le doigt dessus.

— Ça va, Melissa ? a-t-il demandé lors de sa dernière visite.

— Oui, pourquoi ?

— Je ne sais pas. Tu n'as pas l'air dans ton assiette. Tu es pâle et tu sembles fatiguée. Es-tu malade ?

— Oh... tu sais, à ce temps-ci de l'année, il y a toujours pleins de virus qui courent. On est toujours malade, avec trois jeunes enfants.

Leo a acquiescé, à demi convaincu. Il est futé et connaît sa sœur. Il est presque sûr que quelque chose ne tourne pas rond. Cependant, il sait aussi que Melissa ne dira rien si elle ne le veut pas. Mais elle n'est pas prête à lui en parler tout de suite. Une personne est au courant, c'est bien suffisant.

Melissa a déjà rencontré un médecin, qui l'a examinée et lui a prescrit une échographie de datation, laquelle s'avérera également nécessaire si jamais elle décide de mettre fin à sa grossesse. Mais Melissa n'arrive toujours pas à se décider.

Elle se demande ce que ses parents penseraient. Si son père était encore vivant, que dirait-il, que lui conseillerait-il de faire ?

Une partie d'elle aimerait en finir immédiatement. Cette grossesse ne fait que lui rappeler constamment son écart. Et si l'enfant ressemblait à Gabriel, ce serait encore pire. Jean-François pourrait se poser de sérieuses questions. Comment vivrait-elle avec cela ? Sans compter qu'elle devrait, encore une fois, mettre sa carrière de côté, alors que les choses commencent tout juste à se placer à la boutique.

D'un autre côté, elle a l'impression d'être injuste. Devrait-elle vraiment avorter ? Cet enfant n'est pas responsable de sa faute. Et curieusement, l'idée de porter un enfant de Gabriel lui apparaît presque merveilleuse. Un enfant de son amour.

Son amour ? Elle sursaute à cette pensée surgie spontanément. Est-ce vraiment ça ? Gabriel est-il vraiment son amour ? Elle ne le sait plus.

Son état psychologique ne fait qu'empirer : elle ignore si ce sont les hormones, mais elle se sent ultra-sensible, irritable. Tout la déprime et l'agace. Elle a l'impression qu'aucune option n'est la bonne, qu'aucune issue ne lui permettra de s'en sortir.

Voilà plusieurs soirs que, lorsqu'elle borde Rosalie au coucher, elle reste dans sa chambre bien après que la petite se soit endormie, Assise sur la chaise berçante, dans ces rares moments de solitude absolue et de calme, elle se laisse aller au chagrin et sanglote en silence.

— Maman, pourquoi t'es tout le temps triste ? lui a demandé Florence, quelques jours plus tôt, alors qu'elle l'aidait à enfiler un pyjama.

— Moi ? Mais qu'est-ce qui te fait croire ça, ma chérie ? a répondu Melissa interloquée.

— Ben, je sais pas. Tu ne ris plus avec nous, tu ne souris plus. Tu te fâches souvent. Tu as de la peine ? Madame Annick dit que les gens qui ne rient pas sont... euh... dé-pri-més, a-t-elle dit en détachant chaque syllabe.

Étrangement, Melissa a ressenti une bouffée d'affection et de fierté. Elle a regardé Florence et lui a caressé les cheveux. Elle vieillit, son aînée. Elle est sensible et perspicace, mais aussi forte et brillante.

— Elle dit ça, ta prof ? a souri Melissa. Ne t'inquiète pas, mon ange. C'est juste de la fatigue.

— Ben, pourquoi tu ne dors pas plus, d'abord ?

Melissa s'est mise à rire. Ça semblait si évident. Dire que le monde lui a déjà paru si simple à elle aussi.

— Tu as raison, je devrais dormir plus.

Elle a couché ses enfants ce soir-là en se disant qu'elle doit trouver une solution au plus vite, peu importe laquelle. Mais surtout, qu'elle doit s'efforcer de leur mettre le poids de l'inquiétude sur les épaules.

Même si elle s'est confiée à Mylène, qui ne la juge pas, elle sait bien que tout le monde ne l'entendrait pas ainsi. Que penserait-on d'elle ? Dire qu'elle a traité Pierre-Luc de tous les noms dans sa tête après ce qu'il a fait à Anne-Marie ! Elle n'est pas mieux que lui. Comment pourrait-elle avouer à Anne-Marie qu'elle a posé le même geste que lui ? Elle ne voit même pas comment le justifier. C'est au-dessus de ses forces. À ses yeux, il n'y a aucune excuse à cette infi-délité, aucune circonstance atténuante. On ne peut faire une telle chose à quelqu'un qu'on aime, point.

Elle craint la venue de cet enfant. Mais elle ne peut aller seule interrompre cette grossesse. Elle s'est renseignée auprès de la clinique : on exige qu'elle soit accompagnée. Elle pourrait demander à Mylène de venir avec elle, mais elle n'est pas sûre d'avoir la volonté de passer par là. Si elle décidait de subir un avortement dans le dos de Jean-François, elle mentirait encore une fois.

Elle a été faible devant Gabriel ; elle n'a pas su résister à la tentation. Et au fond d'elle, elle se dit qu'elle doit payer cette faiblesse. Elle ne cesse de se dire qu'elle mérite ce qui lui arrive, mais en même temps, elle aimerait fuir. Fuir cet épisode qu'elle vit en ce moment. Si elle pouvait s'endormir, puis se réveiller dans six mois ou dans un an et que tout cela soit derrière elle, elle préférerait ça. Comment a-t-elle pu en arriver là ? Et fuir pour aller où, de toute manière ? Elle ne peut imaginer abandonner ses enfants. Elle en serait incapable, elle les aime trop et ne peut concevoir de vivre sans eux. En fait, personne ne mérite de souffrir dans cette histoire à cause de son erreur.

Melissa a l'impression de se débattre dans un piège que le hasard – ou le destin, elle ne sait plus – lui a envoyé. Elle a beau tourner et retourner la situation en tous sens dans son esprit, elle n'arrive pas à envisager de bonne solution. Elle y pense constamment – au travail, dans sa voiture, devant la télévision – et chaque fois, son moral est de plus en plus bas, elle se sent de plus en plus prise au piège. Parfois, elle est si distraite qu'elle ne se souvient même plus comment elle a pu se rendre chez elle. Elle se sent vivre en mode pilote automatique. Et les jours passent, inexorables. Son temps est compté, et elle doit se décider vite.

Ce matin, Melissa s'est levée particulièrement fatiguée. Avec ses nuits blanches et ses hormones, elle s'endort fréquemment le jour. Elle a préparé le déjeuner des enfants dans une espèce de brouillard. Le même brouillard ne l'a pas quittée lorsqu'elle s'est habillée, lorsqu'elle est montée dans sa voiture. Le même brouillard dans lequel elle patauge en se rendant au travail. Elle descend de sa voiture, les yeux et l'esprit dans le vague. La seule chose qu'elle remarque et qui l'extirpe soudain de sa torpeur, lorsqu'elle traverse la rue pour se rendre au magasin, c'est un bruit de klaxon et de freins qui crissent tout près d'elle.

Et ensuite, tout devient noir.

❁ ❁ ❁

Lorsqu'elle s'éveille, Melissa est couchée sur le dos et aperçoit le plafond blanc au-dessus de sa tête. Elle se demande où elle se trouve. Quelque chose lui dit qu'elle n'est pas dans sa chambre. L'odeur vaguement écœurante dans l'air, le matelas plutôt mou. Mais où est-elle ?

Elle incline légèrement la tête. Elle se sent soudain nauséeuse et étourdie. Une lumière à sa droite l'éblouit. Elle entend des bruits curieux et réguliers, comme des bips, tout près.

Elle tourne lentement la tête vers l'autre côté et aperçoit un immense panier décoré de rubans jaunes, de dentelles et de perles. À l'intérieur, elle devine un paquet contenant une demi-douzaine de son nouveau *cupcake* printanier meringue-citron-lime. Quand a-t-elle fait ça, au juste ? Elle ne s'en souvient pas. Au-dessus du panier, une superbe affiche fleurie où elle reconnaît la patte de Mylène et d'Anne-Marie :

Prompt rétablissement !
De la part de : Miss Caprice
À : Miss Caprice

Rétablissement ? Mais de quoi, au juste ?

— Melissa, comment vas-tu ? dit une voix paniquée.

Melissa ne reconnaît pas tout de suite la voix masculine, même si elle est familière. Elle se retourne. Son bras gauche la fait brusquement souffrir. Elle constate qu'un bandage maintient son bras en place.

« Qu'est-ce qui s'est passé ? » se demande-t-elle.

Elle voit alors à côté d'elle une silhouette qu'elle a d'abord du mal à définir. Sa vision devient floue. Elle cligne des yeux et se concentre. Est-ce son frère Leo ? Elle reconnaît alors… Gabriel !

Melissa sursaute. Une vague de peur l'envahit. Qu'est-ce qu'il fait ici ? Pourquoi est-il là ? Mais une nouvelle nausée la paralyse et elle repose sa tête. Bon sang, quand va-t-elle cesser d'avoir mal au cœur ?

— Je suis venu dès que j'ai su, dit Gabriel.

Su ? Su quoi ?

— De quoi tu parles ? demande Melissa.

— Ton accident.

— Mon accident ? Quel accident ?

— Tu t'es fait frapper par une voiture avant-hier, explique Gabriel. Les témoins disent que tu as traversé la rue sans prendre garde au véhicule qui arrivait. Par chance, le conducteur a freiné et ne t'a pas frappée à pleine vitesse. Mais tu t'es cogné la tête sur l'asphalte. Tu as eu une commotion cérébrale, l'épaule gauche déboîtée et plusieurs hématomes. Heureusement, pas de fracture du crâne. Tu peux t'estimer chanceuse, ça aurait pu être bien pire.

Melissa se souvient vaguement du bruit de klaxon et de freins. C'est sûrement ça. Tout le reste n'est qu'un vaste flou.

— Et comment tu as su ? demande Melissa, inquiète.

Elle se sent subitement de plus en plus éveillée.

— Ton amie Mylène a contacté les clients du magasin

pour leur dire qu'il y aurait un ralentissement des activités à cause de ton accident. Vu que je figurais parmi ceux-ci, elle m'a joint aussi.

Logique. En vraie professionnelle, Mylène a fait la bonne chose. Comme d'habitude. Et puis, elle était au courant de tout, aussi. Ce n'est pas étranger. Elle a sans doute décidé qu'il valait mieux le mettre au courant. Lui a-t-elle tout dévoilé ? Elle soupçonne que non, Mylène se sera probablement contentée d'offrir à Melissa un prétexte pour le faire elle-même. Melissa se demande soudain comment le magasin va fonctionner pendant les prochains jours. Est-ce que ses amies vont s'en sortir sans elle ? Elle leur a inculqué les notions de base pour préparer les gâteaux, friandises et autres repas, mais disposent-elles de toute l'information nécessaire ?

Tant de choses lui passent par la tête. Jean-François, les enfants, la boutique. Comment réagiront Florence, Raphaël et Rosalie ? Et sa mère, si protectrice, et son petit frère adoré ?

— Tu as besoin de quelque chose ? Tu veux que j'appelle une infirmière ? demande Gabriel, empressé.

— Où sont les autres ? Jean-François, ma mère, mon frère, mes amies…

— Ils se sont relayés toute la journée d'hier. Aujourd'hui, ils se reposent pendant quelques heures. Je leur ai proposé de prendre le relais.

Melissa le dévisage, une nouvelle fois apeurée. Il a parlé à sa famille ? À Jean-François ? Gabriel perçoit immédiatement sa frayeur et la rassure.

— Ils savent que je suis un ex-collègue et un client, c'est tout.

— Madame Bélanger, ça va un peu mieux, on dirait, dit une infirmière qui vient juste d'entrer.

Melissa se tourne vers elle.

— J'ai soif, je peux boire quelque chose ?

— Je vais t'apporter de l'eau ! s'empresse de dire Gabriel en allant chercher un verre.

Lorsqu'il lui propose de l'aider à boire, Melissa refuse. Bien que flattée par sa présence, elle aimerait soudain qu'il ne soit pas là. Elle voudrait le tenir le plus loin possible de sa famille. Si on se doutait de quelque chose ? Un ex-collègue qui se soucie à ce point de son sort, même s'ils étaient bons amis à l'époque, ça pourrait sembler louche.

— Êtes-vous le conjoint de madame ? demande l'infirmière à Gabriel.

— Non, juste... un ami.

— Dans ce cas, si vous voulez bien m'excuser, je dois parler seule à seule avec madame Bélanger. Je dois vous demander de sortir un moment.

Gabriel sort aussitôt.

— Je vais faire un tour, mais je reviendrai dans quelques instants, dit-il.

En d'autres circonstances, Melissa aurait été folle de joie à l'idée de le revoir et qu'il s'occupe d'elle. Pas cette fois. Elle se rend compte que non seulement elle craint qu'on découvre la vérité, mais aussi que Gabriel lui fait encore de l'effet.

— Madame Bélanger, j'ai bien peur d'avoir une mauvaise nouvelle, annonce l'infirmière.

— Qu'est-ce que c'est ?

Aussitôt, elle pense au bébé.

— Bien, il semblerait que vous étiez enceinte, je ne sais pas si vous le saviez...

— Hem... oui, mais je ne l'avais annoncé à personne encore...

Melissa fige. L'infirmière a bien dit *vous étiez enceinte* ? Elle parle au passé, comme si...

— Eh bien, on dirait que l'accident a causé un trauma-tisme au fœtus et provoqué une fausse couche, dit l'infirmière. Vous avez commencé à avoir des saignements durant la nuit et selon les résultats de vos prises de sang, votre taux d'HCG[3] est en chute libre. Il n'y a donc aucun doute. Je suis désolée.

Melissa accuse le coup avec un mélange de tristesse et de soulagement. Alors le bébé n'a pas survécu. Elle n'en revient tout simplement pas. C'est presque trop beau. Cela lui enlève l'odieux de la décision. Elle n'a même pas eu à faire quoi que ce soit, le destin s'en est chargé à sa place. Et si, inconsciemment, elle avait provoqué cet accident? Ha! Elle voit des signes en tout, comme sa mère!

Du coup, elle ne peut s'empêcher de ressentir une pointe de culpabilité. Même sans avoir agi directement, elle est possiblement responsable de cet accident et de cette fausse couche. Elle se secoue: mais non, elle dramatise encore!

— Puisque vous étiez inconsciente, nous avons dû nous renseigner auprès de votre époux lorsque vous avez eu ces saignements. Vous comprenez, nous devions éliminer la possibilité de traumatisme plus grave.

Le cœur de Melissa se serre.

— Donc, vous l'avez dit à mon mari...

— Oui, et il n'était effectivement pas au courant. C'est pour ça que nous avons dû faire des tests et voir la cause de vos saignements.

— Je vois, dit Melissa en déglutissant avec peine.

Comment Jean-François a-t-il réagi en apprenant la nou-velle? Ça a dû être un choc. Pas une manière agréable d'être informé. Vraiment génial...

---

3   Hormone chorionique gonadotrope humaine, sécrétée pendant une grossesse.

— Y a-t-il autre chose ? demande Melissa.

— Non, c'est tout. Vous devriez avoir votre congé bientôt. Lorsque le médecin vous aura vue, sûrement.

— Merci.

Dès que l'infirmière sort, Gabriel entre doucement dans la chambre. Elle devine qu'il était resté tout près.

— Tu as entendu ? demande Melissa, méfiante.

— Oui, un peu... est-ce que... ce serait...

Il n'ose pas poursuivre, mais Melissa saisit très bien le sens de sa question.

— Aucune idée, dit Melissa un peu sèchement. Je n'en suis pas certaine. Je ne voulais pas savoir.

Gabriel baisse les yeux. Melissa soupire. Elle ne sait pas pourquoi, mais elle lui en veut. Pourquoi est-il là ? Pourquoi a-t-il bouleversé sa vie ? Elle aimerait tant pouvoir l'oublier, lui et leur aventure. Elle ne veut pas détruire sa famille. Elle lui en veut de ne pas avoir souffert autant qu'elle, de ne pas avoir vécu l'angoisse de faire du mal à ses enfants, la grossesse non désirée. Il l'a eu facile, lui.

— Melissa, je... je ne sais pas quoi dire. Je suis navré.

Il semble vraiment bouleversé. La colère de Melissa s'atténue. Finalement, elle voit bien qu'il souffre aussi. Comment peut-elle blesser autant de personnes ? Elle qui n'aurait pas fait de mal à une mouche, consciemment. Depuis des mois, on dirait que tout va de travers dans sa vie. Qu'elle perd le contrôle. Et si Gabriel était profondément amoureux d'elle, en fin de compte ?

Il s'assoit sur le lit, juste à côté d'elle. Elle sent son parfum, à l'odeur subtile de citron, qu'elle aime tant. La douceur de ses cheveux qui frôlent les siens. Sa chaleur, tout près.

— Tu me manques tellement, dit-il. Je n'ai pas cessé de penser à toi depuis...

De nouveau, la peur s'empare de Melissa, ajoutée à sa peine. Elle sent une boule dans sa gorge. Une partie d'elle aimerait prendre Gabriel dans ses bras et le consoler, ne pas le heurter. Mais cette histoire doit finir pour de bon. Tout de suite. Aussi bien couper le cordon le plus vite possible et éviter de prolonger des tourments inutiles.

— J'ai eu si peur quand j'ai su pour ton accident. Peur de te perdre définitivement.

— Je comprends, dit-elle en lui prenant doucement la main. Je suis désolée d'avoir chamboulé ta vie. Ça doit cesser, maintenant. Je ne veux faire souffrir personne, tu saisis ?

Gabriel semble avaler de travers, les yeux fermés. Il a l'impression de recevoir un coup de couteau au cœur et se domine pour ne pas verser de larmes devant elle.

— Je vois, dit-il d'une voix faible. Je sais que tu as beaucoup à perdre. Mais si jamais… tu changes d'idée, tu sais où me trouver. Tu as encore mon numéro au travail.

Il s'est tourné vers elle, la regardant droit dans les yeux, en prononçant cette dernière phrase. Comme une ultime tentative de garder une porte ouverte pour elle. Melissa lui caresse furtivement la joue.

— Il y aura toujours une place pour toi dans mon cœur, Gabriel… ajoute-t-elle. Toi et moi, c'est fini.

Gabriel s'y attendait inconsciemment, mais accuse le coup. Abandonner la femme qui a bouleversé toute son existence en quelques semaines à peine et mis son cœur à l'envers lui est plus difficile que tout, mais il comprend sa situation. Il ne peut la mettre dans l'embarras. Il ne peut la forcer à tout abandonner ce qu'elle a mis des années à construire, juste pour lui.

Quelques secondes plus tard, Melissa et Gabriel

entendent un raclement de gorge pas très loin. Ils se tournent vers la porte de la chambre : Jean-François se tient debout dans l'embrasure de la porte, une expression sombre sur son visage.

❁ ❁ ❁

Melissa n'a pas eu le temps de prononcer le moindre mot que Jean-François était déjà reparti. Elle aurait voulu le suivre, mais dès qu'elle a tenté de se lever, des vertiges l'ont clouée sur place. Sans compter que, branchée sur des appareils, elle n'aurait pu aller loin de toute façon.

« Mon Dieu, mais qu'est-ce que j'ai fait encore ? » songe-t-elle. Elle angoisse soudain. Qu'est-ce que Jean-François a entendu ? Que sait-il exactement ?

Elle a aussitôt renvoyé Gabriel, en le suppliant de ne plus la contacter si elle ne lui donnait pas le feu vert, et ce, même si elle devait être mourante.

Elle ne peut pas croire ce qui arrive. Dans quel état doit être Jean-François en ce moment ! Elle tente de l'appeler à la maison et sur son cellulaire, mais sans succès.

Melissa commence à paniquer. Elle doit à tout prix parler à Jean-François. Bon sang, pourvu qu'il ne fasse pas de connerie ! Elle demande aux infirmières si le médecin peut arriver plus rapidement pour l'examiner et lui donner son congé.

Elle appelle Leo pour lui demander de téléphoner à Jean-François. Après plusieurs tentatives, lui non plus ne parvient pas à le joindre.

— Va à la maison, Leo, trouve-le, je t'en supplie ! crie-t-elle, affolée.

— Qu'est-ce qui se passe ?

— Je t'expliquerai plus tard, mais fais-le, s'il te plaît !

Son frère raccroche prestement. Environ trente angoissantes minutes plus tard, il la rappelle enfin dans sa chambre. Melissa se précipite sur le téléphone comme si sa vie en dépendait.

— Alors ?

— Il est à la maison. Il semble agité et a appelé ses parents pour qu'ils viennent prendre les enfants pendant quelques jours, qu'il m'a dit. Il refuse de m'en dire plus. Quelque chose ne va pas ?

Melissa se retient de pleurer. Tout s'écroule, elle le sent. Jean-François ne ferait pas ça sans raison. Et dire qu'elle est coincée ici ! Elle se demande si elle ne devrait pas signer un refus de traitement et partir immédiatement.

— Je peux faire quelque chose pour toi, Melissa ? demande Leo.

— Pas pour le moment. Mais s'il y a quelque chose, je te le dirai.

Un peu plus tard, le médecin arrive enfin. Melissa prie en silence pour qu'il la laisse partir sans qu'elle doive se battre. Elle insiste un peu, car le docteur n'aime pas qu'elle ait encore des étourdissements. Elle a cependant reçu ordre de ne pas conduire – ce qu'elle aurait du mal à faire avec une épaule déboîtée de toute façon – et est mise au repos pendant encore quelques jours. Par chance, son traumatisme crânien n'est pas grave et elle s'en remettra si elle est prudente.

Melissa tente une dernière fois de joindre Jean-François avant de partir. Sans succès.

Elle prend un taxi pour revenir chez elle. Elle préfère ne pas demander l'aide de son entourage tout de suite. Le taxi arrive enfin à la maison et elle franchit le pas de la porte, anxieuse. Elle doit marcher lentement pour éviter d'être étourdie. Lorsqu'elle entre, un silence de mort l'attend.

Sur le pas de la porte, dans l'entrée, elle voit deux valises. Plus loin, Jean-François est assis dans le salon, les jambes et les bras croisés. Le regard fixé sur le vide, il a les dents serrées et le front plissé. Tout son être dégage une rage contenue.

Melissa s'approche sur la pointe des pieds.

— Jean-François ?

Il tourne à peine la tête.

— Tes valises sont faites, dit-il froidement. Je ne veux plus te voir. Va-t'en.

Melissa n'a même pas la force d'argumenter ou de se justifier. Y a-t-il vraiment une explication à donner de toute façon ? « Chéri, ce n'est pas ce que tu penses » ? Rien n'excuse ce qu'elle a fait. Mais que sait-il réellement ? Elle se risque à poser une question, même si elle redoute la réaction.

— Qu'est-ce que tu as entendu ?

— Sûrement pas tout, mais bien assez. Il n'a pas fallu entendre grand-chose pour décoder.

Melissa se tait. Elle a vraiment tout gâché. Elle a eu beau tenter de protéger tout le monde, elle n'a réussi qu'à causer de la souffrance autour d'elle.

— Quand je pense que je t'ai laissée partir à Québec avec ce… Gabriel, prononce-t-il entre ses dents. Comment tu as pu me faire ça ? Je savais que ça n'allait pas bien, nous deux, mais je n'aurais jamais cru ça de toi. Et en plus, tu étais probablement enceinte de lui !

— Je sais. Ce que j'ai fait est impardonnable.

— Je t'en supplie, pars, soupire Jean-François.

— Que va-t-on faire pour les enfants ? demande-t-elle. Et la maison ?

— On verra éventuellement. Pour l'instant, j'ai besoin d'être seul.

Melissa se retire sans dire un mot. Elle appelle Leo et lui demande de l'héberger pour quelque temps. Elle appelle à nouveau un taxi pour se rendre chez son frère. Elle téléphone à sa mère et lui explique où elle passera les prochains jours. Incapable de lui fournir plus d'explications pour le moment, elle lui promet de l'éclairer bientôt.

Elle est accueillie par Stéphane, le copain de Leo, qui est infographiste en design industriel et travaille à la maison. Leo l'avait prévenu de l'arrivée de sa sœur. Melissa a toujours apprécié Stéphane, qui est un genre de jumeau de Leo. Enfin, sur le plan de la personnalité. Homme de peu de mots et parfois maladroit, c'est tout de même un homme attentionné et sympathique.

Grand gaillard aux cheveux blonds droits, un peu en dessous des oreilles, c'est un adepte des cols roulés. De fait, Leo se moque souvent gentiment des tenues de son chum, le comparant à Steve Jobs.

Stéphane amène Melissa dans la salle à manger, où il lui sert un minestrone sans même lui demander son avis. La célèbre recette de la grand-mère Carabella, que Stéphane est même parvenu à améliorer – une première dans la famille.

— Mange, reprends des forces, dit Stéphane d'un ton sans réplique. Tu fais peur à voir, ma belle.

Melissa obéit, même si elle n'a pas faim. Elle n'a pas l'énergie de résister : se faire prendre en charge, pour une fois, lui fait du bien. Elle sait que Stéphane est convaincant lorsqu'il s'y met ; c'est sa façon à lui de lui démontrer de la sollicitude. Une main de fer dans un gant de velours. Une matrone cachée dans un corps de jeune homme assez costaud.

Stéphane ne dit pas un mot, ne pose pas de question. C'est un être « allumé », malgré ce stoïcisme. De plus, il sait que Melissa doit réserver ses confidences pour son frère.

Pendant qu'elle mange sous le regard attentif de Stéphane, Melissa ressent de fortes crampes à l'abdomen. La fausse couche. Avec tout ça, elle l'avait presque oubliée, malgré ses saignements qui perdurent encore. Son utérus est sûrement en train de travailler à expulser les débris du fœtus et les caillots. Les dernières traces de sa trahison.

Melissa est terrifiée. Elle comprend qu'elle va sûrement devoir déménager. Comment trouver une nouvelle demeure ? Aller dans un petit appartement avec les enfants ? Comment le payer ? Même en ayant accès à la moitié de l'équité de la maison, elle ne se fait pas d'illusion sur ses finances, qui vont en prendre un coup.

Et si elle ne pouvait plus rien payer, si elle s'endettait ? Si elle perdait la boutique ? Elle a travaillé si fort pour en arriver là ! Dire qu'il a suffi d'une seule nuit pour mettre sa vie sens dessus dessous et menacer de tout détruire. Elle n'arrive pas à y croire. Elle aurait envie de pleurer. Tout ça pour en arriver là.

Une fois la soupe avalée, Melissa reprend une nouvelle dose d'antidouleurs, prescrits par le médecin. Elle a mal partout, se sent faible, nauséeuse et étourdie, elle n'a qu'un bras fonctionnel. Et maintenant, son couple est mort et sa famille, brisée. Elle pourrait perdre sa *business*. Melissa croyait avoir touché le fond du baril quelques jours plus tôt, mais elle se figure qu'elle devait manquer d'imagination. Sa vie est encore pire à présent. En deux jours, tout a basculé.

Une quarantaine de minutes plus tard, Leo, qui a quitté le travail plus tôt, arrive. Aussitôt, il prend délicatement sa sœur dans ses bras.

— Qu'est-ce qui se passe, Melissa ? demande-t-il. Tu as un accident et maintenant, tu ne peux plus retourner chez toi ? C'est quoi, cette histoire ?

— Ça te dérange, si je veux parler seule à mon frère ? dit-elle à Stéphane.

— Non, pas de problème. Je dois continuer de travailler, de toute façon.

Leo emmène sa sœur dans le salon et ferme les portes vitrées. Melissa se sent en confiance. Leo ne la jugera pas. De toute façon, le chat est sorti du sac, pourquoi continuer à le cacher ?

Enfin, elle se laisse aller et pleure sans pouvoir s'arrêter. Entre les sanglots, elle avoue enfin à Leo qu'elle fait une fausse couche, qu'elle était enceinte, probablement d'un homme dont elle était tombée amoureuse et avec qui elle avait trompé son époux, avec qui ça n'allait plus très bien.

Leo l'écoute et la contemple avec tristesse. Sa grande sœur, Super Melissa, comme il se plaisait à l'appeler plus jeune, lui paraît si vulnérable. Comme d'habitude, elle s'en est mis trop sur les épaules et se culpabilise pour tout. On jurerait qu'elle aime prendre le poids du monde entier sur elle et se faire du mal.

— Qu'est-ce que tu vas faire, maintenant ? demande Leo.

— Je n'en sais rien, dit Melissa. Si tu savais comme je me sens perdue. Je ne sais même pas par où commencer. Mais pourquoi j'ai fait ça ? Qu'est-ce qui m'a pris, bon sang ?

— Melissa, tu es juste humaine. Pas un modèle de perfection. Je sais que tu n'as voulu faire de mal à personne, mais c'est arrivé. Regretter maintenant ne changera rien à la situation. Tu as fait quelque chose de pas correct et là, tu dois apprendre à vivre avec les conséquences. Et t'adapter du mieux que tu peux à la situation. C'est la meilleure chose que tu puisses faire. Cesse de ressasser le passé, tu ne peux pas le changer. Regarde l'avenir.

— L'avenir ? Quel avenir ? ricane amèrement Melissa.

— Celui que *tu* voudras bien bâtir. En ce moment, tu es plongée au plus profond de la noirceur et tu ne parviens pas à voir la lumière. Mais elle est là ; un jour, tu la retrouveras. Fais-moi confiance.

— Pourquoi es-tu si confiant ?

— Tu te souviens quand mon premier chum m'a laissé, à la fin du secondaire ? J'étais dévasté et je ne pouvais même pas en parler aux parents parce qu'il n'y avait que toi qui savais. Ma vie était finie. Eh bien, c'est exactement les mots que tu m'as dits à l'époque. Et tu avais raison. J'ai retrouvé la lumière. Ces mots-là m'ont aidé à passer à travers. Je n'en ai plus besoin, mais toi oui. Alors, aujourd'hui, je te les redonne.

Melissa regarde son frère, étonnée. Elle ne se souvenait même pas de cela. Pourquoi a-t-elle attendu si longtemps avant de lui parler ? Son frère a su exactement quoi lui dire. Elle a vraiment été stupide de ne pas l'avoir fait plus tôt.

— Merci, Leo. Tu as raison, j'avais besoin de ces mots-là.

Peu après, épuisée, Melissa est allée se coucher. Pour la première fois depuis plusieurs semaines, elle a bien dormi. Elle se sent déjà si légère après avoir parlé à son frère que même le vieux sofa à carreaux qui sent la poussière lui paraît aussi douillet qu'un petit nuage de barbe à papa.

✿ ✿ ✿

À son réveil, Melissa s'aperçoit qu'elle a reçu trois appels d'Anne-Marie et deux de Mylène sur son cellulaire. Elle se rend à la salle de bain. Son reflet dans le miroir l'effraie, tant elle ressemble à une loque. Elle prend son courage à deux mains et appelle Anne-Marie et Mylène pour leur dire qu'elle les rejoindra à la boutique en fin de journée. Elle en profite pour les remercier de tenir le fort en attendant et promet de tout leur raconter.

Melissa a passé une partie de la journée étendue ou assise sur le sofa. Leo et Stéphane lui ont laissé l'appartement pour qu'elle puisse se reposer et reprendre des forces. Ses maux de ventre passent doucement. Elle songe à ses enfants et à ce qui leur arrivera. Même si c'est fini avec Jean-François, elle doit les protéger. Elle a aussi entrepris de faire des calculs afin de savoir quelles seront les conséquences financières de ce chamboulement. Ce n'est pas reluisant, mais peut-être moins catastrophique que prévu.

Elle se rend au magasin en taxi. Elle y est accueillie chaleureusement par ses amies. Après la fermeture, légèrement devancée vu les circonstances, Melissa les fait asseoir à une table.

— Écoutez, il y a du nouveau et il y aura sans doute des changements dans les prochaines semaines, voire les mois à venir, annonce-t-elle. Je ne sais pas comment mon horaire sera modifié.

— Qu'est-ce qui se passe ? demande Mylène.

— Je... Jean-François et moi allons nous séparer. Il m'a, disons... jetée hors de la maison, alors je suis chez Leo en ce moment. Et ça risque d'avoir pas mal de répercussions sur mes finances et mes horaires, mais j'ignore comment.

— Quoi ?

Mylène et Anne-Marie sont atterrées.

— Comment ça, vous vous séparez ? s'écrie Anne-Marie. Et pourquoi il t'a mise à la porte ? Tu viens de frôler la mort, merde ! Tu parles d'un salaud !

Melissa retient son souffle. Elle se dit qu'Anne-Marie va sans doute changer d'idée en entendant la suite.

— Je... je suis tombée enceinte de... probablement d'un autre homme. Et avec mon accident, j'ai fait une fausse couche et Jean-François a fini par savoir la vérité. Alors, il m'a foutue dehors.

Mylène et Anne-Marie restent abasourdies un moment. Si Melissa venait de leur avouer qu'elle provenait de la planète Uranus, elles auraient eu la même expression. Comme si elle avait eu une vie parallèle cachée digne de *Men in Black*.

— Sérieux ? balbutie Anne-Marie d'une voix blanche.

— Malheureusement, dit Melissa en baissant la tête.

Anne-Marie semble en état de choc. Son visage vire au blanc et des larmes lui montent aux yeux. Elle se lève lentement et va chercher son manteau.

— Qu'est-ce que tu fais ? demande Mylène.

— Désolée, je... je dois sortir. J'ai besoin d'air.

Melissa s'imagine qu'Anne-Marie doit revivre l'infidélité de Pierre-Luc par procuration, en quelque sorte. Que cela doit faire remonter des sentiments à la surface.

Sans un mot, Anne-Marie quitte la boutique. Elle ne redonnera plus de nouvelles de la soirée.

Chapitre 13

Deux jours plus tard, Anne-Marie a laissé un message laconique sur le répondeur de la boutique disant qu'elle prenait congé pour quelques jours. Melissa a accusé le coup. Une autre chose qu'elle n'avait pas prévue. Anne-Marie doit être bouleversée.

Elle espère que cela sera temporaire et qu'elle ne perdra pas son amitié. Mais s'il y a une chose que Melissa a comprise, c'est qu'on ne force pas les émotions des gens, que celles-ci ont besoin d'être vécues et jamais niées. Même si parfois, les gens tissent mentalement des liens étranges, ils vivent les choses à leur façon. Les sentiments sont légitimes et relèvent d'un processus normal. Elle ne va donc pas dire à Jean-François qu'il ne devrait pas être furieux ni à Anne-Marie de ne pas se mettre à l'envers. Cela n'arrangerait rien.

En même temps, elle se dit qu'elle a causé les émotions d'Anne-Marie. Sans se culpabiliser pour autant, elle se sait responsable et admet que de regretter ne changera rien. Si les choses doivent se remettre en place, elles le feront d'elles-mêmes. Les gens qui souffrent ont besoin d'isolement, comme l'animal blessé qui lèche ses plaies pour guérir. Melissa se répète la phrase de Leo – la sienne propre, en fait – : « Un jour, tu retrouveras la lumière. » Elle se visualise un moment sur sa plage en Floride. Elle imagine le bruit des vagues sur le sable. Oui, ça va mieux...

Melissa a parlé deux fois à ses enfants, qui, Dieu merci,

s'amusent beaucoup chez leurs grands-parents et prennent la chose comme des vacances.

— Maman, j'ai une dent qui bouge ! Elle va tomber bientôt ! crie Florence dans le téléphone.

— On a vu une ambulance hier, c'était cool ! ajoute Raphaël.

— Maman, viens bientôt ? Va pouvoir manger de la crème glacée ! dit Rosalie.

— Bientôt, mes amours. Soyez sages chez grand-maman, hein ?

« Qu'ils en profitent, la réalité les rattrapera bien assez vite », se dit-elle. Melissa a dû se contenir pour ne pas pleurer au téléphone lorsqu'elle leur a parlé. Elle se dit encore que s'ils souffrent, ce sera de sa faute. Elle n'a échangé que quelques mots avec les parents de Jean-François, sûrement au courant de tout, et qui l'ont accueillie avec autant de froideur que si elle avait été Hitler réincarné. Jean-François, de son côté, ne lui a pratiquement pas parlé depuis son départ.

Une collègue pâtissière avec qui Melissa avait créé des liens quelques mois plus tôt a accepté d'aider les filles à la boutique, afin que la production n'en souffre pas trop. Elle a même concocté des choses toutes spéciales à saveur d'érable, pour la saison des sucres. Mylène s'est également arrangée pour boucler rapidement des contrats avec quelques fournisseurs afin d'assurer une entrée de produits régulière et de garder le magasin bien rempli.

De toute façon, Melissa a plus ou moins la tête aux pâtisseries et aux cafés en ce moment. Alors, pour ce qui est de faire des trucs thématiques saisonniers ou de nouvelles saveurs, on repassera. Même le printemps qui s'installe, amenant chaleur et chants d'oiseaux, la laisse plutôt indifférente.

Et dire qu'il y a un an, elle faisait le dévoilement public de l'écriteau Miss Caprice, avec Mylène, Anne-Marie, Pierre-Luc et Leo! Ça semble si loin, tout ça. Une éternité s'est écoulée depuis. Comment sa vie a-t-elle pu changer si radicalement en si peu de temps?

Dès les premiers jours de mars, Melissa et Mylène ont écourté de peu les heures d'ouverture, pour éviter de s'épuiser. Surtout que Melissa, avec son épaule déboîtée mais en voie de guérison, ne peut pas beaucoup s'adonner à la production. Elle en a pour presque trois semaines à se remettre, avec de la réadaptation. Par chance, elle s'est déboîté l'épaule gauche alors qu'elle est droitière. Le simple fait de s'habiller, de chausser ses bottes ou d'utiliser la caisse à une main fait rager Melissa. Alors pour brasser de la pâte ou glacer des gâteaux, c'est la galère. Et évidemment, Mylène en rajoute, se moquant de son entêtement à tout faire elle-même.

De toute façon, même si Mylène parvient à se débrouiller jusqu'à un certain point avec les douilles et le fondant, elle n'est ni aussi habile ni aussi passionnée que Melissa. Cette dernière commence à se demander si elle ne devrait pas engager quelqu'un à temps partiel.

Côté cœur, Mylène vit quelque chose qu'elle n'avait pas tout à fait prévu. Voilà presque un mois qu'elle n'a pas eu de nouvelles de Christian. Étrangement, elle est déçue. Elle croyait qu'il la poursuivrait encore de ses attentions, et se rend compte qu'en mettant fin au jeu et au mystère, elle a mis fin à un certain plaisir qu'elle ne soupçonnait pas. Il y avait quelque chose d'amusant dans cette mise en scène, finalement. Dans le fait de savoir qu'un homme faisait tout cela pour elle, jusque parce qu'elle lui plaisait.

Elle s'aperçoit dans quelle mesure tout ça était flatteur.

Comme des fleurs et du chocolat à un premier rendez-vous, mais en bien mieux et en plus original. Finalement, Christian avait bien compris à quel point elle n'aimait pas les choses traditionnelles, banales. Il semblerait qu'il l'ait bien jaugée. Combien de temps l'a-t-il observée, étudiée ? S'est-il subtilement renseigné auprès de ses proches ? Même si l'idée effraie Mylène encore vaguement, elle la séduit aussi.

Or, à sa propre surprise, elle est désappointée que Christian respecte son désir de distance et ne poursuive plus ce jeu inusité qu'il avait mis en place. Elle remarque qu'inconsciemment, elle aurait aimé qu'il l'éprenne encore de ses ardeurs, qu'il n'abandonne pas si facilement, qu'il se batte un peu.

Christian est-il le genre d'homme à élire une reine au sommet de son royaume pour la détrôner presque aussitôt si elle n'obéit pas à ses désirs et n'accède pas à ses avances ?

Elle regrette d'avoir agi trop vite, sans laisser plus d'ouverture à Christian. Elle commence à admettre qu'en fait, il est intéressant et intrigant, qu'elle aimerait le connaître davantage. Elle a même tenté de l'observer de la boutique, même si elle ne voit pas vraiment la vitrine du Temps retrouvé d'où elle se trouve. Elle espère le voir entrer dans sa boutique ou en sortir. Parfois, elle fait volontairement un détour pour s'approcher du magasin d'antiquités et jeter un regard furtif dans sa direction. Avec le printemps qui s'installe, elle a un bon prétexte pour rester davantage à l'extérieur. Elle a même mis le peigne d'argent dans ses cheveux à quelques reprises, en espérant attirer son attention.

Elle se sent comme une adolescente idiote qui a le *kick* sur un autre élève mais ne sait pas comment l'approcher et fait tout en son possible ne serait-ce que pour le croiser dans un couloir ou l'apercevoir de loin, sans oser lui avouer ses sentiments.

Elle se dit qu'elle devrait retourner voir Christian et discuter plus avant. Elle ne sait pas encore ce qu'elle lui dirait. Elle a plus ou moins envie de lui avouer qu'il a piqué sa curiosité. Elle y réfléchit tout en passant le balai alors que Melissa nettoie la machine à café.

La porte de la boutique s'ouvre, faisant tinter le carillon suspendu au-dessus. Mylène et Melissa sursautent en apercevant le nouveau venu : Gabriel.

Melissa est stupéfaite. Gabriel est vraiment obstiné. Pourtant, il avait respecté sa décision jusque-là après leur nuit torride. Il l'avait laissée tranquille. Pourquoi s'entêter à la revoir, maintenant ? C'est la deuxième fois depuis son accident. Elle a été bien claire, à l'hôpital : il ne devait plus jamais la revoir, sauf si elle lui faisait signe. Pourquoi revient-il encore la hanter ? Elle pousse un soupir exaspéré.

— Bonjour, dit Gabriel, un peu gêné.

— Salut, répond Melissa qui s'avance vers lui, bras croisés. Qu'est-ce que tu fais là ?

— On pourrait parler ?

— Va dans l'arrière-boutique avec lui, je vais finir de fermer le magasin, dit Mylène.

Melissa l'interroge du regard.

— Tu ne vas pas passer ta vie à l'éviter, dit Mylène. Vous avez de toute évidence des trucs à régler. C'est le temps de faire face et de vous parler une bonne fois pour toutes.

— Bon, d'accord. Viens avec moi, dit Melissa à Gabriel.

Elle se dirige vers l'arrière-boutique. Alors qu'il la suit, Melissa remarque que ses sentiments pour Gabriel s'entrechoquent. Elle est en partie fâchée qu'il n'ait pas respecté son embargo, lui en veut même d'avoir initialement croisé son chemin et mis sa vie à l'envers. Si elle avait su, le jour où il est entré dans sa boutique, la chaîne d'événements que cela provoquerait, elle ne l'aurait jamais encouragé à revenir la voir. Et peut-être qu'il n'aurait plus redonné signe de vie, que leurs routes ne se seraient jamais recroisées et qu'il serait retourné dans l'univers qu'elle a délaissé il y a des années.

Au demeurant, elle n'a pas oublié l'état de bien-être absolu dans lequel la mettait chacune de leurs discussions. Ni à quel point, dans son regard, elle s'est enfin remise à exister en tant que personne à part entière et surtout, en tant que femme.

Elle aimerait tant retrouver cet état d'esprit qu'elle a connu les premiers mois où ils se côtoyaient et se parlaient. Pourrait-elle vraiment être avec Gabriel sans ressentir de culpabilité? Sans avoir l'impression d'avoir triché, d'avoir volé son bonheur à quelqu'un?

Elle désigne deux bancs tout près d'un comptoir où Mylène s'installe généralement pour s'occuper des commandes.

— Pourquoi es-tu venu? demande Melissa d'entrée de jeu, adoucie. Je t'avais dit de ne plus me contacter.

— Je sais; c'est ce que je comptais faire. Je suppose que la raison pour laquelle tu voulais me tenir à distance, c'était pour éviter des problèmes avec ton mari. Mais j'ai su que Jean-François t'avait mise à la porte de ta maison et que vous alliez sans doute vous séparer.

— Alors, puisque je n'ai plus de mariage à sauver, tu t'es dit que tu pouvais risquer de revenir me voir, conclut Melissa.

— En quelque sorte, oui.

Melissa se dit qu'en tout cas, on ne peut reprocher à Gabriel de ne pas savoir ce qu'il veut. Quand il a un objectif en tête, il peut être persévérant. Elle s'immobilise un moment, les sens aux aguets. De l'autre côté de la porte entrouverte, elle entend les bruits métalliques du tiroir-caisse et la radio que Mylène a allumée, sans doute pour montrer qu'elle ne les écoute pas et qu'ils sont tranquilles.

— Comment as-tu su que j'allais me séparer ? Qui te l'a dit ?

— J'ai fait prendre de tes nouvelles par France. Elle a d'abord appelé ici et ensuite, chez toi – je lui ai donné ton numéro. Apparemment, Jean-François a été plutôt désagréable avec elle et lui a dit que tu n'habitais plus là et que tu étais chez ton frère. Il a été assez facile de déduire la suite. Peut-être que tu regrettes nos retrouvailles et tout ce qui a suivi, ajoute Gabriel. Peut-être que ta vie allait bien avant juin dernier. Mais moi, je ne regrette rien. Même si je sais que ça t'a causé beaucoup de problèmes. Je m'en excuse, d'ailleurs. Je n'ai jamais voulu ça.

— Si ça peut te déculpabiliser, ça n'allait déjà pas très bien depuis un certain temps, dit Melissa. Ta rencontre n'a probablement fait qu'accélérer les choses.

— Dans ce cas, tu m'en vois soulagé.

— Alors ? Tu avais quelque chose à me dire ?

Gabriel ferme les yeux et respire un grand coup. Il a certainement une grande déclaration à faire. Melissa sent son estomac se contracter.

— Je suis venu te dire que j'ai annoncé à Dominique que je la quittais. Je ne peux plus continuer à vivre comme ça.

— Quoi ? Tu as fait ça ? murmure Melissa, atterrée. Mais pourquoi ?

— Parce que je ne l'aime plus vraiment. Depuis déjà un bout de temps, elle et moi, on a une vie morne et tiède. Sans amour, sans passion. Nous ne sommes plus que des colocataires qui se voient de temps en temps et qui avons nos vies séparées : nous ne partageons plus que la routine. L'existence est confortable avec elle, sans plus. Je ne veux plus vivre comme ça. J'ai décidé qu'il était temps d'en finir.

Melissa a l'impression de recevoir un coup de poing au ventre. Elle n'avait pas prévu cela. Depuis le début, elle est dans sa bulle et n'a pas songé que les conséquences iraient aussi loin. On dirait un jeu de dominos où, lorsqu'on fait tomber une pièce, toutes les autres sont entraînées dans la chute. Maintenant, en plus de se sentir mal à l'égard de Jean-François et même d'Anne-Marie, elle a l'impression d'avoir foutu la vie de Dominique en l'air. Elle non plus ne méritait pas ça, c'est sûr.

« Bien joué, Melissa, vraiment ! se dit-elle, ironique. Il y a quelqu'un d'autre dont tu peux gâcher la vie pour rien ? Tu es bien partie, ma vieille ! »

— Et surtout, je ne peux plus vivre avec elle alors que je suis fou amoureux d'une autre femme, poursuit Gabriel. Je ne peux plus lui mentir comme ça.

Melissa fige en entendant ces paroles. Un autre coup de poing au ventre. Ça y est, il vient de le dire. Il ne l'a pas nommée, mais pas besoin d'être un génie pour comprendre. Il vient de lui avouer qu'il est vraiment amoureux d'elle. Non, pas juste amoureux. Fou amoureux. Son cœur s'affole, elle doit se calmer.

— J'ai bien essayé d'enfouir tout ça et de faire comme si de rien n'était, dit Gabriel. J'y arrivais pas trop mal, même si je constatais de plus en plus que je n'étais pas heureux avec Dominique. Mais quand j'ai appris pour ton accident, j'ai eu un choc. J'ai eu peur de te perdre pour toujours, même si c'était déjà fait, en quelque sorte. Penser que je ne pourrais plus jamais te voir, te parler, te toucher... c'était trop. Je me suis dit que si tu mourais, je n'y survivrais peut-être pas. Je ne pouvais plus faire semblant et je devais absolument te revoir. Au moins une fois.

Melissa conçoit soudain que Gabriel a souffert lui aussi de leur séparation. Peut-être pas autant qu'elle ni de la même façon, mais à sa manière. Elle devine que ses sentiments sont sincères et profonds ; pour lui, il ne s'agissait pas d'une simple aventure d'une nuit : il vivait sans doute la même chose qu'elle.

— D'apprendre en plus que tu attendais peut-être un enfant de moi, ça a été un double choc, poursuit-il.

Melissa est bouche bée. En fait, elle ne s'attendait pas à ce genre de confession. En repoussant Gabriel loin d'elle, elle tenait aussi à distance les interrogations par rapport à ce qu'il vivait. Et puisqu'il n'avait pas tenté de la joindre pendant des semaines, elle avait fini par se convaincre que leur histoire était sans importance pour lui et qu'il avait tourné la page aisément. Elle avait tout faux.

— Je n'ai jamais eu d'enfant, Melissa, tu le sais. Avec Dominique, ça n'a jamais été une priorité et nous avions tous les deux une carrière, des occupations. On avait mis ça de côté en quelque sorte. Mais j'aime les enfants – sinon, je ne serais pas enseignant. Et là, tu attendais possiblement un bébé de moi, Melissa. *De moi*, insiste-t-il. C'était énorme, pour moi, tu comprends ? C'était la première fois que, même hypothétiquement, un être de mon sang, un bébé à moi, aurait pu voir la vie. Je pensais avoir mis de côté le désir d'enfant, mais j'ai compris que ce n'était pas le cas.

« Mon Dieu, pourquoi a-t-il fallu que nous mettions autant de temps avant de découvrir quels sentiments nous avions l'un pour l'autre ? songe Melissa. Il y aurait certes eu moins de problèmes, moins de souffrance pour tout le monde. »

— Enfin, je... je ne veux pas bousculer les choses, bien sûr, poursuit Gabriel. C'est sûrement un peu tôt. Mais si jamais tu le désires, je te laisse mes nouvelles coordonnées. Et si tu considérais la possibilité d'être avec moi, tu sais où me joindre. Évidemment, je serais ravi si tu disais oui, mais je comprends que tu as ta propre vie et tes difficultés à gérer. Ma porte est grande ouverte.

Melissa a les larmes aux yeux. Peut-être a-t-elle été naïve, mais elle ne pensait pas que Gabriel irait aussi loin dans ses aveux. Une partie d'elle a envie de crier de joie. Elle boit littéralement ses paroles, qui sont le plus merveilleux des baumes sur sa vie en ce moment. Il l'aime vraiment. Cet homme, beau et formidable, l'aime. D'un amour sincère, généreux, respectueux et désintéressé. Pour l'instant, cela lui suffit.

Elle ne sait pas si elle parviendrait à aller avec lui. Son bonheur aurait coûté si cher et leur relation serait née sur les ruines de sa famille et dans la souffrance de ses proches. Sa conscience pourrait-elle supporter cela ? Elle l'ignore.

— Merci, Gabriel. Je suis sûre que tout ça t'a demandé beaucoup de courage. Je me demande encore où j'en suis. Je ne peux te dire oui ou non en ce moment.

— Je sais. Enfin, je te laisse mes nouvelles coordonnées.

— D'accord.

Alors qu'elle saisit le papier qu'il lui tend, leurs doigts s'effleurent. Un courant passe entre eux. Ils hésitent. Gabriel saisit alors sa main. Melissa ferme les yeux. Comme sa peau est chaude. Elle goûte à la sensation si longtemps désirée, puis réprimée. Elle se sent irrémédiablement attirée vers lui comme s'il était un aimant. Elle appuie sa tête sur l'épaule de Gabriel.

Pendant un instant, l'arrière-boutique avec ses boîtes de

crémage, ses ustensiles, ses cartons, Mylène et la caisse de l'autre côté de la porte, tout cela cesse d'exister, comme s'ils étaient rendus ailleurs.

Gabriel lui caresse les cheveux et l'embrasse sur le dessus de la tête.

— Tu me manques, Meli.

— Toi aussi.

Meli... elle adore ce surnom. Il a une sonorité si douce, comme le mot « miel ». Après un moment, ils se séparent et Gabriel quitte la boutique, laissant une traînée de tristesse derrière lui. Pendant ce temps, la radio crache les paroles de *L'amour est un monstre*, de Karim Ouellet, qui résonnent dans les oreilles de Melissa et dans son cœur.

Baby, baaaabyyyy, l'amour est un monstre, l'amour est un monstre. L'amour est un moooooonstre...

❄ ❄ ❄

Près d'une semaine après sa sortie inopinée, Anne-Marie n'a toujours pas dit quand elle songeait à revenir à la boutique. Mylène, fatiguée à la fois de tenir le fort et de voir son amie s'enfermer dans son coin et dans ses émotions, décide de lui rendre une visite improvisée.

Lorsque Anne-Marie lui ouvre la porte, Mylène entre immédiatement sans être invitée.

— Bon, quand tu vas arrêter tes niaiseries ? lui demande-t-elle à brûle-pourpoint.

— Je te demande pardon ? dit Anne-Marie, stupéfaite.

— Là, ça fait près d'une semaine que tu es partie pratiquement sans dire un mot. On sait que l'annonce de Melissa t'a mise à l'envers. Je vois bien que pour toi, c'est comme replonger dans ta propre histoire et revivre une nouvelle fois que ce Pierre-Luc t'a fait endurer. Mais là, ça suffit. Cesse de faire l'enfant et reviens travailler.

Anne-Marie reste sans mots devant l'aplomb de Mylène. Même si ce n'est pas étonnant de la part de son amie, qui ne se gêne jamais pour dire ce qu'elle pense. Et elle a autant de patience qu'un enfant de trois ans. Anne-Marie se laisse choir sur son sofa.

— Pourquoi tu ne me demandes pas d'embrasser une pustule purulente, tant qu'à faire ? Comment peux-tu me dire une chose pareille ? s'insurge Anne-Marie. Tu ne sais pas ce que je vis !

— Alors, explique-moi comment tu peux en vouloir à ce point à Melissa au point de refuser de la voir pendant près d'une semaine ?

Anne-Marie replie ses jambes sur sa poitrine et ferme les yeux pour retenir ses larmes.

— Je sais, c'est con, mais… je me sens comme si c'était moi qu'elle avait trompée. Melissa et toi, vous m'avez soutenue après mon divorce d'avec Pierre-Luc, vous l'avez insulté devant moi, l'avez traité de salaud et tout. Melissa m'a tellement bien supportée, bien comprise. Elle a vu tout le mal que ça m'a fait, a ragé contre l'infidélité de Pierre-Luc. Et là… elle a fait exactement la même chose que lui !

Anne-Marie a presque crié ses dernières paroles.

— Tu comprends, c'est un peu comme si, pendant tout ce temps où elle m'a soutenue contre Pierre-Luc, elle m'avait menti. Comme si au fond, elle était comme lui. Je me sens comme si elle m'avait trahie. Je me suis sentie trompée une seconde fois.

— Melissa n'est pas comme Pierre-Luc ! Crois-moi !

— Je sais bien, mais j'ai du mal à me défaire de cette idée. Comment a-t-elle pu ?

Mylène soupire et s'assoit aux côtés d'Anne-Marie.

— Tout d'abord, ce que Melissa a fait, ce n'est pas à toi qu'elle l'a fait. Mets-toi bien ça dans la tête. Ce qui s'est passé entre Melissa, Gabriel et Jean-François ne te concerne absolument pas. Tu es parfaitement extérieure à tout ça. Elle ne t'a pas fait ça *à toi*, répète-t-elle.

Anne-Marie renverse la tête par en arrière et respire à fond. Elle rumine les paroles de Mylène. Elle sait qu'elle a raison, même si son ego blessé pense le contraire.

— Alors, c'est bien de Gabriel qu'il s'agit ? Et dire qu'elle prétendait le contraire quand on l'agaçait à ce sujet !

— Je pense qu'elle n'en avait même pas conscience à ce moment-là.

— Le déni n'aura pas duré longtemps.

— Il faut croire. En fait, à bien y penser, Melissa n'a rien fait à Jean-François non plus. Elle ne l'aimait probablement plus, mais refusait de se l'admettre. Et même si elle a tenté de continuer à porter son couple à bout de bras, elle est tombée amoureuse d'un autre homme. Les sentiments, on ne les contrôle pas comme on veut. Et quand elle a couché avec lui, ce n'était pas vraiment contre Jean-François. Elle a fini par céder à sa passion. Ce qui est bien typique de Melissa, au fond. Elle tente toujours de faire la bonne chose, d'être raisonnable, mais en réalité, elle est un être de passion et de sentiments. À mon avis, c'est bien parce qu'elle était malheureuse qu'elle s'est rendue là. Sinon, tout ça ne serait jamais arrivé.

— Elle est tombée amoureuse de Gabriel ? Elle te l'a dit ?

— T'es folle ! Tu sais bien que Melissa ne m'avouera jamais ça directement. Elle aimerait mieux se faire arracher les ongles à froid plutôt que de le dire. Je n'ai pas besoin qu'elle parle pour le deviner. Elle est transparente comme une feuille de verre. De plus, Gabriel est revenu la voir il y a quelques jours. Je ne voulais pas vraiment écouter, mais j'en ai saisi des bribes quand même. Il semble très épris d'elle et j'ai cru entendre qu'il laissait sa copine.

— Melissa va aller avec lui ? dit Anne-Marie interloquée.

— Bonne question. Melissa n'est pas sortie de l'auberge. Avec le divorce, la maison à vendre, la garde des enfants, c'est beaucoup. Et comme je la connais, elle doit être en train de se torturer avec tout ça. Je parie qu'elle aimerait mieux se faire bonne sœur et vivre dans l'abstinence en pleurnichant pour le restant de ses jours, juste pour se punir. Elle peut être tellement ridicule, des fois. Non, elle n'ira pas avec lui. Pas tout de suite, en tout cas. Peut-être avec le temps si elle finit par sortir de son masochisme idiot.

Anne-Marie reste silencieuse un moment.

— Je conçois que ce soit difficile pour toi, mais je pense que tu as tort de te sentir concernée. Melissa n'a jamais voulu te faire mal, ni à qui que ce soit d'ailleurs. Ce qui s'est passé n'était pas contre toi. Ça n'a rien à voir avec ton divorce. Ça ne change rien à ta relation avec elle. Alors, s'il te plaît, reviens à la boutique. On a besoin de toi – et moi, je vais devenir dingue !

Anne-Marie rigole.

— C'est vrai qu'en plus, tu ne sais même pas monter une vitrine ! dit-elle.

— Et je déteste utiliser du fondant ! C'est sûrement sorti de l'enfer, cette matière-là ! Ça sèche, ça craque, c'est horrible ! Je ne comprends toujours par comment Melissa parvient à en tirer quoi que ce soit. Si tu la voyais s'acharner d'une seule main, c'est du joli !

Les deux femmes rient à nouveau.

— D'accord, je serai là demain.

— Merci. Bon, j'y vais. J'ai une pièce de théâtre ce soir. À demain.

— À demain.

Alors que Mylène s'apprête à sortir, Anne-Marie l'appelle.

— Mylène ?

— Oui ?

— Merci de m'avoir secouée un peu.

— Quand tu veux. Les amies, c'est fait pour ça, non ? À quoi je servirais si je ne pouvais pas te remettre sur le droit chemin une fois de temps en temps ?

— À m'emmener me faire faire une manucure ! Je n'en ai presque pas eu depuis le divorce : plus les moyens.

— D'accord, une manucure pour madame.

— On se fixe un rendez-vous ?

— *Deal* ! Et une manucure à temps pour le printemps ! Tu veux des motifs fleuris ?

Chapitre 14

Dès le lendemain, Anne-Marie est de retour à la boutique et les choses reprennent d'une manière presque naturelle. En quelques jours, elle a repris sa place comme si elle ne l'avait pas quittée. Anne-Marie et Melissa se sont finalement réconciliées assez aisément et ont repris leurs vieilles habitudes. Étonnamment, Anne-Marie a même pris des nouvelles de Gabriel auprès de Melissa.

Il faut dire que de voir Melissa, le visage blême, le bras un peu faible, la fatigue au corps et la culpabilité encore bien accrochée au cœur, fait plutôt pitié à voir. Anne-Marie s'est dit que Melissa semblait souffrir assez et qu'elle n'allait pas en rajouter une couche.

Le samedi suivant, Melissa et Anne-Marie sont dans la salle de réception d'un club de golf à Rosemère, en train d'installer ce qui sera la table sucrée du mariage d'un cousin éloigné de Melissa. Une de ses commandes les plus importantes depuis le congrès. Veronica, toujours aussi motivée à aider sa fille, a réussi à lui dénicher ce lucratif contrat. Et puis, Melissa se change les idées. En quelque sorte. Disons qu'elle aurait préféré s'occuper d'autre chose que d'un mariage en ce moment.

De plus, Anne-Marie et Melissa ont choisi de faire ce contrat ensemble pour « renouer » bien que Melissa ne soit pas encore revenue au sommet de sa forme. Créer lui fait du bien et lui permet d'oublier ses problèmes, au moins momentanément. Cela donne également un petit congé à Mylène, qui en a pris beaucoup sur ses épaules ces derniers temps.

— Ah merde ! lance soudain Anne-Marie, sortant Melissa de ses pensées alors qu'elle dépose des petits bouquets sur la table de sa main valide.

— Qu'est-ce qui se passe ?

— J'ai oublié d'apporter les grandes plumes et les cages à oiseaux pour décorer la table !

Melissa secoue la tête en soupirant. Anne-Marie est toujours aussi étourdie. Si sa tête n'était pas attachée au reste de son corps, elle la perdrait sûrement. Elle jette un coup d'œil à l'extérieur par les fenêtres de la salle de réception. Les invités et les mariés sont encore à prendre des photos sur la terrasse du golf, aménagée avec soin pour l'occasion, dans un vague état de chaos et de cacophonie sûrement provoqués par un état d'ébriété relativement avancé, malgré l'heure qui elle, ne l'est pas.

Bon sang, à quelle heure la beuverie a-t-elle commencé ? Est-ce que tout le monde a entrepris de boire avant le début de la cérémonie ? Ou le prêtre a-t-il été excessivement généreux avec le vin de messe ?

Le marié, à quatre pattes par terre, fait semblant d'aller chercher la jarretière sous la crinoline de la mariée au moment où cette dernière lui donne des coups de bouquet sur la tête. Le reste des invités rit à gorge déployée en titubant un peu, sans s'apercevoir qu'un des leurs, dans un coin discret, est déjà en train de se frotter langoureusement et de manière suspecte sur un gros vase en pierre.

C'est à se demander s'il ne faudrait pas lancer des gageures pour deviner qui sera malade en premier et dans quel coin de la salle de réception. Melissa réfrène son envie de rire. Elle n'est pas mécontente que cette branche de la famille soit « éloignée ». Ils sont un peu *wild* à son goût.

À l'exception des enfants, les jeunes filles engagées pour disperser des fleurs derrière la mariée sont presque les seules à être sobres. Si elles n'ont pas bu, c'est sûrement parce qu'elles sont là pour travailler.

— Si ça continue, il va falloir que j'agisse comme avec mes enfants et que je te fasse un calendrier de routine pour que tu n'oublies rien, dit Melissa pour taquiner son amie.

— Je pense qu'il me reste du temps pour aller les chercher au magasin, dit Anne-Marie, ignorant la réplique de Melissa.

— Une chance que ce n'est pas loin, sinon je suppose qu'on aurait encore droit à l'aide du Professeur Tournesol.

— Pfff... vas-tu bien te taire ? Elle est gentille, madame Pinson, même si elle est bizarre. Tu as eu ta monnaie à temps pour l'ouverture grâce à elle, je te rappelle.

— Et les fleurs la semaine suivante, et les guirlandes il y a deux semaines... rigole Melissa. Bientôt, on va attacher tes sandales ensemble cet été pour ne pas que tu les perdes.

— Hé... ça suffit ! Bon, si tu as fini de me rebattre les oreilles avec tout ça, madame la parfaite, j'y vais.

— Apporte donc d'autres pots en verre pour le bar à bonbons et des présentoirs à *cupcakes*. J'ai l'impression qu'on va en manquer.

— Oui, boss ! rétorque Anne-Marie en mimant le mouvement de main d'un marine sur son front.

Anne-Marie part illico pour aller vers sa voiture en sifflotant. Melissa sourit en la regardant s'éloigner. Une chance qu'Anne-Marie est là pour lui remonter le moral avec sa bonne humeur ! Melissa est heureuse de retrouver la bonne complicité qui a toujours existé entre elles et de voir que leur amitié n'a pas été entachée par les événements récents.

En ce moment, malgré l'insouciance de son amie, malgré

le fait que sa mère est sûrement en état de grande nervosité pour elle, que sa famille va sans doute la juger sur la nature de son adultère, elle se sent bien. Enfin, pas trop mal. Et puis, travailler sur l'agencement des nappes, des tasses décoratives, des jarres à bonbons et des présentoirs colorés la remet dans de bonnes dispositions. Rien de tel que de travailler et de créer pour lui donner bonne humeur et lui faire oublier ses soucis! Euh… est-ce que c'est une tache qu'elle aperçoit sur la nappe écrue? Non, juste une poussière. Elle peut respirer.

Sur sa table sucrée, des menthes blanches sont disposées dans un large bol de verre. Tout autour trônent des vases de verre débordant de friandises roses à la framboise, de bâtons sucrés trempés dans le chocolat, de présentoirs jonchés de macarons roses et blancs. La présentation est complétée par des tours blanches de *cupcakes* au glaçage torsadé rose et blanc ainsi que les présentoirs couverts de *cake pops*.

Au centre de la table, un large gâteau étagé blanc à la vanille, décoré de fleurs et de torsades en sucre fuchsia, domine. La pièce de résistance de la journée, à n'en pas douter. Cette grosse pièce de pâtisserie a demandé des heures de travail et même l'assistance de sa collègue pâtissière.

Quelques rares espaces libres sur la table attendent d'être comblés par des bocaux vitrés ornés des fameuses plumes et cages à oiseaux décoratives. La légèreté et la douceur sont vraiment les thèmes de ce mariage, géré par la mariée et sa famille. L'époux n'a probablement pas pris part dans sa conception.

Melissa finit d'installer et de mesurer son installation, en chantonnant *Welcome to New York* de Taylor Swift, qui joue dans les haut-parleurs en attendant que le *band* termine de configurer ses micros et son ampli.

Welcome to New York… It's been waiting for you… It's a new soundtrack I could dance to this beeeeeeat… beeeeeeat… Forevermore… The lights are so bright… But they never blind meeeeee, meeeeee…

Soudain, elle sent une haleine chaude de porto dans son cou.

— Hmmm… ça a l'air bon, ça… marmonne une voix pâteuse derrière elle.

Elle sursaute et se retourne. L'invité qui se frottait langoureusement sur le vase tout à l'heure est entré dans la salle sans qu'elle s'en rende compte.

— Je parle des pâtisseries, bien sûr, dit-il en y jetant un regard affamé.

Melissa sourcille en lui jetant un regard assassin. Elle n'est pas dupe. Elle se doute bien que les friandises n'étaient pas son intérêt premier. Espèce de crétin alcoolique. Et puis, il a intérêt à ne pas toucher à ce qui se trouve sur la table, sinon, il va se ramasser une jolie baffe.

— La mariée a du goût, et pas juste pour la bouffe, poursuit-il d'un regard lubrique et éthylique, en s'appuyant de manière molle et chancelante sur la table.

Le gars tient à peine sur ses pieds : une posture digne de la tour du stade olympique. Il tente de remonter ses lunettes à monture noire sur son nez, mais avec un visou fortement réduit par l'alcool, il manque de s'estropier en se mettant un doigt dans un œil à la place. Melissa hésite entre s'inquiéter davantage pour l'intérêt qu'il lui porte ou pour sa nappe, qu'il est en train de faire glisser lentement mais sûrement, avec toute l'installation dessus.

— En effet, c'est une personne raffinée, contrairement à certains, rétorque Melissa d'un ton poli mais sec, espérant le repousser gentiment.

— Est-ce que vous faites partie du buffet, mademoi…

L'homme ne finit pas sa phrase. Une sacoche vient d'atterrir brusquement sur sa tête, dans un vacarme de monnaie et de clés. La matrone Veronica, toujours aussi vigilante grâce à ses multiples paires d'yeux lui permettant de tout surveiller, n'a rien perdu de la scène et est intervenue avec la furie d'une gorgone.

— Alexandro, va-t'en ! Laisse ma fille tranquille, espèce de voyeur ! Non, mais… dans un mariage, en plus ! Tu devrais avoir honte !

— Ça va, ça va, madame Carabella. Désolé, j'ignorais que c'était votre fille, plaide l'homme, penaud.

— Arrête, maman ! intervient Melissa. Il n'y a pas de mal, voyons ! Tout va bien.

— Ah mais si ! Manque de savoir-vivre impardonnable ! Pfff… tu devrais agir en gentleman, mon garçon.

Melissa retient un rire. Elle pourra toujours compter sur sa mère pour la protéger des dangers de l'univers. Y compris les ivrognes un peu trop chauds.

— Maintenant, excuse-toi, ajoute la dame.

— Voyons, maman, ce n'est pas nécessaire.

— Tais-toi, jeune fille. Cet homme t'a manqué de respect. Alexandro, excuse-toi.

Alexandro se tourne piteusement vers Melissa, mais au moment où elle pense qu'il va se plier aux exigences de Veronica, elle voit son visage pâlir subitement. Celui-ci a des mouvements étranges comme un serpent qui ondule et se met à éructer bruyamment. Melissa et Veronica l'observent, médusées. C'est ça, pour lui, s'excuser ? Il veut exécuter une danse exotique, ou quoi ? Alexandro se saisit tout d'un coup d'un vase rempli de bonbons de sur la table et y vomit soudainement son dîner dans un vacarme des plus dégoûtants.

Melissa et Veronica le fixent, horrifiées et stupéfaites.

Lorsqu'il a terminé son nettoyage d'estomac improvisé, Alexandro, encore plus confus, se tourne vers les deux femmes, l'air livide et mortifié. Il tend maladroitement le vase vers Melissa. L'odeur âcre la saisit à la gorge et elle recule en tournant la tête, retenant un haut-le-cœur.

— Euh… navré, je… j'ai sali votre…

— N'approchez pas ça de moi ! répond Melissa en reculant encore, un bras levé dans les airs.

— Excusez-moi. Je ne sais pas quoi dire.

Au moment où la situation pourrait difficilement paraître plus embarrassante pour Alexandro, ses lunettes glissent encore sur son nez et tombent dans le vase qu'il tient dans ses mains, au beau milieu de ses sucs digestifs qui se mêlent lentement aux bonbons à la framboise.

Il lève des yeux myopes encore plus piteux vers les deux femmes qui le regardent, tiraillées entre le dégoût et la pitié. Il comprend que ces dernières ne souhaitent pas du tout approcher leurs mains du contenu à l'aspect douteux pour aller y récupérer ses montures. Alexandro prend alors une serviette en papier sur la table et réussit à saisir les lunettes sales du bout des doigts. Melissa détourne légèrement la tête en faisant la moue et ne l'observe que du coin de l'œil. Elle déglutit avec peine en grimaçant.

— Encore désolé pour tout ça.

— S'il vous plaît, répond Melissa très lentement, emportez ce pot loin d'ici et jetez-le.

— Vous ne voulez pas que je le lave pour le récupérer ?

— Mon Dieu, non ! Je vais me débrouiller sans ça, croyez-moi.

Melissa aime mieux risquer d'avoir un pot et des friandises en moins sur la table que d'avoir un contenant qui a servi de réservoir à vomissures, bien lavé ou pas.

Sans dire un mot de plus et comprenant qu'il s'est assez humilié pour la journée, Alexandro quitte la salle de réception en silence, tenant le pot d'une main et les lunettes sales de l'autre. Melissa et Veronica le regardent s'éloigner. Melissa espère qu'il ira cuver son alcool dans un coin tranquille et sans faire de vague. Il semble avoir sa leçon.

Melissa s'empare de son téléphone cellulaire à toute vitesse pour joindre Anne-Marie.

— Salut! Comme tu retournes au magasin, tu peux m'apporter un autre vase avec une autre réserve de bonbons aux framboises, s'il te plaît?

— Tu me niaises? Tu ne trouves pas que t'en fais trop et qu'on en a assez comme ça, espèce d'angoissée finie? Et puis, on va mettre ça où, d'abord? La table est déjà pleine!

— Il est arrivé un petit accident avec le vase, répond Melissa.

— Merde, tu as encore essayé de faire comme si ton bras allait bien? Alors, tu as échappé le vase par terre? Ça a dû faire un méchant dégât avec tout ce verre pété! D'habitude, c'est toujours moi l'heureuse élue qui fait ce genre de connerie.

— Non, c'est pas ça qui est arrivé, marmonne Melissa entre ses dents.

Anne-Marie soupire à l'autre bout de la ligne.

— Allons, Melissa, après tout ce qu'on vient de traverser comme épreuves ces derniers temps, tu penses quoi? Que je vais m'effondrer de douleur en sachant les détails d'un simple accident de vase? Franchement!

C'est au tour de Melissa de soupirer en levant les yeux au plafond. L'aspect *drama queen* d'Anne-Marie est bien la seule chose qui ne lui avait pas manqué.

— Un invité a vomi dedans! rétorque-t-elle. Là, t'es contente?

Un long silence accueille sa révélation. Pourtant, la ligne n'est pas coupée, on entend encore les bruits de fond de l'auto d'Anne-Marie dans l'écouteur du téléphone.

— Allô? Anne-Marie? Tu es toujours là?

— T'as raison, je ne voulais pas le savoir.

— Je te l'avais dit. Je te connais quand même depuis vingt ans, tu sais.

— Ouais, bon. Je t'apporte ça. Salut.

Melissa raccroche. Au même moment, un vacarme attire son attention derrière elle. Les deux mariés entrent dans la salle de réception et ils semblent s'engueuler. Derrière eux, les jeunes filles continuent inlassablement à lancer les fleurs derrière la mariée. À leur suite, une fillette de trois ans se lance sur les pétales tombés et les ramasse en criant: « Dégât! Dégât! »

La longue traîne de la mariée se coince dans le cadre de la porte, l'empêchant subitement d'avancer. Elle recule, se retourne et se saisit du voile pour le tirer brusquement dans un bruit de déchirement. Mais la mariée est tellement en furie qu'elle s'en fout.

Melissa et Veronica se zieutent mutuellement, interloquées. Melissa soupçonne que la crise a un rapport avec la séance improvisée à quatre pattes de monsieur, qui jouait sous les jupons de sa nouvelle femme. De fait, le bouquet de cette dernière est dans un état lamentable. Est-ce seulement parce qu'elle a presque assommé son époux avec le bouquet ou est-il arrivé autre chose?

— Bon sang, mais qu'est-ce qui t'a pris? hurle Sophia, la mariée.

— Ben là, c'était juste une blague, répond Carl, le marié,

les mains en l'air comme s'il se défendait. Tsé, si on ne peut plus rire à son propre mariage…

— Un mariage, c'est sérieux! rétorque-t-elle, en furie. C'est censé être le plus beau jour de notre vie, c'est pas le moment de faire des conneries, ajoute-t-elle, les larmes aux yeux.

Melissa se dit que décidément, Sophia ne connaît pas les vertus du yoga maman-bébé pour vaincre l'anxiété et aurait sérieusement intérêt à s'y mettre si elle ne veut pas se taper un anévrisme dans les prochains jours. Sa nervosité semble atteindre un paroxysme. Et au rythme où les choses se déroulent en ce moment entre les nouveaux mariés, Melissa se dit que les enfants n'arriveront sans doute jamais, et que les chances que Sophia connaisse le bonheur de ces cours de yoga sont aussi minces que le voile qu'elle porte sur la tête. Et disons que l'idée de se glisser entre les deux mariés pour faire une suggestion de *coaching* zen n'est pas des plus indiquées. Sa proposition a peu de chances d'être accueillie avec des airs sereins à la *Kumbaya*.

Déjà que pour Melissa, les questionnements sur le couple et sur l'amour ont envahi sa vie; elle a perdu beaucoup de ses illusions récemment. À étudier le comportement de ces deux moineaux-là, elle songe que si la tendance se maintient, ils pourraient bien la rejoindre dans le clan des joyeux divorcés. Et plus vite qu'il n'en faut pour crier « gâteaux »!

Les invités sont sur le pas de la porte, hésitant à entrer pour assister de près à une scène d'un ménage qui vient pourtant juste de s'inaugurer officiellement. Les musiciens, qui tentent encore de faire fonctionner leur attirail, sont doublement concentrés sur leurs instruments de musique.

— Le plus beau jour de notre vie, t'exagères pas un peu? répond Carl, visiblement irrité lui aussi. C'est pas comme si on n'en avait jamais eu avant et qu'on n'en aura pas d'autre après, franchement !

— Carl, comment peux-tu dire ça ? dit Sophia, la voix chevrotante et le menton tremblotant. C'est la consécration de notre amour, qu'on vient de vivre ! Ça ne compte pas pour toi, tout ça ?

Carl se dirige vers le bar, de l'autre côté de la table sucrée.

— J'ai besoin d'un verre.

— Quoi ? Ah non, tu as assez bu comme ça ! crie Sophia en s'interposant entre Carl et le bar, les bras en croix, de manière théâtrale.

— Sophia, tu ne m'empêcheras pas d'avoir du fun le jour de mon mariage !

— Si c'est pour faire encore un fou de toi, sûr que je vais t'en empêcher ! Te mettre à quatre pattes devant tout le monde pour déconner en dessous de ma robe, c'était pas assez ? Tu veux encore t'humilier devant ma famille ? Devant tout le monde ? Et m'humilier en même temps ?

— Je vais faire un fou de moi autant que je veux ! Ce n'est pas juste *ton* mariage, Sophia ! C'est le mien aussi ! J'ai payé autant que toi pour toute cette merde-là et probablement même plus ! Ça fait que je vais rentabiliser mon investissement pour être sûr de bien en profiter. Et si je décide de boire et d'avoir du fun, tu as intérêt à ne pas m'en empêcher !

Ça commence à dégénérer sérieusement. La nuit de noces risque d'être mouvementée, mais sûrement pas de la façon traditionnelle. Melissa recule et rentre la tête dans ses épaules en voyant tout ça. Elle a presque envie de se cacher sous la table. Même Veronica, que peu de choses impressionnent et qui est comme un ouragan à ses heures, semble ne pas savoir où se mettre. Elle se demande si elle ne devrait pas faire semblant de s'occuper. Compter les serviettes en papier, par exemple.

— Ben oui, super idée ! crie Sophia. Fais le débile, c'est la bonne journée pour ça ! Tu pourrais aussi passer la nuit avec le bouquet de noces et te branler avec, tandis que tu y es !

— J'aurai probablement plus de fun avec ce bouquet qu'avec toi, en tout cas !

Carl tente de se diriger vers le bar, mais Sophia, toujours aussi entêtée, essaie de lui barrer la route. Carl veut la contourner, mais elle se déplace presque aussi vite que lui. On dirait une partie de football, mais sans l'équipement, les verges et le ballon. Carl fait semblant de passer à gauche de Sophia, puis se dirige brusquement vers la droite.

Elle veut encore l'en empêcher. Mais au même moment, Carl se prend les pieds dans la grosse traîne de Sophia. Il fait des moulinets avec les bras, tout en exécutant des pas de danse peu élégants.

Comme dans un film au ralenti, Melissa le voit se diriger tout droit vers sa table ! Pendant un quart de seconde où elle a plus ou moins le temps de réfléchir, elle se demande si elle doit tenter d'attraper Carl – qui doit mesurer un mètre quatre-vingt et peser quatre-vingt-dix kilos – ou essayer de protéger le contenu de sa table. Elle se précipite entre le marié et la table, toujours incertaine de ce qu'elle doit faire.

Carl parvient vaguement à se stabiliser. Mais ce faisant, il agrippe la nappe, qui glisse à toute vitesse, entraînant un présentoir de macarons, une tour garnie de *cupcakes*, ainsi qu'un présentoir couvert de *cake pops* et le bol de menthes.

Carl s'étend de tout son long sur le sol, la nappe dans les mains, recevant tout ce bazar sur la tête, dans un fracas incroyable, sous les cris et les hurlements.

Melissa voit avec horreur le grand gâteau blanc étagé glisser avec le reste de la nappe en direction du plancher. Non, pas le gâteau! Elle se lance dessus pour le retenir. De son côté, Veronica attrape la nappe pour empêcher Carl de tirer davantage dessus. Elle lui donne quelques coups de sacoche bien sentis sur les mains.

Melissa tente d'attraper le gâteau avant qu'il n'atteigne le bord de la table, mais avec un seul bras, elle ne parvient pas à le retenir aussi bien qu'elle le voudrait...

La catastrophe totale est à demi évitée, puisque le gâteau est à demi gâché. Pendant un court instant, tout est immobile et on dirait que le temps s'est arrêté.

Melissa recule d'un pas, repousse le gâteau au centre de la table. Le crémage avec les fleurs en sucre est légèrement gâché. Quant à Melissa, son visage et sa veste sont pleins de glaçage et de sucre blanc et rose.

Carl, couvert de céramique, de verre, de bonbons et de gâteries, lève lentement la tête, une main encore accrochée à la nappe. Tranquillement, il s'accroupit, puis se remet péniblement debout. Il regarde Melissa, mal à l'aise. Des morceaux de glaçage tombent de son menton. Melissa tente une nouvelle fois de penser à sa plage de Tampa Bay, et respire à fond pour ne pas perdre patience – après tout, c'est un client qui l'a payée. Elle retient sa main, qu'elle a envie de balancer à la figure de Carl, la plonge plutôt dans la poche de sa veste pour y prendre un mouchoir et s'essuie aussi dignement que possible.

Elle a une pensée pour sa mère qui tenait mordicus à ce qu'elle s'occupe de ce fichu mariage d'hystériques où tout le monde boit, hurle, vomit tous azimuts et tombe en pleine figure à la première occasion. Dire qu'ils sont censés être des cousins éloignés!

— Euh… je suis vraiment navré pour tout ça, bégaye Carl, qui tente d'enlever des miettes et des morceaux de vitre de ses cheveux.

Melissa grogne. Elle a subitement un air de déjà vu.

— Ce n'est rien, répond-elle en se forçant à sourire. Je vais m'arranger. Je vous charge un extra bien sûr.

— Mon Dieu, le gâteau ! hurle Sophia. Il est tout défait !

Melissa s'avise qu'un des côtés est effectivement amoché.

— Mais non, voyez, dit-elle, de son air le plus calme et le plus jovial. Je n'ai qu'à le tourner pour montrer l'autre côté, qui est intact et… tadam ! Voilà, tout est parfait ! On ne voit que le beau côté, maintenant !

Sophia regarde le gâteau, les yeux dans l'eau et les lèvres tremblantes. Soudain, elle éclate en sanglots et retourne en courant dehors, sous les yeux médusés des invités.

— Sophia, attends ! crie Carl, qui disparaît à sa poursuite.

Difficile de croire que le party n'est même pas commencé encore.

Aussitôt, la mère de la mariée et Veronica font entrer les gens dans la salle, pour laisser les mariés s'entretuer en paix. L'orchestre attaque enfin, sous la pression des deux femmes, qui veulent préserver les apparences à tout prix.

Melissa fait signe à des employés du golf de ramasser les dégâts. Elle rappelle aussitôt Anne-Marie.

— Ouais ? demande Anne-Marie, d'un ton à la « Qu'est-ce que tu veux encore, espèce de *control-freak* achalante ? »

— Es-tu déjà en route ?

— Non, soupire Anne-Marie. Je fais aussi vite que je peux ! Mais j'ai dû chercher ton fichu présentoir et…

— Te presse pas trop, dit Melissa. J'ai autre chose pour toi.

— Hein ?

— Il faut rapporter d'autres présentoirs, des macarons roses et blancs, une tour à gâteaux, des *cupcakes* au glaçage torsadé rose et blanc, des *cake pops,* un bol en verre et des menthes blanches.

— Dis-moi que tu me niaises ! répond Anne-Marie. C'est quoi, l'idée ? Les invités ont muté et se sont multipliés par deux depuis que je suis partie, ou quoi ?

— J'aimerais bien faire une blague, mais je suis sérieuse. On en a absolument besoin.

— Mais t'es folle ! Comment on est censées préparer une nouvelle fournée de tout ça en un délai aussi court ?

— T'inquiète, j'en avais préparé plus et j'ai une réserve. Tu n'as qu'à regarder dans le frigo.

— Oh... bien là, je t'avoue que je suis impressionnée.

— Et toi qui me trouves folle de toujours en préparer trop, la taquine Melissa.

— Ça va, je retire ce que j'ai dit. Je ne t'accuserai plus jamais d'être complètement folle quand tu en fais trop.

— Plus jamais ?

— Ouais, je t'accuserai juste d'être à moitié folle. Maintenant, puis-je savoir à quoi ressemblait le « petit accident » cette fois ?

Silence au bout de la ligne. Melissa devine l'air découragé d'Anne-Marie et son sourcil gauche relevé, comme chaque fois qu'elle est contrariée.

— Je suppose que je ne veux pas savoir de quoi il s'agit ? insiste Anne-Marie.

— Je t'expliquerai plus tard.

— D'accord. Ça roule, ma poule.

— Merci. Je t'ai déjà dit que j'étais vraiment chanceuse d'avoir des amies comme toi et Mylène ?

— Essaie pas, tu me dois un verre, ce soir. Gros et cher, avec un parasol dedans.

— Vendu ! Maintenant, arrive ! On a un mariage à boucler.

— Oui, chef !

Chapitre 15

Ayant enfin repris son ancien rythme de travail, Anne-Marie s'est empressée de monter une nouvelle vitrine, trouvant déjà l'ancienne passée de mode. Après tout, c'est le mois de mai, place à davantage de chaleur et exit les poules et les petits lapins de Pâques! Anne-Marie a constamment besoin de renouveau. Elle a opté pour de la vieille vaisselle de porcelaine blanche ornée de fleurs mauves. Des bouquets de lavande séchée, des napperons dentelés, des figurines d'oiseaux et des drapés de velours lilas complètent le tout. Un air neuf pour souligner l'été qui arrive.

Elle a même décidé de faire fabriquer une affiche style BD rétro pour la poser dehors, à l'entrée, question d'attirer les clients.

Melissa a complètement repris goût à son travail et est sortie de sa torpeur. Juste à temps pour s'apercevoir que Miss Caprice fêtera son premier anniversaire! Pour l'occasion, Melissa a décidé de célébrer en faisant deux promotions sur la page Facebook de la boutique. La première: un mini-*cupcake* gratuit pendant vingt-quatre heures à tous ceux et celles qui apporteraient l'offre imprimée sur papier. La seconde: pendant une semaine, cinquante pour cent de rabais sur la douzaine de mini-*cupcakes* ou la demi-douzaine de *cupcakes* réguliers. Les deux événements ont fait un tabac sur les médias sociaux.

Mylène s'est arraché les cheveux à cause de la logistique complexe et de l'effort supplémentaire à fournir pour produire des quantités acceptables de petits gâteaux. Sans compter qu'elle était terrifiée à l'idée de donner autant de desserts gratuits, ne fût-ce que pour vingt-quatre heures – elle qui n'aurait même pas peur d'un dinosaure en furie, c'est peu dire. Un peu plus et elle croyait à une faillite. Par chance, le bras de Melissa, pratiquement fonctionnel, a pu opérer presque à plein rendement.

L'expérience a donné raison à Melissa : les clients ont afflué. Les habitués, comme madame Pinson, les locataires de la résidence pour personnes âgées, ainsi que les ados, en ont profité. Veronica, Leo et les enfants de Melissa sont venus aussi. Cette dernière a secrètement espéré Gabriel, mais il n'est pas reparu.

Melissa et Jean-François ont recommencé à communiquer, par courriel ou par texto, surtout. Le minimum, sans plus, essentiellement pour gérer les déplacements des enfants. Ce mode de communication rend les choses plus faciles entre eux. Ils ont entrepris de régler les détails des finances et de la garde des enfants – le plus pressant. Même si ces démarches confirment leur séparation définitive, Melissa s'en trouve soulagée, préférant l'évolution, même dans cette direction, à une stagnation où il ne se passerait absolument rien.

Ses enfants lui manquent. Elle ne les a pas vus depuis près d'une semaine déjà. C'est à la limite du supportable. Par chance, elle peut leur parler presque tous les jours. Mais leurs bisous, leurs câlins, leurs mains douces, leur fraîcheur et leur naïveté, leurs petites voix flûtées lui manquent. Elle a hâte de faire des casse-tête avec Raphaël, des bricolages de paillettes avec Florence et de chanter des comptines avec Rosalie. Ses soirées, chez Leo, lui paraissent vides. Trouver une nouvelle maison ou un appartement où elle pourra déménager et avoir les enfants une semaine sur deux devient vraiment impératif.

Lorsque Jean-François et Melissa ont annoncé leur rupture aux enfants deux semaines plus tôt, Florence s'est écriée :

— Wow! Alors, on va être en vacances chez maman une semaine sur deux? Comme quand on va chez grand-maman!

Jean-François et Melissa ont été surpris de la réaction positive de Florence, qui ne saisit vraisemblablement pas toutes les subtilités de la situation. Raphaël a demandé s'il aurait encore à manger du brocoli et Rosalie n'a rien dit; encouragée par le zen apparent de ses aînés, elle a toutefois souri. Et dire que leurs parents s'inquiétaient de leur réaction. Peut-être mesureraient-ils avec le temps ce qui se passe vraiment.

À l'aide de Leo et de Stéphane, Melissa cherche un nouveau nid où s'installer. Le plus près possible de son ancienne maison. Pas question de déraciner ou de perturber les enfants davantage.

Veronica a annoncé qu'elle l'aiderait financièrement au besoin. Soit en participant à la mise de fonds pour sa maison, soit en l'aidant avec les dépenses de la boutique, si nécessaire. Pas question pour elle qu'elle risque de perdre son commerce après tant d'efforts. Elle parle peu de son « écart de conduite », même si Melissa a senti qu'elle était déçue. Sa mère a tenté d'insister un brin et de voir s'il n'y avait pas moyen de recoller les pots cassés avec Jean-François, mais Melissa lui a fait comprendre que sa décision est sans appel. Que peut-elle espérer pour l'avenir désormais? Pourra-t-elle jamais rebâtir une relation solide? Une relation où elle se sentira libre, soutenue plutôt qu'opprimée?

— Regarde celle-là, elle a de beaux lavabos en marbre, dit Leo en lui montrant des photos de maisons sur Internet.

— Ben oui, et pourquoi pas des planchers de cristal, tant qu'à y être ? Tu oublies que mon budget est limité, Leo.

— Je ne peux pas croire que tu lorgnes cette autre maison, s'exclame Veronica, qui est avec eux. Elle est complètement à refaire.

— C'est ce que je peux me payer, maman. Et elle n'est pas si mal que ça.

— Évidemment, si on considère que ça a sûrement déjà été un chalet de campagne, répond Veronica, ironique. Et puis, il y a un triangle au-dessus de la porte. Je n'aime pas ça.

Melissa lève les yeux au plafond. Elle apprécie l'aide de sa famille, mais elle sent qu'ils vont lui compliquer la tâche. La recherche s'annonce joyeuse.

❀ ❀ ❀

Voyant ses amies en bonne forme et se sentant moins seule à tenir le fort, Mylène peut recommencer à penser à elle-même. Elle s'est enfin décidée à retourner voir Christian. Étrangement, le fait de voir Melissa renouer avec Gabriel lui a donné l'impulsion dont elle avait besoin pour se motiver. Elle n'a pas envie d'être comme son amie et d'hésiter pendant des mois avant de prendre le taureau par les cornes.

Carpe diem ! s'est-elle dit.

Elle ne voudrait pas manquer l'opportunité d'avoir quelqu'un d'inusité et d'intéressant dans sa vie, simplement par peur... Peur de quoi, elle n'en est pas sûre. Du ridicule ? De se rendre vulnérable ? D'avoir un malaise si ça ne marche pas avec Christian et qu'elle le revoie par la suite ? Peut-être tout ça.

Et il est vrai que Mylène est habituée de vivre en solo

depuis longtemps. La princesse s'est réveillée par elle-même il y a longtemps et le prince charmant a été pour ainsi dire évacué du portrait. Elle est devenue confortable dans cette vie, et entrer dans le bal compliqué d'une relation l'effraie un peu. Surtout en regard de la vie amoureuse de ses amies. Que dire? Même la drague la fatigue. Elle trouve les relations de couple souvent trop complexes. Elle risque de bousculer sa vie relativement confortable et pour quoi? Aucune garantie que ça fonctionne.

Mais elle sait qu'elle aura davantage de regrets si elle ne fait rien du tout et laisse les choses s'étioler. Ce qui aurait pu être. Elle aime mieux essayer puis échouer que rester inactive. L'immobilité et l'incertitude, elle déteste. La vie n'a pas à être compliquée inutilement, et ce n'est pas le genre de Mylène d'avoir peur non plus.

Peu avant la fermeture de la boutique en ce mardi de mai, elle laisse Melissa et Anne-Marie travailler ensemble. Elle marche en direction du Temps retrouvé. Le soir est doux et la ville sent le printemps. Elle se demande si Christian n'a pas déjà tourné la page après leur dernière rencontre, car elle n'a eu aucun signe de sa part, pas plus qu'elle n'en a donné. Et si elle s'humiliait en lui disant oui trop tard? Un élan de panique s'empare d'elle. Elle s'arrête un moment, ferme les yeux et respire. Voyons… personne ne meurt de ça. Ce serait une déception, mais elle y survivrait, c'est sûr. Son ego est plus solide que ça. Elle ouvre les yeux et continue son chemin.

Lorsqu'elle entre, on dirait vraiment que rien n'a bougé. Elle ne sait pas si c'est à cause de la poussière, toujours aussi omniprésente, mais il lui semble que ce magasin ne change pas. Il paraît réellement figé dans le temps, comme les objets séculaires qui s'y trouvent. Tout près, un couple de personnes âgées discute avec Christian, à côté d'une grande table en acajou. Comme toujours, Christian est vêtu d'un jeans, d'un t-shirt et de son veston en denim bleu marin.

Au moment où elle entre, Christian se tourne vers elle. Aussitôt, il sourit. Bon, c'est rassurant. Discrètement, de la main, il lui fait signe d'attendre. Mylène n'est pas pressée de toute façon. Elle explore le magasin et son bric-à-brac. Rien ne lui semble aussi repoussant que la première fois où elle est venue. Elle repense au sourire que Christian a eu en la voyant entrer. Pendant une fraction de seconde, elle a eu l'impression qu'il s'agissait d'un sourire satisfait. Le sourire du conquérant qui n'est même pas surpris, car il s'attendait à gagner de toute façon, et qui se sent enfin sur le point d'obtenir ce qu'il veut. Serait-elle un trophée pour lui?

Mylène secoue la tête. Non, ça ne paraît pas son genre d'être comme ça.

Elle écoute discrètement la conversation de Christian avec ses clients, qui sont de toute évidence des habitués de la place. Ils sont en train de régler les derniers détails de livraison d'une table en acajou. Le couple, pourtant visiblement retraité, n'en finit plus de trouver des raisons de ne pas se trouver chez soi en semaine pour la livraison de la table. Golf, course aux bazars, magasinage de plantes pour le printemps, théâtre, cours de tango, ils ont toujours quelque chose! À croire qu'ils ont un agenda aussi rempli que celui du premier ministre! Mylène soupire. Elle n'a qu'une envie: les foutre à la porte à grands coups de pieds dans le derrière pour avoir enfin son tour avec Christian! Après un moment interminable, le vieux couple part finalement.

Enfin, elle a Christian tout à elle!

— Bonjour Mylène. Que puis-je pour vous? demande Christian, avec un petit sourire en coin.

Mylène sort alors le peigne d'argent et de cristal de sa sacoche et le montre à l'antiquaire.

— Dites-moi, vous avez d'autres pièces fabuleuses comme celle-ci ? Je l'aime beaucoup et j'aimerais bien en avoir d'autres du genre.

Le sourire de Christian s'élargit encore, alors qu'il décide d'entrer dans la petite mise en scène de Mylène.

— Il y a plusieurs magnifiques barrettes ici, dit-il en lui en montrant quelques-unes trônant dans un écrin de velours rouge. J'en ai qui sont plutôt art déco, mais je pense que celle-ci, qui date de 1904, est plutôt d'inspiration art nouveau : elle vous irait à ravir et s'harmoniserait très bien avec votre peigne, ajoute-t-il en prenant un air faussement solennel de vendeur.

— Et combien vous devrais-je, pour cette barrette ?

— Seulement un souper en ma compagnie.

— À quel endroit ?

— Est-ce que ma demeure vous irait ? Je vous avertis, elle est modeste.

Mylène sourcille. Elle se demande s'il est sage d'aller dans un endroit privé avec lui tout de suite. Après tout, elle le connaît à peine. Christian remarque son hésitation.

— On peut toujours aller au restaurant aussi, dit-il. Mais je dois avouer que je n'aime pas beaucoup les restos. Je trouve ça impersonnel.

Mylène hausse les épaules. Malgré son hésitation, elle sent Christian digne de confiance. Après tout, il l'a longuement observée à son insu sans jamais lui faire de mal. S'il avait voulu s'en prendre à elle, il en avait amplement l'occasion et l'aurait sûrement déjà fait.

— Non, dans ta modeste demeure, ça me va.

— On pourrait même aller dans le jardin de la cour arrière, si tu le désires.

Sans s'en rendre compte, Mylène vient de passer au tutoiement et Christian lui a emboîté le pas, ce qui n'est pas pour lui déplaire. Les mises en scène, c'était charmant, mais elle préfère la communication simple et directe.

— Va pour le jardin, dit Mylène.

— Quel moment serait le mieux ?

— Samedi soir prochain, tu es libre ?

— Je suis libre. Rencontre-moi ici à dix-sept heures.

— Parfait, alors à samedi.

❁　❁　❁

Comme convenu, Mylène se trouve en face de la vitrine du Temps retrouvé le samedi, à l'heure prévue. Elle en a glissé un mot à ses amies, qui en ont profité pour la taquiner doucement. Elle a voulu porter quelque chose d'un peu plus chic, mais elle savait qu'elle attirerait les blagues de Melissa et Anne-Marie et s'en est tenue à un vêtement joli, mais pas trop tape-à-l'œil. Au même moment, Christian ferme boutique, comme tous les samedis. Il s'arrête devant Mylène et met ses mains dans les poches de son veston.

Mylène remarque alors qu'elle ne l'a jamais vu autrement que souriant. L'air triste, fâché, soucieux ? Jamais. Christian a toujours cet air relax et serein, au-dessus de ses affaires. Comme si rien n'avait d'emprise sur lui. D'accord, elle ne l'a pas vu si souvent que ça, mais tout de même. C'est à la fois charmant et agaçant. Comme s'il était trop sûr de lui, trop confiant, trop parfait.

— On y va ?

— Je te suis.

Tous deux marchent à travers les rues de Sainte-Rose. Le temps est chaud, il fait soleil et la promenade est agréable.

Mylène espère néanmoins que ce ne sera pas loin, ses chaussures lui blessent les pieds. Ils tournent alors dans une petite rue qui, autrefois, aurait ressemblé à une allée de chalets. L'asphalte est crevassé, les trottoirs inexistants, les maisons vieilles et les arbres matures. Au-dessus, cachés dans le feuillage, quelques oiseaux chantent sur cette soirée qui s'annonce belle.

Si Mylène avait été une romantique sensible, elle se serait sans doute extasiée de l'aspect bucolique de la chose et du fait qu'elle a drôlement bien choisi sa journée. Mais ça, c'est plutôt le genre de Christian.

— Spécial, ce chant, non ? dit-il en pointant un geai bleu.

— Spécial en effet, dit Mylène. Personnellement, j'ai toujours trouvé que les geais bleus, ça chantait comme des poulies rouillées.

Christian éclate de rire.

— Tu es vraiment drôle, répond-il en secouant la tête.

Ils arrivent à un petit bungalow datant probablement des années cinquante. « Comme si Christian avait pu vivre dans une maison moderne, de toute façon », songe Mylène en souriant.

— Passez, madame, dit-il en lui ouvrant la porte.

Elle entre. Sans grande surprise, presque tout, dans cette maison, semble sorti d'un autre âge. Plus précisément, des années soixante-dix. Christian aime vraiment vivre dans le passé. Il ne prend jamais congé de son travail ou quoi ? Acheter des choses neuves, c'est impossible pour lui ? Voyant le regard interrogatif de Mylène, il explique.

— Cette maison appartenait à mes parents. Ils me l'ont léguée, il y a quelques années. Évidemment, j'ai tout conservé ce qu'il y avait à l'origine. Viens au jardin, on y sera très bien, surtout en cette belle soirée.

Mylène sent qu'il ne souhaite pas s'étendre sur le sujet de la maison et de la famille pour le moment. De toute manière, elle n'est pas pressée et apprendra bien à le connaître davantage.

La cour lui offre une double surprise. Tout d'abord, le jardin est rempli de fleurs. Des asters roses, des arbustes d'aubépine et de bougainvillier rouges, des bégonias blancs, des iris orange, des coquelicots rouges, un magnolia blanc, des camélias roses, du myosotis bleu, les variétés ne manquent pas. Mylène ne pensait pas que Christian était un mordu d'horticulture. Pourtant, elle n'est pas si surprise. Encore une autre passion colorée.

Sa deuxième surprise est de voir une quinzaine de chats errant dans la cour. Certains sont couchés dans les plantes ou sur la table à pique-nique, assis dans les escaliers ou debout sur la clôture de bois. Dès que Mylène et Christian sortent de la maison, tous les regards vert émeraude des chats convergent vers eux, presque comme s'ils les attendaient. Ce qui crée une ambiance étrange, vaguement surréaliste. *The Birds*, version chat.

Encore une fois, Christian rit en voyant les points d'interrogation se multiplier dans le regard de Mylène et son hésitation devant les multiples minets se prélassant comme aux jardins de Babylone.

— Le jardin, c'est ma mère qui l'a fait, explique-t-il. Je l'entretiens à peine. Quant aux chats, c'est ma contribution au quartier. Je les nourris, je les fais souvent opérer et je les héberge. Ce sont des animaux très agréables, indépendants et pas exigeants. Pas comme un chien.

— Laisse-moi deviner, ça te laisse toute la liberté dont tu as besoin.

— Je vois que tu commences à me connaître un peu.

Mylène ne sait pas pourquoi, elle imagine mal Christian avoir des engagements. Il semble plutôt aller au gré du vent, suivre son instinct et ses émotions selon le bon vouloir des saisons – ou d'autre chose, mais elle ignore quoi. Un genre bohème épris de légèreté et de grands espaces.

Christian retourne à l'intérieur et rapporte un panier, qu'il dépose sur la table. Mylène rit intérieurement en repensant au fait qu'Anne-Marie croyait tout d'abord qu'il s'agissait d'un tueur en série.

— Alors, nous avons un souper simple ici, dit Christian. À la bonne franquette, comme on dit. Pain, viandes froides, fromages et vin. Ça te va ?

— Tout à fait, dit Mylène.

Et ils ont passé la soirée à discuter de chats, de vins, de plantes et de leurs vies personnelles.

Christian a raconté comment son père a ouvert son magasin d'antiquités il y a près de quarante ans. Comment lui, son grand frère et sa mère ont sillonné les routes avec leur père pour aller dans les bazars, les vieilles maisons campagnardes et les encans, à la recherche d'objets rares ou inusités pour garnir la vitrine et la boutique. Il raconte les nombreuses rencontres en tous genres faites durant ces années. L'amour des objets ayant une histoire, que son père lui a enseigné, ainsi qu'à son frère Bruno. La famille Carpentier sur la route, c'était un peu comme *La petite séduction* avant le temps.

Ce qui n'empêchait pas la mère de Christian, Carole, d'être infirmière à temps plein, tout en s'occupant de ses garçons, de son jardin et en aidant son mari à la boutique. Christian, doué en peinture, se vouait sans doute à une carrière aux beaux-arts.

Malgré une enfance pleine et heureuse, Christian a eu

une période mouvementée à l'adolescence. La vie trop *cute*, trop parfaite, trop douce, à se promener de village en village en voiture familiale décrépite, à la recherche de trésors, l'ennuyait. Il n'y avait pas assez de drame, de douleur, ça se passait trop bien dans cette existence pour l'ado idéaliste, révolutionnaire et en mal de vivre qu'il était. Christian regrettait presque d'être né dans un pays tranquille, dans un quartier familial simple, où il n'y avait ni guerre ni fusillades meurtrières. Il se cherchait une raison d'être révolté.

Christian a commencé à boire, puis à fumer, et enfin à se droguer, à faire les quatre cents coups avec ses amis et à faire des courses de voiture sur des routes isolées. Ses parents tentaient de le raisonner, mais plutôt mollement, se disant que jeunesse devait se passer. Ils sont allés à quelques reprises le cueillir au poste de police, où Christian aboutissait parfois. Ce genre de situation le faisait beaucoup rire à l'époque, et il sortait souvent de là fier de son coup.

Il s'étourdissait d'action et cela lui donnait l'impression de vivre. Vivre enfin intensément, pas selon un mode de vie plat à courir les vieux meubles et les machins *gossés* dans le bois par des vieillards pauvres dans un bled perdu.

— Alors, même si tu avais tout pour être heureux, ça ne t'a pas suffi.

— Exact. Mon frère essayait de me raisonner aussi, de m'inculquer une dose de bon sens, en vain. À l'époque, je le trouvais trop responsable, trop parfait lui aussi. Cela m'énervait au plus haut point et je ne me gênais pas pour montrer mon mépris arrogant envers ma famille trop tranquille. Quant à mon frère, il s'alignait pour devenir le digne successeur de notre père.

— Que s'est-il passé ?

— La vie m'a donné une dure leçon. Quand j'avais

dix-sept ans, Bruno, en partant chercher un meuble de machine à coudre antique près de Trois-Rivières, a été embouti par un camion-remorque qui avait perdu le contrôle dans une sortie de l'autoroute. Il est mort sur le coup. Il avait dix-neuf ans.

Mylène retient son souffle. Derrière la façade bon enfant de Christian, elle ne soupçonnait pas un tel drame.

— Tout le monde a été complètement dévasté. Bruno, le grand garçon sensé, solide comme le roc, toujours présent pour tout le monde, est parti trop tôt. Et moi, je n'en avais pas fini d'être révolté. Malgré mes frasques stupides, Bruno me soutenait. C'était mon pilier. J'ai même blâmé mon père. Je passais mon temps à lui rappeler que Bruno avait perdu la vie en faisant un travail pour lui. S'il n'avait pas pris la route ce jour-là pour chercher cette antiquité de malheur, il serait encore en vie. En lui disant ça, je lui brisais le cœur chaque fois.

— Ça a dû être terrible pour tes parents, dit Mylène.

— Oui, et en plus, je me culpabilisais, je me disais que si l'un de nous deux était irresponsable, avait un comportement dangereux et aurait mérité la mort, c'était bien moi et pas Bruno, le frère parfait. À partir de là, je voulais vivre encore plus intensément qu'avant. J'ai continué de m'étourdir dans l'action et les substances de toutes sortes, pour tout oublier. Mes parents ont encore tenté de me sauver, mais ont fini par assister, impuissants, à mon enfer, alors qu'ils n'avaient même pas fait le deuil de leur fils aîné.

— Ça a duré longtemps, cette période?

— Plusieurs années, et c'est quand j'ai fini par toucher le fond que je me suis réveillé. C'est arrivé le jour où, en faisant une de mes courses imbéciles, j'ai frôlé la mort en percutant un poteau de plein fouet. Le meilleur jour de ma vie, si tu veux mon avis. Car je n'ai pas juste embouti un poteau : je me suis enfin heurté à ma stupidité et à ma souffrance, que j'avais évitées jusque-là.

— Et qu'est-ce que ça t'a fait à ce moment-là ?

— En fait, en voyant la mort en pleine face, j'ai eu comme un coup de foudre pour la vie. J'ai compris l'absurdité de mon comportement. La vie a une valeur inestimable et ne doit surtout pas être gaspillée, mais choyée, jour après jour. Cette illumination avait mis sept ans à arriver après le décès de mon frère. Sept ans où j'ai fait endurer un martyre sans nom à mes parents. Ensuite, je suis entré en cure de désintoxication, j'ai fait le ménage dans ma tête, j'ai admis mes erreurs, fait la paix avec mon passé, et enfin évacué la culpabilité d'être encore en vie. Je me suis réconcilié avec mes parents et j'ai coupé les ponts avec d'anciens amis toxicomanes. Enfin, j'ai repris mes études aux beaux-arts et le travail au magasin avec mon père.

— Alors, voilà comment tu as abouti au Temps retrouvé, même après l'avoir fui des années durant.

— Oui, et maintenant, je profite de la vie. Je vois sa beauté et surtout, je prends le temps de la goûter. Pour moi, cultiver le sens du beau et de l'histoire est une façon de célébrer. Voir la beauté partout, chez tout le monde. Où qu'elle soit.

Mylène, subjuguée par les paroles de Christian, se surprend à sourire. Il a eu tout un cheminement et cultive une très belle vision de la vie. Il y a quelque chose de romantique, de magique dans sa perception des choses.

— J'ai fini par comprendre pourquoi mes parents s'évertuaient à sillonner les routes et à parcourir les villages, à la recherche de trésors. Un ami antiquaire de mon père disait qu'ils étaient comme des chercheurs d'or, qu'ils fouillaient le gravier pour trouver les pépites. Qu'ils étaient les tamis du temps, les chercheurs du temps. Ça m'a pris du temps à les cerner.

Quatre ans plus tard, son père décédait d'un cancer fulgurant qui allait l'emporter en moins d'un mois. Par chance, Christian avait fait la paix et renoué avec ses parents juste à temps. Son seul regret : ne pas l'avoir fait plus tôt. Mais sa mère, très sage, lui a simplement dit qu'il n'était pas prêt.

Mylène retient ses larmes en écoutant l'histoire de Christian, qui s'ouvre complètement à elle, déjà.

— Tu n'es pas amer d'avoir eu à passer par tout ça pour en arriver là ? demande-t-elle. Tu n'auras pas vraiment bien profité de ton frère et de ton père. Et Bruno ne saura jamais comment tu t'en es sorti.

Christian hausse les épaules.

— Tout le monde porte des cicatrices sur le cœur, dit-il, mais certains les portent mieux que d'autres. Je n'ai pas le monopole de la souffrance non plus.

— Tu as fait tant de mystères dans les derniers mois, pourquoi tout livrer comme ça, aujourd'hui ?

— J'aime mieux que tu voies mon parcours de vie maintenant pour savoir qui je suis vraiment, dit-il.

Mylène sourit. Si l'apparente perfection de Christian, sa propension à sourire et à relaxer tout le temps l'agaçait vaguement avant, elle comprend enfin son attitude. C'est celle d'un homme qui a vu la mort, la souffrance et surtout, le « fond du baril », et qui en est remonté en laissant la lie derrière lui, comme si la remontée vers la surface l'avait filtré de ses impuretés.

Cette fois, elle est indéniablement conquise. Sous un plafond d'étoiles, Mylène et Christian ont célébré une relation naissante. Est-ce de l'amitié ou de l'amour ? Il est encore trop tôt pour le dire. Et pour une fois, Mylène ne se fait aucun souci à ce propos.

❀ ❀ ❀

Voilà près de six semaines que la vie de Melissa a changé radicalement. Entre-temps, cette dernière a fini par se dénicher une petite maison, dont elle finalise l'offre d'achat. Un jumelé vieillot, en bon état malgré tout, et même plutôt coquet. Pour Melissa, qui a toujours visé la perfection dans tout, se contenter d'une maison « moyenne » est une première. Au moment où elle s'y rendait en voiture pour la visiter, la chanson *Mama, I'm coming home*, d'Ozzy Osbourne, jouait à la radio.

Times have changed and times are strange... Here I come, but I ain't the same. Mama, I'm coming home...

Melissa a souri. Elle a senti que c'était un signe et qu'Ozzy lui parlait, qu'il l'approuvait. La suite allait lui donner raison puisqu'elle allait finalement acheter la maison.

Sa mère s'est déjà proposée pour tout décorer et meubler à neuf, arguant que sa fille et ses petits-enfants méritent mieux qu'une bicoque mal foutue. Melissa ne s'y est pas opposée : elle ne veut pas pénaliser ses enfants non plus. Elle sait que sa mère la soutiendra toujours, même si c'est elle qui est la cause de tout et sur qui le blâme devrait tomber. Elle a hâte plus que jamais de régler la garde, d'avoir ses petits la moitié du temps avec elle.

— Tu as été assez compréhensive en laissant la maison à Jean-François pour qu'il conserve le maximum ! lance Veronica à Melissa lors d'une conversation pendant qu'elles préparent des boîtes. Même si les enfants y passent encore la majeure partie du temps, tu as le droit de retomber sur tes pieds. Tu te rends compte que jusqu'à présent, ton comportement envers Jean-François a été dicté par la culpabilité ?

— Oui, je sais, maman.

Melissa l'écoute d'une oreille distraite. Elle est surtout heureuse d'avoir retrouvé le plein usage de son bras. Elle veut terminer ses boîtes au plus vite.

—Tu as été bien trop bonne. Tu sais, même si tu n'es pas parfaite, je trouve que Jean-François ne te traitait pas bien avant. Tu devrais tenir ton bout un peu, au risque de regretter plus tard d'avoir été indulgente.

— Oui, maman. Je vais essayer.

Secrètement, c'est à Gabriel qu'elle pense en ce moment, comme ça a encore été le cas récemment dans les circonstances les plus inusitées. Elle songe qu'à l'avenir l'odeur du citron lui rappellera Gabriel à tout coup – surtout associée à celle de la meringue sucrée. Ce parfum est devenu à son sens le plus doux et le plus délicieux qui soit.

Plusieurs fois dans les dernières semaines, Melissa s'est demandé comment tout cela avait bien pu arriver. Comment a-t-elle pu laisser entrer Gabriel dans son cœur aussi facilement ? À bien y songer, elle sait que Jean-François en était probablement déjà sorti depuis longtemps et que le champ était libre. Elle avait juste refusé de voir la réalité.

Étonnamment, malgré les circonstances, Jean-François s'avère plutôt raisonnable lui aussi. Il a ses défauts, mais est toujours aussi cartésien, et le bien-être des enfants lui tient à cœur. Il est conscient non seulement du fait que les enfants ont besoin de Melissa – et vice versa –, mais il est las de s'en occuper seul la majorité du temps. Et ce, même si sa sœur et ses parents l'assistent de temps à autre. Il a un peu honte, mais doit s'avouer qu'il a hâte de les voir passer plus de temps chez leur mère, pour se permettre de souffler.

Aujourd'hui, Melissa et Jean-François ont rendez-vous chez un avocat pour finaliser les détails de leur entente de manière officielle. Mylène et Anne-Marie auraient voulu l'accompagner, mais elles pouvaient difficilement quitter le magasin. Et Melissa préfère y aller seule.

Lorsqu'ils entrent dans la salle de conférence avec leurs avocats respectifs, ils sont courtois, sans plus. On dirait presque de simples partenaires d'affaires s'apprêtant à signer un contrat de distribution. Après une heure de discussion et de multiples signatures, tout est réglé. Melissa a une hésitation en apposant les dernières initiales. Cette fois, c'est du concret, plus de retour possible en arrière. Tout est bien fini et pour toujours. Elle fait maintenant partie des merveilleuses statistiques de divorce, comme tous ceux et celles qui se tapent les horaires découpés, la pension, la famille reconstituée, et tout le tralala. Eût-elle à choisir entre ça et un lavement, Melissa n'hésiterait pas longtemps. Mais c'est bien là où elle en est dans sa vie.

Elle a un pincement au cœur lorsqu'on range enfin les documents. Une immense vague de tristesse l'envahit. Une page est tournée. C'est la fin d'une époque. Bien que son mariage n'était pratiquement que source d'aigreur au cours des derniers mois, elle en garde beaucoup de beaux souvenirs. Les enfants, bien sûr. Mais aussi les nombreux voyages qu'elle et Jean-François ont faits. Les soirées à la belle étoile près d'un feu de camp, au chalet ou à la plage. Les parties de jeux de société ou de jeux vidéo auxquels tous deux aimaient jouer autrefois. La passion révolue de Jean-François pour les vieilles motos, qu'ils regardaient ensemble à toute occasion. Même les visites au Salon de l'auto, où

Melissa accompagnait son mari uniquement pour lui faire plaisir – les véhicules avaient pour elle autant d'attrait que le crottin de cheval –, avaient quelque chose de plaisant.

L'affaire conclue, tout le monde sort. Melissa se dirige lentement vers l'ascenseur, songeuse.

— Je t'aimais, tu sais.

Melissa se retourne. Jean-François se tient non loin derrière elle, mains dans les poches, l'air penaud. Il souffre encore, c'est évident. Melissa s'attriste de le voir ainsi, elle aurait aimé lui éviter ces tourments. Mais elle note aussi que Jean-François ne semble pas vouloir faire preuve d'introspection. Melissa assume une grande part de responsabilité, mais elle croit comprendre qu'elle n'était pas seule coupable dans cette histoire. C'est indéniable : ils ont changé tous les deux et se sont éloignés l'un de l'autre. Son refus de la connaître entièrement aura probablement causé leur perte. L'homme à la moto aux airs de *bad boy* a fait place à un homme fermé et peureux qu'elle ne comprend plus.

— Sans vouloir t'insulter, je pense plutôt que ce que tu aimais, c'était l'image que tu avais de moi. L'épouse et la mère, qui s'occupe de la maison et des enfants. Mais cette Melissa, ce n'était qu'une partie de moi et non toute ma personne. Il y avait une autre Melissa, qui cherchait satisfaction et accomplissement personnel, qui carburait à la passion, qui voulait s'affranchir. Celle-là, tu ne l'aimais pas, elle te bousculait, elle te dérangeait. Et pourtant, elle est tout aussi importante pour moi que celle que tu aimais.

— Je t'ai tout donné, Melissa. Une maison, des enfants. Ce n'était pas assez ? Qu'est-ce que tu aurais voulu de plus ?

— De la liberté et de la compréhension de ta part, c'est tout. Ça, tu n'étais pas capable de me le donner.

— Alors, tu as tout foutu en l'air pour ça. Tu es égoïste,

Melissa. Tu n'as pensé qu'à toi. Les enfants et moi, on n'est pas prioritaires dans ta vie. Bon sang, tu n'as plus quinze ans ! Quelle liberté voulais-tu ? Celle de ne jamais être à la maison ? Toi, tu seras visiblement heureuse, mais nous ? Hein, tu y as songé ?

Melissa soupire. La conversation tourne en rond, et dérape encore vers la culpabilisation. Elle n'a plus l'énergie d'argumenter et a l'impression de se battre contre des moulins à vent.

— Jean-François, j'aurais aimé éviter ça, mais ça fait trop longtemps que je ne suis plus heureuse dans cette vie et je vois que tu n'arriveras sans doute jamais à l'apprécier. Tu ne me comprends plus. Pour être honnête, je me demande si tu m'as déjà comprise, en fait. Tu m'as fait mal plusieurs fois. Trop pour quelqu'un qui disait m'aimer, en tout cas. J'ai mis du temps à admettre tout ça. Nos chemins s'arrêtent ici. Ça me fait de la peine, j'aurais voulu t'éviter de souffrir et aux enfants aussi, mais c'est ainsi. J'espère quand même que tu seras heureux, sans moi.

Sans lui laisser le temps de répondre et sans attendre l'arrivée de l'ascenseur, elle emprunte l'escalier et quitte le bâtiment en même temps qu'elle sort de leur vie commune.

Chapitre 16

Le jour du déménagement de Melissa est arrivé. Jean-François est sur place, mais demeure en retrait, les bras croisés. Comme s'il voulait s'assurer que Melissa ne vole rien, mais tout en montrant clairement qu'à partir de maintenant, il n'a pas l'intention de lever le petit doigt pour l'aider, qu'elle est bien seule, comme elle l'avait voulu. Par chance, les enfants sont chez leurs grands-parents. Leo et Stéphane sont venus aider Melissa, même s'ils ont autant de talent pour lever des grosses boîtes qu'un crabe pour danser la Macarena. Malgré sa force, Stéphane a les deux pieds dans la même bottine et échappe la moitié de ce qu'il soulève. C'est surtout pour le soutien moral, les déménageurs se chargeant de toute façon des plus gros morceaux.

Melissa a demandé à Veronica de la rejoindre seulement à sa nouvelle maison, sachant qu'elle risque de faire une crise de larmes hystérique digne des pleureuses grecques en voyant les meubles sortir. Ou alors, elle serait bien capable de jeter le blâme ultime sur Jean-François, de lui reprocher d'avoir négligé sa princesse adorée, digne descendante des empereurs romains, et d'avoir lui-même tout provoqué. Veronica est une vraie tigresse quand elle s'y met.

Par chance, Melissa a engagé des professionnels qui travaillent à la vitesse de l'éclair. Le supplice ne durera pas longtemps. Melissa a une boule dans la gorge depuis le début du processus ; elle regarde avec tristesse les déménageurs prendre ses effets et les mettre dans le camion. Cette fois, c'est encore plus concret. Elle a l'impression de dépouiller la maison qui leur a servi de foyer, de la vandaliser comme une criminelle. Les derniers morceaux de son couple et de la famille sont comme détruits à jamais. Désormais, il ne lui reste plus que les enfants et les souvenirs pour se rappeler cette époque. Que dirait son père, s'il voyait tout ça ? Serait-il heureux pour elle ?

Elle doit se tourner vers l'avenir, quel qu'il soit, pour considérer ce qu'elle a gagné et non ce qu'elle a perdu. Même si elle ne mesure pas encore ses gains.

Quelques jours plus tôt, c'était la fête de Rosalie : trois ans. Melissa et Jean-François ont fait des efforts pour lui préparer une fête digne de ce nom. Le dernier party d'anniversaire en famille s'est somme toute bien déroulé.

En quittant son ancienne demeure, Melissa allume la radio de l'auto. B. B. King interprète *The Thrill Is Gone*, avec sa voix rocailleuse et son accent du sud, un de ses plus grands succès. Les paroles lui vont droit au cœur, comme si le vieux chanteur lui parlait directement et exprimait ses émotions.

The thrill is gooooone. It's gone away from meeee... The thrill is gone baby. The thrill is gone away from meeee...

Although I'll still live on... But so lonely I'll beeee...

Lorsqu'elle arrive enfin dans sa nouvelle maison, qui n'est pas très loin, Veronica l'attend, dans un état visiblement agité, mais sous contrôle. Une chance, car Melissa n'a pas la force de gérer les états d'âme de sa mère. La tâche d'emménager, de tout sortir des boîtes lui semble soudain colossale. Elle est découragée et se sent déracinée. Elle doit pourtant se refaire une nouvelle vie ici. La vie qu'elle a voulue. Mais que veut-elle, au fond ? Elle n'en est pas sûre. Et comment va-t-elle y arriver ?

Lentement, avec Leo, Stéphane et Veronica, elle se met à la tâche. Au mieux, Veronica est de bonne humeur et pleine d'idées pour repeindre et rendre la maison « acceptable », selon ses critères. Effectivement, mieux vaut s'occuper l'esprit que broyer du noir. Elle regarde l'heure. Mylène et Anne-Marie doivent aussi arriver sous peu pour l'aider. Tout le monde l'aidera donc à mettre un soupçon de vie dans la maison.

C'est le début de la soirée et le soleil décline. Anne-Marie a cueilli Mylène en route vers chez Melissa.

— Donc, elle habite toujours dans le quartier Champfleury ? demande Mylène.

— Oui, je pense que c'est à quatre coins de rue d'où elle était avant.

Curieusement, Mylène pense soudain à Christian, qui habite tout près, lui aussi. Malgré sa longue amitié avec Melissa, elle aurait envie de passer la soirée avec lui plutôt qu'avec sa copine. Ils se sont revus quelques fois, à la suite de leur rencontre dans le jardin, pour parler de fleurs ou de vieux objets. Mylène se sent finalement charmée par cette espèce d'ovni qu'est Christian. Elle secoue la tête : dans l'immédiat, Melissa a besoin d'elle.

Alors qu'elles ont quitté le rang de l'Équerre et roulent sur le boulevard des Oiseaux, Anne-Marie peste contre le soleil couchant qui l'aveugle et ses lunettes fumées oubliées sur sa table à café. Mylène consulte l'écran du GPS, qui indique le chemin et le nombre de minutes restantes. Elle a hâte d'arriver. Anne-Marie, plutôt distraite de nature, conduit aussi bien qu'un chauffeur de taxi moscovite soûl. Soudain, la voilà qui donne un coup de volant brusque en poussant un hurlement.

— Ah mon Dieu !

Le tout est suivi d'un bruit sourd alors qu'elle donne un coup de frein et que la voiture s'arrête brusquement.

— Bon sang, mais qu'est-ce qui te prend ? s'écrie Mylène. Un peu plus et je m'ouvrais le front sur le tableau de bord !

— Je crois que j'ai frappé quelque chose ! Ou quelqu'un, je ne sais pas ! hurle Anne-Marie, au bord de l'hystérie. Ah mon Dieu !

— Ou *quelqu'un* ? Mais bon sang, qu'est-ce que tu as vu ?

— Je ne sais pas ! crie Anne-Marie, qui semble près de faire une crise de nerfs.

Mylène détache prestement sa ceinture, sort et va devant de la voiture.

— Merde ! lâche-t-elle.

— Qu'est-ce que c'est ? demande Anne-Marie, qui essaie tant bien que mal de garder le peu de contenance qui lui reste.

— C'est un chien ! Tu as frappé un chien !

— Ne m'accuse pas sur ce ton ! Je ne l'ai pas fait exprès ! crie-t-elle en s'agrippant au volant, comme si ça pouvait l'aider à reprendre le contrôle.

— C'est toi qui conduisais, oui ? Et pourquoi tu n'as pas tourné sur le boulevard Dagenais au lieu de tourner sur cette rue pourrie ! Je parie que cette pauvre bête sortait du bois qui est juste à côté.

— Mais qu'est-ce que j'en sais, moi ! C'est le GPS qui m'a dit de tourner ici !

— Ben là, t'as laissé ton cerveau dans ta boîte à gants, ou quoi ? Si le GPS te disait de sauter en bas du pont Jacques-Cartier, tu le ferais ?

— Franchement, ça n'a rien à voir ! rétorque Anne-Marie en sortant de l'auto à son tour.

Elle approche doucement du devant de l'auto, terrifiée à

l'idée de voir l'animal déchiqueté ou encore une grosse touffe de poil sanglante collée à son véhicule. Elle ne voit, par terre, que la tête du chien, au poil blanc et roux, et détourne aussitôt le regard pour éviter de voir le reste, bouleversée.

— C'est quoi, au juste ? demande-t-elle.

— Un colley, répond Mylène en s'approchant de la bête étendue sur le sol.

— Ah mon Dieu ! répète Anne-Marie. J'ai tué un Lassie !

Au même instant, le chien émet un gémissement plaintif, qui fait hurler les deux jeunes femmes.

— Merde, il est encore vivant ! s'écrie Mylène.

À l'idée que le cœur de cet animal bat encore, Anne-Marie hésite entre être soulagée et être horrifiée.

— Vite, il faut l'emmener se faire soigner ! ajoute Mylène.

— Mais où ?

— Appelle Melissa. Elle connaît bien le coin, elle doit savoir où il y a un vétérinaire.

Pendant qu'Anne-Marie compose le numéro de cellulaire de Melissa, Mylène prend le chien à demi conscient dans ses bras et le dépose sur le banc arrière de la voiture.

— Allô, Melissa ?

— Anne-Marie, vous arrivez bientôt ou quoi ?

— On a frappé un chien ! hurle Anne-Marie sans autre forme d'introduction.

— Euh… pourquoi ? demande Melissa, confuse.

— Mais je ne l'ai pas fait exprès ! crie Anne-Marie dans le combiné. Qu'est-ce que vous avez à m'accuser, toutes les deux ?

Mylène, jugeant qu'Anne-Marie est autant en état de tenir un discours cohérent que de gagner le marathon aux Olympiques, lui enlève le téléphone des mains.

— Salut Melissa! Le chien est probablement sorti du bois en courant, on l'a frappé par accident, explique-t-elle. Il est blessé, mais vivant. On doit l'emmener chez le vet' au plus vite. Tu en connais un dans le coin? On est sur le boulevard des Oiseaux, là.

— Il y en a un sur Curé-Labelle, un peu au nord.

— D'accord, on y va tout de suite.

— Je vais vous y rejoindre dans quelques minutes.

— Melissa, tu es en plein déménagement. Et on est deux grandes filles, on peut se débrouiller sans ta précieuse aide.

Melissa grogne. Rester dans son coin pendant que ses copines sont pratiquement en détresse l'énerve.

— Il n'y a vraiment rien que je puisse faire?

— Fais donc livrer une pizza. Je pense qu'on aura besoin de manger et de boire à notre arrivée.

— Bon, d'accord, soupire Melissa, déçue. Salut.

Pendant ce temps, Anne-Marie se tient debout à côté de la voiture, le dos voûté, et se balance d'avant en arrière. Elle observe un temps l'arrière de la voiture, où gît le chien. Mylène la regarde. Soudainement, elle s'ennuie de Christian et de son calme éternel, sa manière d'être au-dessus de tout. Elle n'a pas besoin d'une hystérique à ses côtés en ce moment. Mais pourquoi pense-t-elle à Christian? Elle se rend compte que plus le temps passe, plus il est présent dans son esprit, du matin au soir. Elle chasse ces pensées de la main.

— Je pense que je vais vomir… se lamente Anne-Marie.

— Ressaisis-toi! dit Mylène. Trouve-toi un sac au besoin, mais là, va t'asseoir côté passager. Je vais conduire.

— Tu vas conduire mon auto? dit Anne-Marie, l'air inquiet.

— Euh… oui. Je pense que tu en as assez fait et vu ton état, il vaut mieux que je conduise.

Sans dire un mot, Anne-Marie remonte dans le véhicule. Mylène démarre en trombe.

Enfin engagée dans le boulevard Curé-Labelle, Anne-Marie, qui n'a cessé de jeter des coups d'œil furtifs au chien, éclate soudain en sanglots.

— Ah mon Dieu, il y a un chien qui saigne dans ma voituuuuuure... pleurniche-t-elle. Pauvre animal, je suis tellement une mauvaise personne. Je vais me réincarner en crevette, c'est sûr. Bouhouuuu...

Et elle continue de sangloter de plus belle. Mylène lui décoche un regard consterné. Des fois, elle se demande si Anne-Marie a ce qu'il faut pour affronter la vie. Peut-être qu'elle devrait demander au vétérinaire de lui donner des calmants, quand elles arriveront à la clinique ? Entre administrer des Valium à un animal ou à un humain, il ne doit pas y avoir une si grosse différence que ça, non ?

Après un trajet de quelques minutes qui leur a paru durer des heures, elles arrivent enfin chez le vétérinaire. L'entrée de Mylène avec le colley saignant dans les bras, accompagnée d'une Anne-Marie hystérique attire immédiatement l'attention des quelques clients et employés.

La réceptionniste, une jeune brunette à queue de cheval et grandes lunettes noires, les observe, l'air complètement déboussolé.

— Ce chien doit être soigné au plus vite ! leur dit Mylène.

La jeune femme derrière le comptoir reste figée, regardant Mylène avec de grands yeux, comme si elle ne l'avait pas entendue.

— Ben là, arrêtez de me mater comme si j'avais une moustache sur le front ! Bougez-vous, quoi !

— Hem... on n'a pas vraiment de clinique sans rendez-vous... bafouille la jeune fille.

Il n'en fallait pas plus pour que Mylène-la-hyène sorte ses griffes.

— Quoi ? Vous vous moquez de moi ? Vous soignez les animaux, oui ou non ? Eh bien ! Ce chien a besoin de soins *presto* ! Je vous avertis, je ne pars pas tant qu'il n'a pas été soigné ! À moins que vous ne préfériez que je le laisse saigner sur votre bureau ?

— Euh… attendez, je vais voir… dit la réceptionniste en se dirigeant vers l'arrière, sûrement pour aller se cacher dans une filière en espérant que Mylène parte.

Elle revient quelques instants plus tard, accompagnée d'un vétérinaire et de son assistante. Ce dernier examine sommairement le chien.

— Tania, amène-le dans la salle 3 et prépare-le. Je te rejoindrai dès que j'en aurai fini avec mon rendez-vous.

L'assistante part aussitôt avec le colley.

— Vous êtes les propriétaires du chien ? demande le vétérinaire.

— Non, c'est malheureusement nous qui l'avons heurté accidentellement, répond Mylène.

À ses paroles, Anne-Marie se met à sangloter de plus belle. Le vétérinaire lui renvoie un regard interrogatif.

— Disons que mon amie est légèrement émotive, l'excuse Mylène.

— Je comprends, sourit le vétérinaire avec compassion.

— Euh… pas que je veuille paraître sans cœur, mais peut-on avoir une vague idée de ce que ça nous coûtera ? demande Mylène.

— Ne vous préoccupez pas de ça, répond-il.

— Vous en êtes bien sûr ? interroge Anne-Marie, en levant vers lui un visage larmoyant. C'est gratuit comme si on avait gagné la loto ?

L'air étonné des employés, qu'elle aperçoit du coin de l'œil, lui montre que ce n'est pas exactement la politique habituelle.

— Madame…

— Mademoiselle, coupe Anne-Marie en essuyant ses larmes.

— Mademoiselle, poursuit-il en lui prenant doucement les épaules. Laissez-moi m'occuper de ça. Ne vous inquiétez pas, nous allons faire notre possible pour remettre cet animal sur pied. Vous avez bien fait de nous l'amener. Bien des personnes auraient laissé ce pauvre chien sur le bord de la route. Alors je pense que vous en avez assez fait comme ça. Je vous laisse ma carte. Si jamais vous voulez des nouvelles ou quoi que ce soit, appelez-moi.

— Dans ce cas, je vais vous laisser la mienne également, dit Mylène en dégainant la carte de Miss Caprice aussi vite que Lucky Luke.

— Et vous, ma chère dame, dit-il en souriant à Anne-Marie, je vous conjure de cesser de vous inquiéter. Je ferai tout mon possible pour sauver ce chien. Ça vous va ?

— Oui, ça va, répond Anne-Marie en se calmant un peu. Elle essuie les traces de mascara sur son visage.

— Parfait, bonne soirée, mesdames.

Et il repart aussitôt vers la salle d'examen.

— Je pense que je ne dormirai pas de la nuit, geint Anne-Marie en se mouchant. Pauvre chien…

— Je me demande s'il appartient à quelqu'un, dit Mylène.

— Ah mon Dieu, je n'avais même pas pensé à ça, gémit Anne-Marie. Et là, je n'arrêterai pas d'y penser, c'est sûr.

Mylène et Anne-Marie repartent enfin pour aller chez Melissa, qui les attend sur le pas de la porte.

— Mylène, Anne-Marie, tout va bien ?

— On va survivre, dit Mylène en forçant un petit sourire.

— Venez donc défaire des boîtes avec moi, ça va vous changer les idées. Après avoir levé quelques meubles, tu seras tellement fatiguée que tu vas bien dormir, Anne-Marie, c'est sûr, dit Melissa, pour tenter de lui remonter le moral.

Anne-Marie et Mylène lui jettent un regard perplexe. Tentative de détente d'atmosphère ratée.

— Ben quoi ? dit Melissa. Qu'est-ce que j'ai dit ?

❁   ❁   ❁

Par chance pour Anne-Marie, Melissa n'avait pas tout à fait tort. Anne-Marie a passé une assez bonne nuit. Évidemment, les trois verres de vin que Mylène lui a fortement suggéré de boire ce soir-là ont beaucoup aidé aussi.

À quelques détails près, l'emménagement de Melissa est presque terminé. Les trois amies ont inauguré l'endroit dès la première nuit avec une bouteille de vin et y ont dormi, Melissa dans son lit et ses amies sur le canapé-lit.

Trois jours plus tard, après avoir angoissé à propos de ce fichu canidé qui a eu le malheur de passer devant sa voiture, Anne-Marie décide de prendre des nouvelles. Mais un simple coup de fil ne lui semble pas suffisant. Elle aimerait revoir le chien et, aussi, remercier le vétérinaire qui, franchement, a été compatissant à la fois envers elle et envers l'animal.

Elle se rend donc chez le vétérinaire, le Dr Guindon, après sa journée de travail. Mylène, en lisant le nom sur la carte, s'esclaffe.

— On dirait Dr *Guidon* ! « Guidon de vélo » !

Anne-Marie soupire avec agacement. Mylène et sa manie de toujours rebaptiser les gens de surnoms ridicules ! Et puis, Dr Guindon a été très gentil avec elle ; le fait que Mylène se moque de son nom l'agace prodigieusement.

Anne-Marie arrive enfin au cabinet. Dès qu'elle entre, la réceptionniste – la même – l'aperçoit et semble presque prise de peur. Mais quand elle voit que la hyène jappeuse n'est pas là, elle se détend un peu. Maintenant calme, Anne-Marie remarque que les lieux sont plutôt chaleureux et bien décorés. Le genre lui rappelle le style suédois. Zen et dépouillé, blanc mais pas froid, avec beaucoup de bois blond.

Elle s'approche du comptoir de la réception.

— Bonjour, je ne sais pas si vous vous souvenez de moi...

— Ah ça, oui ! dit la secrétaire en levant les yeux au plafond.

— Bon... euh... j'aimerais bien voir le Dr Guindon, si c'est possible, et prendre des nouvelles du chien que j'ai amené ici.

— Dr Guindon a un rendez-vous en ce moment.

— Je suis prête à l'attendre, je ne suis pas pressée, répond Anne-Marie d'un ton ferme.

La secrétaire ouvre la bouche pour répondre quelque chose, puis se ravise.

— Bon, je vais voir quand il pourra se libérer, soupire-t-elle. Mais ça pourrait prendre un bout de temps.

— Pas de problème.

Après une vingtaine de minutes, le Dr Guindon sort de la salle d'examen avec une famille et son cochon d'Inde. Comme la dernière fois, il paraît détendu et souriant. On sent que c'est un homme généreux et affable au premier coup d'œil.

Anne-Marie prend le temps de l'observer en détail pour la première fois. Probablement vers la mi-trentaine, c'est un homme aux yeux verts et aux cheveux noirs, droits, avec le teint hâlé. Comme un petit je-ne-sais-quoi vaguement exotique sur les bords. Il a également des lèvres charnues et des dents un peu trop droites et blanches pour être entièrement naturelles. Mais Anne-Marie se fout de ses dents comme de sa première paire de culottes, car il est... absolument charmant. Anne-Marie est sidérée devant cette apparition comme si elle le voyait pour la première fois. Comment a-t-elle fait pour passer à côté d'un si bel homme sans qu'il attire son attention plus que ça ? Elle devait être dans une dimension parallèle pour ne pas remarquer à quel point il est séduisant.

— Madame est là pour prendre des nouvelles du chien, dit la réceptionniste avec autant d'enthousiasme qu'elle en aurait pour se faire arracher les ongles.

— Ah... vous allez mieux, on dirait, lui dit-il en souriant.

— Oui, disons que je me suis remise de mes émotions, répond Anne-Marie. Comment va le chien ?

— Assez bien, vu son état. Il a une patte et deux côtes cassées, mais il va s'en remettre.

— Est-ce que je pourrais le voir ?

— Hum... il me reste un dernier rendez-vous, mais ce ne sera pas bien long. Après ça, je pourrais aller la voir avec vous.

— *La* voir ? répète Anne-Marie, étonnée.

— Oui, c'est une femelle. Bon, alors je vais voir mon prochain patient et je suis tout à vous après, mademoiselle... ?

— Anne-Marie Lachance.

— Bien. Moi, c'est Viateur Guindon. Mais vous pouvez m'appeler Viateur.

— Euh... d'accord.

Anne-Marie retourne s'asseoir, sous les yeux médusés de la secrétaire, qui malgré l'habitude de son patron d'être aimable, l'a rarement été de cette manière avec un client, et encore moins un qui se serait pointé à l'improviste avec un chien sanguinolent sans même payer la note.

Près de trente minutes plus tard, le Dr Guindon reparaît. Sa journée terminée, la secrétaire est en train de fermer le bureau et s'apprête à partir.

— Avez-vous encore besoin de moi ? demande-t-elle.

— Non merci, Muriel. Vous pouvez partir. Barrez la porte en sortant, s'il vous plaît.

Il se tourne alors vers Anne-Marie.

— Vous voulez voir notre patiente ? dit-il.

— Avec plaisir.

En fait, Anne-Marie se demande qui elle a vraiment envie de voir le plus, maintenant. Le chien ou le vétérinaire ?

Ce dernier l'emmène à l'arrière, où se trouvent les cages pour les pensionnaires. Anne-Marie prend le temps de l'observer pendant leurs quelques mètres de marche. Pas d'alliance, un air détendu, et de toute évidence, personne ne semble l'attendre, puisqu'il peut rester plus tard sans en aviser qui que ce soit. C'est bon signe, jusqu'à présent. Il arrive à la hauteur d'une vaste cage où dort une grande chienne colley, au long pelage blanc et roux. Une véritable émule de Lassie. À leur arrivée, celle-ci lève la tête et commence à haleter en gémissant. Avec sa gueule grande ouverte sur une langue pendante, on jurerait qu'elle sourit.

En voyant cette belle bête aux allures majestueuses de Zorro canin du grand écran, Anne-Marie a son deuxième coup de foudre de la journée. Ce qui fait beaucoup, même pour elle.

Sans savoir pourquoi, elle se sent éprise de cet animal si doux, gentil et innocent qu'elle a eu le malheur de renverser. Avec son bandage autour du poitrail et son plâtre à la patte avant, il fait tellement pitié ! Anne-Marie aurait presque envie de le prendre dans ses bras.

— Salut, ma belle, dit le Dr Guindon en entrant dans la cage pour caresser la chienne.

Anne-Marie regarde le vétérinaire, qui semble avoir développé une belle complicité avec la bête dans les derniers jours. L'animal s'y est aussi attaché. Mais peut-être qu'un tel animal s'attacherait à la première personne qui lui donnerait des croquettes.

— Alors, comme je vous disais, elle avait une patte et des côtes cassées, mais elle va s'en remettre. Ça prendra tout de même plusieurs semaines. De plus, elle avait des puces et des vers. Franchement, je soupçonne qu'elle errait depuis un certain temps. Où l'avez-vous vue ?

— Sur le boulevard des Oiseaux, pas très loin du Bois de l'Équerre.

— Hum... peut-être qu'elle se cachait là.

— Avez-vous trouvé un propriétaire ?

— Non, elle n'avait pas de collier, pas de puce électronique. Et il n'y avait pas, à notre connaissance, d'avis de recherche dans les environs pour une femelle colley. Elle a probablement été abandonnée lors d'un déménagement. Ce n'est pas rare, hélas.

— Pauvre chien ! s'exclame Anne-Marie.

Elle approche doucement de l'animal et, d'abord hésitante, elle lui flatte doucement la tête. Aussitôt, la chienne ferme les yeux, détendue. Sans savoir pourquoi, Anne-Marie a l'impression que cette chienne est comme elle: vaguement perdue, délaissée et sans repère.

Elle tourne légèrement la tête pour apercevoir le Dr Guindon, à ses côtés, qui lui sourit.

— On dirait que vous lui plaisez, dit-il avec un sourire énigmatique.

La proximité du bras du vétérinaire qui frôle le sien lui donne soudain des frissons et elle sent des vagues de chaleur dans son dos. Elle a l'impression qu'il est en train de l'observer, et pas juste pour voir sa façon d'agir avec le chien. Et elle soupçonne qu'en fait, il n'y a pas qu'au chien qu'elle plaît. Ça fait combien de temps qu'elle n'a pas considéré se faire approcher par un homme ? Sept mois ? Ça commence à faire beaucoup et cet homme est vraiment charmant. Il a un effet sur elle que peu de gens ont réussi à provoquer.

— Et… euh… qu'allez-vous faire avec elle ? demande Anne-Marie, pour éviter qu'un malaise s'installe.

— Nous allons éventuellement lancer un avis de recherche. Mais si personne ne la prend, nous serons sans doute forcés de l'envoyer dans un refuge et d'espérer qu'elle se fasse adopter et pas euthanasier.

— Oh non ! s'exclame Anne-Marie.

L'idée que cette chienne puisse se faire euthanasier après tout ce qu'elle a traversé lui paraît insupportable. Ce n'est pas vrai qu'après tout ce mal et ces attentions, elle va mourir par injection !

— Écoutez, je… je la prendrais, moi, dit Anne-Marie.

Le Dr Guindon semble d'abord étonné.

— Bien… ça peut toujours s'arranger… vous avez déjà eu un chien ?

— Hem… non.

— Bon, dans ce cas, je vous recommande de vous renseigner et de lire un peu avant de prendre une décision. Il ne faut pas faire ça à la légère, c'est un engagement, vous savez.

Soudain, Anne-Marie a l'impression que la *switch* professionnelle vient d'être activée et qu'il est en train de lui débiter le discours officiel répété des milliers de fois.

— Ne vous en faites pas, je vais faire ce qu'il faut.

— Si vous y tenez, mais je vous conseille quand même de bien vous informer.

— Pas de problème. Si vous voulez, je reviendrai dans quelques jours.

— Parfait. Vous nous redonnerez des nouvelles ?

— Comptez sur moi.

Anne-Marie sent que l'entretien s'achève. Sans doute le Dr Guindon doit-il se sentir fatigué ; c'est l'heure du souper. Anne-Marie est déçue, elle aurait aimé parler plus longuement. Alors que ce dernier la raccompagne vers la sortie, Anne-Marie tergiverse. Quelque chose en elle a envie de s'accrocher, de ne pas laisser cet homme lui filer entre les doigts. Elle n'a pas envie d'être comme Melissa, qui à son avis refuse l'amour pour des raisons absurdes. Bon, Anne-Marie n'est pas en amour, mais elle a l'impression qu'elle ne laisse pas cet homme indifférent.

Elle se souvient aussi de Mylène, qui a décidé de prendre le taureau par les cornes avec son antiquaire. Qu'avait-elle dit ? *Carpe diem* ? Tant pis, elle fonce ! Au pire, s'il n'est pas libre ou refuse, elle subira une petite humiliation dont elle peut se remettre.

— Euh… Dr Guindon ? dit-elle avant de franchir la porte.

— Oui ?

— Hem… je… si vous n'avez rien de prévu ce soir, je… je vous inviterais bien à souper, si ça vous tente.

Dès qu'elle prononce ces paroles, elle a aussitôt envie de

les retirer. Mon Dieu, mais il va croire que c'est une femme facile ! Elle ne le connaît même pas, c'est quoi, l'idée ? Pourquoi n'a-t-elle pas une petite machine à remonter le temps, ne serait-ce que de quinze secondes ?

— Ce soir, j'ai quelque chose... dit-il.

Anne-Marie a l'impression de recevoir une gifle. Idiote ! Elle a trop d'imagination, aussi. Elle voudrait disparaître dans une cage à oiseau.

— ... mais demain je suis libre, finit-il.

Anne-Marie se remet à respirer. Il est en train de dire oui ? La panique la ressaisit. Elle ne veut pas qu'il la pense vite en affaires et se fasse des idées.

— C'est... c'est juste pour un souper, hein ? bafouille-t-elle.

Il se met à rire.

— Bien sûr. Et si vous voulez, on pourrait reparler de notre petite protégée à quatre pattes.

— D'accord, dit-elle, soulagée.

Ça leur donnera un bon prétexte pour faire la conversation.

— Alors, hem... à demain, Dr Guindon.

— À demain. Et je vous l'ai dit : appelez-moi Viateur.

— D'accord. Au revoir.

En retournant à sa voiture, Anne-Marie est sidérée par son geste. Elle vient d'adopter un chien et de donner un rendez-vous similigalant à un homme qu'elle connaît à peine, mais qui lui donne des papillons dans l'estomac comme si elle avait quinze ans.

Grosse soirée.

❀ ❀ ❀

Le souper du lendemain, dans un restaurant italien, s'est bien passé entre Anne-Marie et Viateur. Anne-Marie était nerveuse. Après des années de mariage suivies de plusieurs mois de célibat, c'était son premier rendez-vous. Elle a, disons... perdu l'habitude. Bien que les deux aient parlé abondamment de la future pensionnaire d'Anne-Marie, la conversation a vite dévié sur leurs vies personnelles.

Viateur a avoué être divorcé depuis déjà trois ans. Sa femme, avec qui il a été pendant onze ans, l'a trompé durant des mois avec un voisin venu la « consoler » de sa solitude. Après avoir reproché à Viateur de travailler trop et d'être toujours absent, elle l'a laissé pour son amant, emportant presque la moitié de leurs biens et la moitié du cœur de Viateur avec elle. La vue de son ex, qui vit maintenant à seulement trois portes de chez lui, a été insupportable de sorte qu'il a rapidement vendu sa maison pour déménager à l'autre bout de la ville. Il s'en est difficilement remis et a plongé encore plus dans la seule forme de consolation qu'il connaît : le travail. Il a même fait le deuil de l'amour, se disant que ce n'est vraisemblablement qu'une chimère créée par des auteurs en mal d'idées.

En entendant cela, Anne-Marie a été touchée, étonnée qu'on ait fait une telle chose à cet homme, qui semble si dévoué.

Anne-Marie lui a ensuite raconté sa propre histoire, en ayant la vive impression qu'ils se ressemblaient et se rejoignaient par leur passé semblable. Comme si leur blessure commune les unissait. Elle a conscience que Viateur partage quelques traits communs avec Pierre-Luc – deux bourreaux de travail –, mais elle est convaincue qu'il est sensiblement différent. Viateur fait déjà preuve d'une sensibilité et d'une ouverture différentes de celles de Pierre-Luc, qui était toujours impossible à joindre lorsqu'il travaillait. Et il n'était pas question, à l'époque, qu'elle se pointe à l'improviste à son boulot. Pierre-Luc était jaloux et protecteur de son aire de travail. Avec le recul, Anne-Marie a compris pourquoi. Mais elle voit bien que ce n'est pas le cas de Viateur, qui a une attitude complètement différente. La bonté qu'il dégage, aussi, tant envers les humains qu'envers les animaux, lui inspire confiance.

Le jour suivant, Viateur et Anne-Marie se sont revus dans un café. Le surlendemain, il allait porter personnellement la chienne – baptisée Lassie, dans un grand élan d'originalité – chez Anne-Marie, en promettant de venir l'aider à s'occuper de l'animal et de l'assister pour son éducation.

Sous le regard attentif, surpris et curieux de ses amies, Anne-Marie a acheté le chien qu'elle a heurté en auto, a commencé à fréquenter le vétérinaire qui l'a soigné et s'est remise à rayonner et elle a retrouvé le sourire.

Pas un jour, par la suite, n'est passé sans que Viateur l'appelle ou trouve un prétexte pour venir chez elle. Viateur était entré dans sa vie et n'en sortirait plus.

❀ ❀ ❀

Une semaine après son déménagement, Melissa, qui s'ennuie seule dans sa nouvelle maison, va passer la soirée chez Anne-Marie, seule pour cette fois, Viateur étant de garde. Comme elle le fait souvent, elle a apporté quelques gâteries. Cette fois, c'est une boîte de *cake pops*. Lorsque celle-ci l'accueille et l'emmène dans son salon, Melissa s'arrête sur le seuil, stupéfaite. Lassie gigote couchée sur le dos, sur le canapé.

— Euh... tu es consciente que ton chien est en train de

se frotter sur ton coussin de sofa ? lui dit Melissa.

— Oui, j'ai remarqué, dit Anne-Marie sans réagir.

— Il y a un an, mes enfants n'avaient même pas le droit de poser leurs pieds sur ton sofa de peur qu'il ne soit sali ! Et là, ton toutou est en train de baiser furieusement ton meuble et ça ne te dérange pas ?

— Bah... c'est juste un chien, tu sais.

Melissa observe son amie, de plus en plus ahurie. Soudain, elle attrape Anne-Marie par les épaules et la secoue presque.

— Bon sang, mais qui es-tu et qu'as-tu fait avec Anne-Marie Lachance ?

Anne-Marie éclate de rire devant la réaction de Melissa. Elle va ensuite s'asseoir sur sa causeuse et invite Melissa à faire de même.

— Je ne suis pas un envahisseur extra-terrestre, répond-elle. T'inquiète. Tu sais, c'est juste du matériel. On s'en fout si c'est un peu sale. Lassie est heureuse avec son coussin, c'est ce qui compte. Et la présence de ce toutou, comme tu dis, me fait du bien. Ça vaut bien un sacrifice de coussin.

— Dis donc, tu as fait le chemin de Compostelle et tu as oublié de nous le dire ?

— Mais non, rigole Anne-Marie. C'est juste que ces derniers mois, j'ai beaucoup réfléchi. Avant, ma vie était totalement contrôlée et je la croyais parfaite. J'avais de l'argent, un grand appartement, des amis, des sorties. Tout était impeccable, mais superficiel. Et avoir des standards de vie élevés me causait un stress dont je n'avais même pas conscience. J'ai commencé à comprendre que la perfection, ce n'est qu'une illusion. Même ma relation avec Pierre-Luc était vide.

— Qu'est-ce qui te fait croire ça ?

— Je me rends compte qu'en fait, je m'imbriquais parfaitement dans sa vie et lui, dans la mienne. On n'a jamais rien remis en question, on n'avait aucun défi, aucun problème. Tout était trop « lisse », comme tu le disais si bien pour me taquiner. Et je n'étais probablement qu'un objet de désir pour lui. Un beau trophée. Tu sais, on ne devrait jamais être un objet de désir pour l'autre.

— Alors quoi ?

— Une personne de désir, pas un objet. Et puis, à quoi ça me sert, d'avoir un plancher si propre qu'on pourrait manger dessus si je n'ai personne avec qui partager ce plancher ? De toute façon, lécher les planchers ne figure nulle part dans ma liste de passe-temps. Mais donc, à quoi bon une vie impeccable si je ne laisse personne entrer dedans ? Si je n'accepte pas l'autre personne telle qu'elle est ?

— On parle de Viateur ou de Lassie ?

— Les deux.

— Eh bien, cette nouvelle attitude te va bien. Tu sembles enfin sereine.

— Je le suis. Et puis, je me suis juré une chose depuis : plus jamais je ne dépendrai de quelqu'un. Ni sur le plan émotif ni sur le plan matériel.

— D'abord Mylène qui fréquente son antiquaire, maintenant toi, qui serais en couple avec un vétérinaire, et moi… ben qui suis redevenue célibataire, quoi. C'est fou comme les choses ont changé dans la dernière année.

— Oui, et tu sais quoi ? Autant je t'en ai voulu quand j'ai appris que tu avais trompé Jean-François, autant je pense que je t'apprécie plus maintenant.

— Pourquoi ?

— Parce que ça m'a juste montré que tu as des défauts, toi aussi. Avant, je te pensais parfaite. Toujours première de classe quand on était jeune. Tu ne visais jamais rien de moins que la perfection en tout et tu l'atteignais. Tu avais un beau travail, une belle famille, la petite maison en banlieue, etc. Il ne te manquait que le golden retriever en plus. Tout semblait parfait. Jusqu'à tout récemment, je n'aurais pas imaginé que ça ne l'était pas du tout.

— Et dire que moi aussi, avec ton mari riche qui faisait tes quatre volontés sans se plaindre, ton grand condo et toutes tes sorties au spa, je croyais que tu menais la vie parfaite.

— Comme quoi on se fie indûment aux apparences.

— Les choses ont bien changé depuis. Peut-être qu'un jour, je serai dans la même situation que toi et serai heureuse avec quelqu'un, dit Melissa.

— À la différence que moi, je ne mets pas des mois à passer à l'action.

— Hem... tu es quand même restée célibataire un bon moment.

— Oui, mais Mylène, elle, l'est depuis trois ans. À sa place, j'aurais sauté sur le premier venu depuis longtemps. Je parie qu'elle n'a même pas couché encore avec son Christian ! Ça semble tellement long, leur « courtisage » ! On n'est plus au XIXe siècle, pourtant ! Pas besoin de préserver leur virginité jusqu'au mariage.

— Tout le contraire de toi, quoi ! rigole Melissa. À chacune ses priorités. Ça fait sûrement son affaire. Et puisque Christian est antiquaire, vivre « à l'ancienne », il doit aimer ça.

— Possible. Et toi ? Comment vas-tu ?

— Moi... je m'adapte. Une étape à la fois.

— Et Gabriel ? Que vas-tu faire avec lui ?

— Je ne sais pas encore. Je verrai avec le temps.

— N'attends pas trop. J'ai mis sept mois à me remettre de l'infidélité de Pierre-Luc, à refuser d'être heureuse à nouveau. Comme si j'avais peur de me tromper et d'être blessée encore. Ne fais pas la même erreur. Ne te punis pas pour rien.

Melissa ouvre la boîte de *cake pops* qu'elle avait déposée sur la table à café. Elle en tend un à Anne-Marie et croque dans un autre.

— Je prends note, répond-elle à son amie. Merci. Sur ce, parle-moi plus de ton Viateur... on en a entendu parler et on l'a vu un peu, mais on en sait peu sur lui. Je veux tout savoir sur l'homme qui a réussi à te redonner le sourire...

Chapitre 17

—Bon, les filles, j'ai pris une décision, annonce Melissa à Mylène et Anne-Marie à la fin de leur journée de travail, alors qu'elles sont en train de préparer le dépôt du soir dans l'arrière-boutique.

Tout près d'elles, Régis, leur livreur, termine sa tournée en sifflant. Les filles sont tellement habituées à ses visites régulières qu'elles le laissent entrer dans le magasin sans le surveiller et lui donnent même souvent des gâteries ou un petit café gratis. Il faut dire qu'il est parfaitement fiable, une qualité pas très répandue, et les filles s'assurent donc qu'il ait envie de revenir.

Mylène et Anne-Marie se jettent un coup d'œil inquiet. Ces temps-ci, avec tout ce qui se passe dans la vie de Melissa, chacune de ses déclarations est source d'appréhension.

— Je pense que je vais devoir engager une employée à temps partiel.

— Ça y est, je sens qu'on va faire faillite, lance Mylène, découragée. T'as pensé à ce que ça nous coûterait ?

— Avec ma situation, je suis moins présente une semaine sur deux quand j'ai les enfants. En plus, dès que l'une de nous trois est absente quelque temps, ça met beaucoup de poids sur les épaules des deux autres. Aussi, ne le prenez pas mal, mais vous n'êtes pas exactement les meilleures pâtissières en ville. Quand je ne suis pas là, la production doit rouler. J'ai besoin de l'aide d'une vraie pro. Là, je réponds à peine à la demande.

— Eh bien, Melissa demande de l'aide! s'étonne Anne-Marie. Décidément, on aura tout vu. C'est digne de l'alunissage d'Apollo 11.

— Il y a une autre raison, ajoute Melissa malicieusement. J'aimerais créer une nouvelle section crémerie, pour offrir des *gelati* et des sorbets.

— Quoi? s'écrie Mylène. T'as pensé à toutes les dépenses que ça engendrerait? Tout le matériel à acheter? Comment on va réaménager le local? D'accord, là, on va vraiment faire faillite!

— Oui, j'y ai pensé; mais ça augmentera aussi l'achalandage l'été qui, dois-je te le rappeler, a tendance à baisser beaucoup pour notre type de commerce.

— Bah... tous les commerces connaissent ça. Regarde Christian, lui, il a une baisse d'achalandage presque tous les hivers et il ne décide pas de se recycler en vendeur de sécheuses pour ça.

— Ouh... le beau Christian cité en référence. Tu as vu à quel point il influence Mylène, maintenant? blague Anne-Marie.

Mylène tire bruyamment la langue à Anne-Marie.

— Je ne parlerais pas trop, madame «je promène mon nouveau chien avec mon beau vétérinaire que je viens juste de rencontrer», réplique Mylène.

— Ça fait longtemps que j'y pense et je crois que nous avons intérêt à nous diversifier pour survivre, dit Melissa. Après tout, Christian ne se spécialise pas dans un seul type de meuble ou des objets d'une seule époque. Il a un peu de tout, n'est-ce pas? ajoute-t-elle à l'attention de Mylène.

Mylène marmonne quelque chose en grognant. Avec elle, on s'installerait dans le *statu quo* et ce serait parfait. Elle n'aime pas le changement.

— Croyez-le ou non, mais j'ai encore de l'argent en banque, ajoute Melissa. Il me reste une part de l'héritage de papa et du montant que j'ai touché de l'équité de la maison. J'ai parlé avec mon conseiller : je peux avoir un autre prêt, pas trop cher, si nécessaire.

— Tu parles de face-de-babouin-à-cravate ? dit Anne-Marie.

— Lui-même, sourit Melissa.

— Je pensais que tu aurais mieux aimé te faire baver dessus par un chameau plutôt que retourner le voir, dit Mylène.

— J'ai passé par-dessus mon aversion, dit fièrement Melissa.

— On vient tout juste de mettre au point ta nouvelle gamme de chocolats fins, ce n'est pas assez ? se lamente Mylène. Tu as plein de belles truffes *fancy* au caramel et à la fleur de sel, au thé vert ou à la praline. Tu réalises que ça diminuerait notre marge de profit et que ça affecterait notre rentabilité, ton nouveau truc ?

— Et toi, tu es toujours aussi pessimiste.

— Monsieur Régis, dites que vous ne livrez pas de crèmes glacées, s'il vous plaît ! lance Mylène au livreur, dans une ultime tentative de trouver un argument.

— Je livre ce qu'on me demande, madame Champagne, répond-il.

— Traître ! C'est grâce à moi si vous faites autant de livraisons chez nous ! s'écrie-t-elle, mi-figue, mi-raisin.

Sans répondre, il ricane au-dessus de ses bons de livraison.

— J'ai fait des budgets que je te montrerai et qui sont très équilibrés, dit Melissa.

— D'accord, tu me montreras ça, soupire Mylène, vaincue.

À quoi bon argumenter encore ? Melissa demeure la propriétaire des lieux. Et elle est de ces personnes qui ont absolument besoin d'expérimenter pour accepter une situation. Et puis, jusqu'à présent, elle ne s'est pas souvent trompée.

❁ ❁ ❁

Pendant les deux semaines suivantes, les filles ont publié des annonces et passé en entrevue plusieurs candidats – surtout des candidates, en fait. Après des candidatures allant de moyennes à médiocres, elles sont finalement tombées sur Cassandra Ladouceur. Dès qu'elle a entendu son nom lors de l'entrevue, Melissa a souri. Ladouceur, c'est un nom parfait pour travailler dans les confiseries, non ? Elle a senti que c'était bon signe.

Originaire de la Gaspésie, la jeune femme de vingt-trois ans est venue s'établir à Montréal pour étudier et obtenir sa licence de pâtissière. Cette grande femme aux cheveux blonds longs et raides et aux yeux pers ressemble presque à la tenniswoman Aleksandra Wozniak. Son rêve : retourner un jour dans son village natal et y ouvrir un commerce. Melissa, Anne-Marie et même Mylène ont immédiatement été séduites par son charme, sa spontanéité et son imagination débordante.

Après une semaine, la jeune fille a commencé son travail à la boutique, tâtant un peu de tout, ce qui, franchement, n'était pas pour déplaire à ses trois patronnes. Cassandra est admirablement débrouillarde et apporte avec elle des connaissances en gastronomie qui manquaient aux trois femmes – même à Melissa malgré sa longue formation.

Elle est devenue experte du fondant et du crémage au beurre, et a même proposé de nouvelles combinaisons de saveurs saisonnières à Melissa, qui s'est empressée d'applaudir. Elle lui a proposé une nouvelle recette de *cupcake* vanille-shortcake aux fraises pour l'été et lui a montré comment faire des cubes de sucre aux formes et aux couleurs variées avec des petits moules en silicone.

Elle a rapidement séduit les clients et amène sans cesse de nouvelles idées et de nouveaux trucs. Au grand bonheur de Melissa, qui a l'impression de voir une émule d'elle-même, avec plusieurs années en moins.

Cela permet à Melissa de se concentrer sur la gestion de la nouvelle section crémerie dont elle entame l'installation. Un comptoir supplémentaire pour les pots de *gelato* est apparu au fond du magasin et une machine pour la crème glacée molle doit être livrée sous peu. Le tout s'est avéré moins complexe et moins coûteux que ce que Mylène avait d'abord craint.

Bien entendu, Veronica est venue faire son tour afin de donner de savants conseils à sa fille sur le fini à prendre pour le comptoir – tentant vainement de convaincre Melissa de tout couvrir de marbre italien hors de prix, bien sûr – ou sur les fournisseurs de *gelato* à privilégier. Comme d'habitude, elle a le nez fourré partout et exprime son opinion de façon ostentatoire. Le tout, saupoudré des conseils provenant de sa voyante occasionnelle. Comme de mettre du marron dans la vitrine – la couleur la plus détestée d'Anne-Marie, qui aimerait mieux se promener en sac-poubelle que de voir cette couleur dans le magasin – ou d'enfouir des os de poulet dans la terre pour attirer la chance.

Même les enfants de Melissa sont pratiquement tombés amoureux de Cassandra et veulent venir au magasin plus souvent. Florence est prête à y faire ses devoirs, juste pour la voir davantage. Et ce, malgré le fait que les enfants adorent leur deuxième demeure et se sont extasiés devant leurs nouvelles chambres, joliment décorées par Veronica, avec un coup de pouce d'Anne-Marie.

— Elle est belle, Cassandra, hein, maman ? dit-elle à Melissa, qui prépare le souper à la maison.

— Hum hum… approuve distraitement Melissa.

— On dirait Cendrillon, ajoute Rosalie.

— Elle va faire à manger chez nous bientôt ? demande Raphaël.

— Euh… non, pourquoi demandes-tu ça ? dit Melissa en se tournant vers lui.

— Ben, elle fait la même chose que toi au magasin. Alors, elle ne fait pas la même chose ici ?

Melissa se met à rire.

— Cassandra prépare de la nourriture à la boutique parce que je la paye pour ça. C'est son travail.

— Pourquoi tu ne la payes pas pour venir ici, alors ? demande Florence.

— Ça me coûterait trop cher. Et à la maison, c'est mon boulot. Ce n'est pas à elle de faire ça.

— Moi, je pense qu'elle devrait venir habiter chez nous, ajoute Florence, décidée. Ce serait mieux comme ça. On ne s'ennuierait pas d'elle.

Melissa lève les yeux au plafond en riant. Une chance qu'elle sait avoir la place de choix dans le cœur de ses enfants, sinon elle pourrait être jalouse de Cassandra.

❀ ❀ ❀

Aujourd'hui, c'est vendredi soir, et Mylène a un nouveau rendez-vous prévu avec Christian, après le travail. Elle ferme boutique avec la jeune Cassandra. Elle est si pressée qu'elle a du mal à tourner la clé dans la serrure de la porte et maugrée.

— Tu vas rejoindre Christian ce soir ? demande Cassandra d'un air malicieux.

Ce dernier est venu faire quelques visites à l'occasion à la boutique pour parler à Mylène. Il est donc déjà connu de tout le monde au magasin, ou presque. Il s'est même découvert une nouvelle passion pour les sablés.

— Qu'est-ce qui te fait croire ça ? demande Mylène, légèrement sur la défensive.

— Tu es plutôt nerveuse, dit Cassandra en souriant.

Sans savoir quoi répondre, Mylène grogne. Voilà des semaines que ses amies la taquinent avec ça. Elle n'aime pas que les autres mettent l'accent sur sa vulnérabilité. Anne-Marie a bien deviné : depuis qu'elle côtoie Christian, leur relation est restée entièrement platonique pour l'instant. Mais elle commence à se transformer.

Mylène doit se l'avouer : elle devient véritablement accro à Christian. Il est comme sa drogue. C'est la première chose qui émerge de ses pensées lorsqu'elle se réveille. Dès que son esprit est libre, Christian resurgit. Elle aimerait être toujours avec lui et lorsque ce n'est pas le cas, elle ne cesse de se demander ce qu'il fait en ce moment, à qui il parle, à quoi il songe.

Elle aime sa spontanéité et sa marginalité. Car Christian n'est comme personne, avec sa passion pour les vieux trucs, le dessin, les fleurs de son jardin et les chats. Il a toujours ce mot gentil, mais franc pour elle. Et il est plein de surprises.

Mais ce qu'elle aime par-dessus tout, c'est la façon qu'il a de la couver des yeux et de lui sourire, comme s'il la courtisait et la déshabillait du regard. Elle en tremble chaque fois. Aucun homme ne l'a séduite de cette manière encore.

— Eh bien, oui. Là, tu es contente ? dit Mylène en tentant de rester digne.

— Bonne soirée, alors, rit Cassandra.

— C'est ça.

Mylène se retient de courir en direction du magasin
d'antiquités tellement elle a hâte d'y être. La soirée est
chaude et humide. Elle frappe à la porte vitrée, comme le
commerce vient juste de fermer. Les luminaires sont en
partie déjà éteints, laissant un éclairage tamisé. Christian
arrive aussitôt.

— Bonsoir Mylène. Viens, j'ai un truc à te montrer.

Il l'emmène vers le fond de la boutique, derrière des
meubles empilés. Mylène voit un chevalet et des pastels. Il
lui désigne un vieux lit de bois avec des rebords plutôt
minces sur trois côtés. Le bois est de couleur acajou et orné
de motifs ciselés de type chinois représentant des fleurs, des
vases et des fruits. Un petit autocollant rouge brillant en
forme de cœur est toujours apposé à la tête du lit.
Probablement l'œuvre d'un enfant de la famille à qui appartenait ce meuble. Un matelas mince y est installé.

— Qu'est-ce que c'est ? demande-t-elle.

— Ma dernière acquisition, répond-il fièrement. Je l'ai
trouvé aux États-Unis, près de la frontière, mais il est originaire de Chine. Dynastie Qing, probablement vers 1912.
Une pièce rare, surtout en bon état.

— Pourquoi y a-t-il un rebord sur les trois côtés ? C'est
curieux, on ne peut sortir de ce lit que sur un côté.

— Parce qu'à l'origine, c'était un lit pour fumer de
l'opium et non pour y dormir, dit-il en riant.

— Woah... Et ce petit collant ? Sûrement pas un fumeur
d'opium qui a collé ça.

— Ce lit appartenait à un couple de gens âgés qui s'en

servaient pour la chambre des visiteurs. Et non, pas pour fumer. Ils m'ont dit que c'est une de leurs petites-filles qui avait mis ça pour le décorer.

— Et tu ne veux pas l'enlever ?

— Surtout pas ! C'est justement ce genre de petit détail qui rendent cet objet unique et authentique. Chaque patine, chaque égratignure, tache ou morceau manquant témoigne de l'histoire de l'objet, de sa personnalité.

— Ah oui, je comprends.

— Ça te tenterait de faire quelque chose ? demande-t-il.

— Quoi donc ?

— Ça fait longtemps que je n'ai pas fait ton portrait. Et ce lit, c'est une jolie pièce. Je pense qu'elle te siérait très bien. Je pense même qu'avec une de mes robes, un châle ou un chapeau, tu y serais magnifique. Digne d'un Renoir.

— Tu veux refaire la scène du portrait de *Titanic* ou quoi ? rigole Mylène.

Christian éclate de rire.

— Je n'avais pas pensé à ça du tout. Mais c'est une idée intéressante. Dommage que je n'aie aucun bijou qui ressemble au *Cœur de l'océan*.

— Tu connais bien le film ?

— Pour être honnête, j'y ai surtout apprécié la reconstitution historique. Le reste m'a laissé un peu indifférent.

— Pourquoi ne suis-je pas surprise ?

Mylène admire les tenues antiques que Christian a placées sur des cintres pas très loin.

— Attends-moi, je reviens, dit Mylène.

Elle va jeter un coup d'œil aux robes. Elle choisit finalement un vieux corset et un antique porte-jarretelle en dentelle qu'elle accompagne d'un châle de plumes noires et d'un collier de perles. Elle a également relevé une partie de ses cheveux à l'arrière avec le peigne en cristal tout en laissant quelques boucles retomber sur sa nuque. Si Christian a envie de jouer à l'artiste, Mylène aimerait plutôt reproduire une autre scène de *Titanic* avec lui. Une n'inclut pas de pastels.

Après s'être changée, elle arrive finalement devant Christian, qui écarquille les yeux de surprise en la voyant dans des vêtements aussi légers. Pendant quelques secondes, il reste bouche bée devant l'apparition, chose qui ne lui arrive pas souvent.

— Wow, tu es... euh... vraiment superbe.

— Merci, sourit-elle.

— Eh bien... prenez place, mademoiselle.

Docilement, elle s'installe sur le lit et prend presque la même pose que Rose dans *Titanic*. Pendant près d'une heure, Christian s'efforce de faire le portrait de Mylène pendant qu'elle lui lance régulièrement des coups d'œil plutôt suggestifs. Ce qui semble d'ailleurs nuire à sa concentration.

— Vais-je pouvoir admirer mon portrait bientôt ? demande-t-elle enfin.

— Dans quelques minutes, promis.

Il lui donne finalement la permission de venir le rejoindre, ce qu'elle fait aussitôt. Elle va derrière lui et se colle dans son dos pour admirer l'œuvre. Elle sent alors que Christian a un frisson lorsqu'elle lui touche les épaules. Elle voit le résultat et est soufflée. Rarement Mylène s'est-elle trouvée aussi belle que dans le coup de crayon de Christian. Son teint est pâle, mais radieux, son cou gracieux, et ses courbes invitantes. Son regard semble plus intense que jamais.

— C'est vraiment magnifique, dit-elle.

— Facile quand on a un beau modèle.

Mylène sourit et se colle davantage sur lui.

— Monsieur l'artiste aimerait-il une récompense de son modèle, maintenant ? lui souffle-t-elle à l'oreille.

Sans attendre de réponse de sa part, elle lui prend la main et l'emmène sur le lit, qu'elle compte bien inaugurer avec lui.

❀ ❀ ❀

Le mois de juin est déjà bien entamé et le rayon crème glacée est prêt. Anne-Marie a orné le magasin de bleu – style Saint-Jean-Baptiste – et de jaune orangé. Des fleurs, des gerbes de blé et des voiles blancs décorent la vitrine et le magasin. La température est ensoleillée et le temps se réchauffe.

Mardi matin, à la maison, Melissa court depuis le lever. En ce moment, sa vie est un tourbillon qui n'arrête jamais. Une chance que Cassandra est là pour entrer presque à l'aube au magasin et préparer les gâteaux de la journée. Elle ne sait pas ce qu'elle ferait autrement.

Depuis des semaines, Melissa ne fait qu'une chose : survivre.

Survivre au déménagement, à la garde partagée, aux tâches ménagères qu'elle ne peut plus déléguer à personne, aux exigences de l'école ou de la garderie, aux achats qu'elle doit refaire, puisque bien des choses sont restées chez Jean-François, à la solitude une semaine sur deux, au magasin qui lui demande tellement de temps.

— Florence ! N'oublie pas tes espadrilles ! crie Melissa.

Melissa regarde l'heure. Si ça continue, elle sera en retard à l'école !

— Maman, je peux apporter Nounours à la garderie ? demande Rosalie.

— Mais oui, mais oui ! répond distraitement Melissa en fermant les plats des boîtes à lunch.

Au même instant, elle voit passer Raphaël, complètement nu, qui court vers le salon. Il est loin d'être prêt et ils doivent partir d'une minute à l'autre !

— Raphaël, va t'habiller ! hurle Melissa dans le couloir.

— J'ai chaud, maman !

— Tu ne vas pas à la garderie tout nu ! Va t'habiller, sinon c'est moi qui le ferai à ta place !

Melissa tente de se calmer. Ne pas s'énerver avec les enfants. Relaxer et mettre en pratique les leçons de yoga maman-bébé. Penser à sa belle plage de Tampa Bay avec le coucher de soleil. La plage... respirer... la plage...

— Haaaaaa... se lamente Raphaël. C'est plate !

Grrrrrr... Maudite plage qui ne marche pas !

— Allez, pas de discussion ! rétorque Melissa.

Raphaël va se vêtir à contrecœur en se plaignant tout le long. Melissa soupire en terminant de tout préparer pour l'école et la garderie. Elle a hâte au jour où tous ses enfants fréquenteront le même endroit. Là, elle doit se taper la route pour d'abord aller porter Florence à l'école et ensuite, les deux autres à la garderie.

Et dire qu'elle en a encore pour plusieurs années comme ça. Et seule, en plus, une semaine sur deux.

Quand elle arrive presque une heure plus tard à la boutique, un arôme de fraises et de vanille flotte dans l'air, qui la calme aussitôt. Cassandra a probablement fait son glaçage à base de purée de fraises pour les *cupcakes* à la vanille. Melissa se félicite encore de sa décision, même si cela engendre des coûts supplémentaires. Elle se sent bien moins coincée et stressée maintenant qu'elle a une employée disponible qui peut prendre sa place presque n'importe quand au pied levé. Cassandra est dévouée et fiable, des qualités pas faciles à trouver chez un employé.

Même Mylène a fini par admettre que c'était une bonne chose, cette employée supplémentaire.

La matinée passe lentement. À part l'heure de pointe très tôt, les matins sont généralement peu occupés jusqu'à midi. Alors que le magasin commence à se remplir, une silhouette connue de Melissa passe la porte.

Des cheveux châtain pâle faiblement ondulés, des yeux bleu-gris sertis de petites lunettes sur un regard pétillant, un petit air vaguement intello.

Gabriel. Il est de retour.

Pour la première fois depuis un bon bout de temps, Melissa n'est pas fâchée de le voir, n'a pas envie de le renvoyer d'où il vient. Il faut dire qu'il n'est plus très dangereux pour son couple, maintenant. En tout cas, on ne peut pas lui reprocher un manque de persistance.

— Bonjour, lui dit-elle.

— Bonjour, sourit-il en s'avançant vers les étals de gâteaux.

Pendant un court instant, Melissa reste debout derrière son comptoir sans bouger, les mains croisées à sa taille. Gabriel se tient debout de l'autre côté, les mains dans les poches. Un peu plus et Melissa aurait l'impression de rejouer la scène mythique de l'aéroport dans *Casablanca*. Il ne manquerait que le brouillard et les violons.

Melissa fait un signe à Cassandra pour qu'elle gère la boutique quelques instants, lui indiquant qu'elle sera dans l'arrière-boutique avec Gabriel.

— Comment te portes-tu ? demande-t-il. Tu parais quand même assez bien.

— Pas mal. On s'adapte doucement à notre nouveau

style de vie, les enfants et moi, même si c'est pas toujours facile. Éventuellement, on aura trouvé, disons... notre rythme de croisière.

— C'est sûr que c'est plus difficile pour toi que pour moi. Je n'ai que ma personne à gérer depuis ma séparation, dit Gabriel. Et contrairement à toi, je n'ai pas besoin de voir mon ex toutes les semaines.

— Et tu vas bien?

— Oui, tout de même. La solitude me pèse un peu et c'est insécurisant, mais ça va. C'est sûr que quand on est seul, on a beaucoup de temps pour penser.

— Alors? Je sens que tu n'es sûrement pas venu simplement pour prendre des *cupcakes* ou de la crème glacée. Et puis, tu ne travailles pas aujourd'hui? Les examens ne sont pas terminés?

— Journée pédagogique.

Melissa n'est pas surprise; elle ne s'étonne plus des dates parfois étranges où ces journées sont fixées pour ses enfants.

— Effectivement, poursuit Gabriel, je ne suis pas là pour tes gâteaux, même s'ils sont excellents et qu'ils manquent à mes plaisirs. Je voulais savoir si tu allais bien, et si tu avais osé réfléchir à nous deux. Ou il se peut que tu n'en sois pas rendue là.

— Contrairement à toi, je n'ai pas eu le temps d'y penser, en effet. Disons qu'avec la famille à gérer, la maison qui n'est pas complètement installée, je n'ai pas pu m'arrêter pour réfléchir. Sans compter que les ajouts à la boutique m'ont tenue occupée.

— Je vois. Penses-tu le faire un jour?

Melissa a soudain l'impression de subir de la pression de la part de Gabriel, même si ce n'est peut-être pas son intention. Elle n'a pas envie d'éterniser cette conversation. Elle n'est pas prête à aborder tout ça de front. Et puis, c'est le *rush* du midi qui s'en vient, elle n'a pas le temps de se perdre dans les détails.

— Oui, sans doute. Ce n'est juste pas ma priorité en ce moment. Je tente de retomber sur mes pieds, tu vois, lui dit-elle plus sèchement qu'elle l'aurait voulu.

— Évidemment. Bon, je voulais juste… te revoir. Te dire que tu me manques. Tu dois me trouver achalant et même pathétique, mais je tenais à te le dire de toute manière. À mon avis, on ne le dit jamais trop. Et tu me connais : quand j'ai trouvé une source de bonheur, j'essaie de ne pas la laisser filer entre mes doigts.

Melissa sourit. Oui, elle sait que Gabriel s'est toujours écouté avec lucidité et que répandre la joie était pour lui une source de bonheur avec laquelle il ne lésinait pas. Il s'est toujours accroché à ses objectifs, que ce soit un projet de spectacle musical, une surprise-party pour une collègue ou une passion nouvelle pour le banjo.

Alors rien d'étonnant à ce que Gabriel tienne si bien à garder leur amour en vie. Melissa le désire aussi. Chaque fois qu'elle voit cet homme, elle ne peut s'empêcher d'être envahie de frisson et d'un sentiment d'être bien, *à sa place*, avec lui. Comme si elle avait la capacité d'être totalement authentique et spontanée en sa présence – comme si c'était la chose la plus naturelle au monde.

Oui, Gabriel reparaît régulièrement dans ses pensées, comme les relents d'un parfum capiteux resurgissant long-temps après qu'on s'en fût aspergé.

Mais Melissa n'a pas pris le temps de penser à eux. À ce qu'ils pourraient devenir. Même si le souvenir de Gabriel se rappelle à elle, par des retours furtifs, elle l'écarte souvent de son esprit. Et les enfants ont besoin de stabilité. Faire

entrer une nouvelle personne dans leur univers, aussi merveilleuse soit-elle, risque de les perturber davantage, même
s'ils s'en tirent bien jusqu'à présent.

— Je n'ai pas oublié, dit Melissa. C'est juste que je suis
en période d'adaptation et que c'est très exigeant. Je dois
penser aux enfants, tu sais ? Je ne veux pas vous mettre en
contact trop tôt. Mais je te rassure : je pense très souvent à
toi et j'ai hâte que nous puissions aller plus loin. J'ai juste
besoin d'un peu de temps.

— Je comprends, dit Gabriel, quand même déçu. Alors...
on se redonne des nouvelles ?

— Oui, je te le promets.

Encore une fois, Gabriel quitte la boutique affecté, mais
patient. De son côté, Melissa se demande comment elle
pourra concilier tout ça. Trouvera-t-elle la force de bâtir
une nouvelle vie à deux ? Un léger soulagement lui vient du
fait que Gabriel n'a pas fermé la porte et se tient encore prêt
à l'attendre.

Chapitre 18

La fin de juin approche. Bien que l'été ne s'annonce pas particulièrement chaud, les gens en manque d'ambiance estivale viennent acheter des cornets de glace régulièrement, surtout après le souper. Les gâteaux et les macarons aux petits fruits font fureur eux aussi ; les clients se font plaisir en stimulant leurs papilles de parfums évoquant soleil et chaleur. On se fait plaisir comme on peut.

Cassandra est en congé pour aujourd'hui et Mylène n'est pas encore arrivée. Melissa et Anne-Marie sont donc seules au magasin. Melissa voit des clients sortir de la boutique, cornets de crème glacée à la main. Elle s'approche de la vitrine et y reste un moment, un air de contemplation distraite accroché à la figure.

— Qu'est-ce qui se passe ? demande Anne-Marie. Tu as ta face « pensive-pas-rassurante ».

— Je pense qu'on devrait faire une petite terrasse, dit Melissa.

— Tu as juré de faire mourir Mylène d'une crise cardiaque ou quoi ? Tu as créé ta gamme de chocolats et de truffes, tu as fait installer un comptoir à crème glacée et engagé une assistante. Et maintenant, tu veux ajouter une terrasse ? C'est quoi, la prochaine étape dans ton plan que tu as oublié de nous dire ? Tu vas faire construire une étoile de la mort et dominer le monde ?

— Comme d'habitude, tu n'exagères pas du tout, rigole Melissa.

— Peut-être, mais explique-moi donc pourquoi ce besoin soudain. Surtout qu'on ne s'en servirait sans doute que six mois par année au maximum.

— Justement, c'est le bon temps. Tu vois ces gens qui viennent de partir avec leurs crèmes glacées ?

— Ben... oui.

— Bon... il y en a qui aiment manger leurs glaces à l'intérieur et qui vont rester dans la boutique et s'asseoir aux tables pour ça.

— D'accord... dit Anne-Marie, encore incertaine de voir où veut en venir Melissa.

— Pour plusieurs personnes, c'est bien plus agréable de savourer une crème glacée à l'extérieur. Après tout, c'est un mets d'été qu'on a envie de prendre sous le soleil. Tu me suis toujours ?

— Ouais, continue.

— Ici, nos clients n'ont rien pour rester dans les alentours et déguster leur glace. Ils se remettent donc en route avec leur cornet. Alors que si on avait une terrasse, plusieurs clients s'y installeraient, ce qui, du même coup, attirerait l'attention des passants sur notre commerce. Et sur nos glaces.

— Autrement dit, ce serait un joli coup de pub.

— Exact.

— Bon, tu achèves de me convaincre, là. Mais il est un peu tard pour cette année...

Mylène entre en coup de vent.

— Christian a disparu !

— Quoi ?

— Il s'est volatilisé !

— Comment ça ?

— Son magasin est fermé ! Il y a même une pancarte

dans sa porte annonçant qu'il s'absente pour une durée indéterminée !

Mylène semble au bord de la panique.

— Calme-toi, ce n'est sans doute rien de grave, dit Melissa.

— Voyons, on parle d'un maniaque qui bichonne ses meubles comme si c'étaient des voitures de luxe. Ce n'est pas son genre de quitter son commerce sans une bonne raison.

— Et il ne t'a pas laissé de message ? demande Anne-Marie. Tu ne peux pas le joindre sur son cellulaire ?

— Un cellulaire ? Tu rigoles ! Sur certains aspects, il vit encore comme en 1950. Encore heureux qu'il sache ce qu'est Internet. Venez voir, si vous ne me croyez pas !

Toutes trois sortent prestement. Elles laissent un petit écriteau « De retour dans cinq minutes » sur la porte. Après tout, l'urgence de la situation le justifie. Lorsqu'elles arrivent devant Le temps retrouvé, les lumières sont éteintes et le magasin semble effectivement délaissé. Le mot sur la porte est laconique.

— Bon sang, mais pourquoi fait-il ça ? s'écrie Mylène. Je vous jure, il est charmant, mais il est vraiment imprévisible, par bouts ! On dirait qu'il ne se soucie pas de causer de l'inquiétude aux gens !

« Aux gens » désignant surtout elle-même, puisque Mylène se fiche un peu de ce que les clients peuvent ressentir, ici. Elle est convaincue qu'aucun d'eux, même parmi les plus anciens, ne tient à Christian autant qu'elle.

— Il est peut-être parti chercher une belle commande aux États-Unis ou quelque chose comme ça, dit Melissa. Après tout, il l'a déjà fait avant.

— Mouais... il aurait pu me prévenir, merde !

Mylène se retient de jurer davantage. Elle aime Christian, mais parfois, il est comme le vent : imprévisible et insaisissable. Pourquoi lui avoir fait tout ce grand jeu de séduction il y a quelques mois, l'avoir rendue dépendante de lui, si c'était pour la laisser tomber maintenant, sans même la prévenir de quoi que ce soit et l'abandonner à son état inquiet ? Se soucie-t-il vraiment d'elle, ou quoi ? Est-ce que tout ça est un jeu ? La liberté de Christian est-elle plus importante que Mylène ?

— Je suis sûre qu'il va te redonner des nouvelles bientôt, déclare Anne-Marie. Il a probablement eu une urgence.

— Ouais, je présume. Ah… bon sang, les filles, je ne vais pas cesser d'y penser toute la journée, là. J'aimerais pouvoir songer à autre chose, n'importe quoi pour ne pas mourir d'angoisse.

Melissa et Anne-Marie se jettent un regard furtif.

— Je pensais ouvrir une terrasse, annonce Melissa. Tu veux me faire des budgets pour ça ? Ça te va, comme distraction ?

Malgré son état de détresse émotionnelle, Mylène fait une grimace à Melissa.

— Tu m'énerves…

☼ ☼ ☼

En après-midi, Mylène n'a toujours pas de nouvelles de Christian. Elle lui a laissé des messages sur le répondeur de sa maison et celui de son magasin – aucun retour. Sur l'heure du lunch, elle est allée voir à sa maison – aucune réponse là non plus. Que fait-il ?

En désespoir de cause, Melissa, à la fois pour changer les idées de Mylène et pour chercher des réponses à ses questions, a fini par avouer à ses amies que Gabriel était revenu la voir.

— Qu'est-ce qu'il voulait ? demande Anne-Marie.

— Savoir si j'avais pensé à notre avenir.

— Alors ? demande Mylène, soulagée à l'idée de penser à autre chose qu'à Christian.

— Eh bien, je ne sais pas. Je suis tentée, mais j'ai tant de choses à gérer en ce moment ! On dirait que l'idée d'être en couple m'apparaît trop compliquée. Je ne suis même pas adaptée complètement à cette maudite vie de fou ! Comment je vais faire, si je fais entrer un homme là-dedans ? Et les enfants viennent de vivre quelque chose de grave, même s'ils vont bien, tout bien considéré. Là, ça fait environ un mois et demi que je suis déménagée. C'est pas très long. Leur imposer une nouvelle personne maintenant, c'est prématuré et risqué, non ?

— Pourquoi ne vois-tu pas Gabriel uniquement les semaines où tu n'as pas les petits ? propose Anne-Marie. Ça vous permettrait de tester lentement la vie à deux avant de voir si ça passerait bien avec les enfants.

— Ouais, peut-être. Je ne sais pas.

— De quoi as-tu peur ?

— Et si une fois après avoir entamé une vraie relation avec Gabriel, je ne pouvais plus me passer de lui ? Si je ne tolérais plus d'en être séparée une semaine sur deux ? C'est déjà si dur avec les enfants ; je n'ai pas envie de me rendre encore dépendante de quelqu'un. J'ai peur qu'une fois la boîte ouverte, je ne sois plus jamais capable de la refermer, tu comprends ? On dirait que c'est plus facile de garder le contrôle si je ne cède pas. En tout cas, pas tout de suite. Et si, en plus, ça ne marchait pas avec Gabriel ? Si je m'étais encore trompée, au fond ? J'aurais tout foutu en l'air pour rien ?

Mylène et Anne-Marie ne savent que répondre sur le coup. Puis Anne-Marie prend la parole.

— Tu sais, quand j'ai divorcé, il y a des jours où je me disais que plus jamais je ne serais heureuse. Que plus jamais, je ne retrouverais ce que j'avais perdu. Que ce que j'avais vécu avec Pierre-Luc ne serait jamais égalé. Je me suis rendu compte que j'avais tort. S'accrocher à la douleur, dans mon cas, a sans doute été la pire chose. Ça m'a empêchée d'avancer, de rebâtir. Il faut regarder devant soi et surtout, entrevoir que toute joie n'est pas évacuée de ta vie, qu'elle va revenir. J'ai finalement accepté de sauter – et vite à part ça ! Viateur, c'est la meilleure chose qui me soit arrivée depuis longtemps. Cesse de t'accrocher à ce que tu as perdu. Le passé sera juste remplacé par autre chose, potentiellement d'aussi bon, même mieux. Il faut arrêter d'avoir peur. Peu importe ce qui t'arrivera, tu t'en relèveras, c'est sûr.

— Ouais, je suppose… répond Melissa, songeuse.

— Il y a autre chose ? Tu n'as pas l'air convaincu, remarque Mylène. Pourtant, Anne-Marie a raison. Elle est plus heureuse que jamais depuis qu'elle a rencontré Congélateur.

— Viateur ! Arrête de déconner avec son nom !

— Sérieux, ce gars a un des noms les plus ridicules que je connaisse, rigole Mylène. Je ne peux pas passer à côté de l'occasion, c'est trop beau.

— Tu sais, j'aime Gabriel. Enfin, je crois. Je l'avais toujours connu comme ami avant, et notre relation a beaucoup changé. En réalité, notre « nouvelle relation » a duré peu de temps. Et si ça n'avait été qu'une illusion, une passade ? Un baume passager alors que ma vie allait mal. Et si Gabriel n'avait fait que temporairement remplir un vide ? Aussi, chaque fois que je le vois, ça me rappelle l'échec de mon mariage. J'ignore si je peux être heureuse avec lui, si je peux avoir ce droit, tu saisis? Chaque fois que je pense à lui, je me sens coupable. On dirait que je ne mérite pas d'être heureuse avec lui, ça a causé tellement de dommages, notre histoire.

— Et tu vas faire quoi? demande Mylène. Rester chaste pour le restant de tes jours? Tu ne trouves pas que tu te punis suffisamment comme ça? Tu te prends pour la princesse de Clèves?

— La quoi? demande Anne-Marie.

— *La Princesse de Clèves.* Un classique français qui raconte l'histoire d'une noble qui tombe amoureuse d'un homme autre que son mari. Quand ce dernier l'apprend, il meurt de chagrin et elle, rongée par la culpabilité, refusera d'aller avec son amant même si elle est libre. Et elle mourra seule peu après. Ça te rappelle quelque chose? dit-elle à l'attention de Melissa.

— Ben là... c'est pas pareil, rétorque Melissa. Jean-François n'est pas mort.

— Détail... ne fais pas exprès de ne pas voir le lien, Melissa.

— Ouais, bon.

— Après Proust, tu connais *La Princesse de Clèves*? dit Anne-Marie. Tu me renverses par ta nouvelle culture. Je ne connaissais pas cet aspect de toi.

— Je parie que Christian a donné un *boost* de culture à Mylène comme par hasard, rigole Melissa.

Mylène ignore le commentaire de Melissa.

— Sérieusement, Melissa, laisse-moi te dire quelque chose, poursuit-elle. La culpabilité est un poison pour l'âme. Ne la laisse pas envahir ta vie, ou elle finira par te tuer à petit feu.

— Et puis, personne n'est à l'abri du malheur, renchérit Anne-Marie. Essayer de te protéger à tout prix peut t'empêcher de vraiment apprécier la vie. Ceci dit, personne n'est à l'abri du bonheur non plus, sourit-elle.

— Je vais y penser. Merci, les filles.

Au moment où elle ferme les yeux pour réfléchir, elle entend la voix de la chanteuse P!nk qui chante *Try* à la radio :

Funny how the heart can be deceiviiiiing... More than just a couple times. Why do we fall in love so easyyyy? Even when it's not right.

Where there is desire; There is gonna be a flaaaame. Where there is a flame; Someone's bound to get burned.

But just because it burns; Doesn't mean you're gonna die.

You've gotta get up and try, and try, and tryyyyyy...

— Arg! Chut! crie-t-elle en éteignant la radio.

Si c'est un signe, elle n'a pas envie de le voir. En tout cas, pas tout de suite.

❁ ❁ ❁

Le soir même, dès la fermeture de la boutique, Mylène s'est précipitée chez Christian, espérant qu'il s'y trouverait. Mais toujours aucun signe de sa présence.

Découragée, elle s'est assise sur son perron, souhaitant qu'il revienne vite ou à tout le moins, qu'il la rappelle. Elle s'est même fait livrer du poulet qu'elle a mangé sur le balcon de Christian, sûre de ne pas quitter les lieux pour ne pas manquer son retour. Vive les téléphones intelligents, qui permettent de faire tant de choses de n'importe où, sauf joindre les gars romantiques et idéalistes qui n'ont pas de téléphone intelligent !

Elle maudit intérieurement Christian de l'avoir rendue accro et de la laisser en plan à la première occasion, sans lui donner la moindre explication. Mais pour qui se prend-il ? Elle commence à se dire qu'elle est peut-être le dindon de la farce.

Vers vingt et une heures, fatiguée et trouvant excessive l'idée de passer la nuit là, elle se prépare à retourner chez elle à contrecœur. Alors qu'elle franchit le seuil de la clôture avant, elle tombe nez à nez avec Christian.

— Qu'est-ce que tu fais là ? demande-t-il étonné.

C'est la phrase de trop pour Mylène. Elle qui a angoissé toute la journée, s'est fait mille scénarios où Christian allait jusqu'à se faire enlever par des terroristes et emmener de force en Ouzbékistan, elle explose.

— Qu'est-ce que je fais là ? Ben, je vais te le dire, moi ! Je me suis rongé les sangs toute la journée à ton propos ! Mais qu'est-ce qui t'a pris ? Et qu'est-ce que tu as foutu toute la journée ?

— C'est ma mère. Elle est à l'hôpital.

Alors, Mylène remarque pour la première fois l'air démoli, épuisé, et les yeux rougis de Christian. Sa colère s'évanouit subitement. Elle est maintenant gênée d'avoir fait une telle crise.

— Oh... qu'est-ce qui se passe ?

— Un AVC. Assez sérieux. Elle est encore en observation.

— Quand est-ce arrivé ?

— Très tôt ce matin. C'est son centre qui m'a appelé pour me le dire.

— Son centre ? répète Mylène, étonnée.

— Elle est en CHSLD. Elle souffre d'Alzheimer depuis deux ans et elle est placée, car elle est devenue rapidement inapte.

— Oh merde ! Tu ne m'avais pas dit ça !

Les paroles ont échappé à Mylène. Mais plutôt que d'en être offusqué, Christian a un petit sourire. C'est précisément pour sa spontanéité qu'il aime Mylène, y compris dans ce genre de moment.

— Et comment va-t-elle ? demande Mylène.

— Elle devrait s'en tirer. Mais elle a de bonnes chances de garder des séquelles. Surtout avec son état déjà pas très bon au départ. Ça va nuire à sa rééducation.

— En tout cas, tu aurais pu me prévenir, dit Mylène doucement. Et me dire qu'elle était Alzheimer aussi, en passant. Je sais bien que tu veux prendre ton temps dans notre relation et garder un peu de mystère, mais il y a quand même des choses que j'aimerais savoir, et pas dans trois ou quatre ans.

— Tu as raison. Je suis vraiment désolé. J'ai été en état de panique toute la journée et je n'ai pas réfléchi. Depuis la mort de Bruno et celle de papa, ma mère est tout ce qui me reste de ma famille proche, tu comprends ? J'ai des oncles, des tantes, des cousins, des amis, mais ce n'est pas pareil. Et j'ai toi aussi, bien sûr.

Mylène sourit et sent son cœur faire un bond. Elle n'a pas été souvent au centre de la vie de quelqu'un. Si ses amies sont importantes pour elle, c'est une toute autre chose avec Christian. On dirait qu'elle a perdu l'habitude de ce type de rapport.

Le cœur de Mylène fait un bond dans sa poitrine. Malgré toutes les belles choses que Christian lui a dites, elle a l'impression que celle-là est la plus franche et sincère. Et surtout, la plus directe. Elle sent enfin qu'elle n'est plus un simple flirt et qu'il y a plus que de la séduction entre eux. Et cette sensation, elle ne l'avait pas ressentie depuis si longtemps. Elle enlace Christian et appuie sa tête sur l'épaule de son amoureux.

— Je comprends, dit-elle en tentant de ne pas exploser d'allégresse. Bon, on rentre ? Tu as manifestement besoin de repos. Ne t'inquiète pas, je vais prendre soin de toi.

❀ ❀ ❀

Mardi matin, quelques jours après s'être confiée à Anne-Marie et Mylène, Melissa se décide enfin. Elle ne sait pas du tout dans quoi elle s'embarque et une partie d'elle est terrorisée, mais les paroles de ses amies ont laissé leur empreinte.

Après tout, c'est vrai que de vivre dans la peur de l'échec, ce n'est pas une vie. Si ça ne marchait pas avec Gabriel, elle serait déçue, mais elle pourrait sans doute s'en remettre. Et puis, elle ne va quand même pas se culpabiliser toute sa vie et se priver de quelque chose de bien. Elle n'a assassiné personne et il y en a qui font des choses pires qu'elle, non ?

Le mois de juin est terminé et les examens de fin d'année aussi. Gabriel est donc probablement libre en ce moment. Et Melissa le connaît assez bien, elle sait qu'il doit être debout pratiquement aux aurores, comme il l'a toujours fait.

Comme c'est souvent le cas lors des semaines où elle est seule chez elle, Melissa s'est levée en même temps que le soleil et s'est rendue rapidement à la boutique. Elle prend de l'avance et ça lui évite de s'ennuyer, seule chez elle. Même s'il n'est que huit heures, Melissa est au magasin depuis un bout de temps et a préparé ses gâteaux, qui cuisent au four en dégageant des odeurs de chocolat et de fraises. Elle a décidé de faire un spécial « déménagement » le premier juillet pour accompagner la traditionnelle pizza ! Pas de stress de ce côté, donc.

Elle marche jusqu'au comptoir et allume la radio, mettant le volume assez bas. Melissa n'a jamais aimé le silence et l'a presque toujours meublé avec de la musique, même à très peu de décibels. Une impression de présence, peut-être. Une vieille habitude dont elle ne peut se défaire. Melissa prend une grande respiration, décroche le téléphone et compose le numéro de cellulaire de Gabriel.

— Oui, allô ?

— Hem... Gabriel ? C'est Melissa.

— Melissa ! Comment vas-tu ?

Melissa sent l'empressement et la nervosité dans la voix de Gabriel.

— Je vais bien. Et toi ?

— Ça va.

Un moment de silence inconfortable s'installe entre les deux. Tellement oppressant que Melissa a même l'impression d'entendre son propre cœur battre dans ses oreilles.

— Eh bien... euh... j'ai bien réfléchi... et...

Elle devine Gabriel suspendu à ses lèvres, comme un suspect en attente du verdict de son procès.

— ... je pense que je voudrais nous donner une chance...

Elle entend presque Gabriel soupirer de joie au bout du fil. Elle-même a l'impression d'avoir un poids de moins sur les épaules. Comme si le fait de recommencer à partager sa vie avec quelqu'un comme Gabriel lui rendait l'existence plus supportable. Voire agréable. Oui, elle peut se permettre d'être heureuse, d'avoir de la joie et du plaisir dans sa vie. Elle y a droit autant que n'importe qui.

— J'ignore comment on ferait ça exactement, par contre... poursuit-elle.

— Voudrais-tu que je vienne te rejoindre ? En personne, ce serait mieux pour en discuter, si tu veux. Mes cours sont finis, je suis libre. Je pourrais être là dans environ trente à quarante minutes.

— D'accord. Tu n'auras qu'à frapper à la porte arrière.

— Parfait, j'arrive !

En raccrochant, Melissa a le sourire aux lèvres. Elle s'approche de la vitrine et regarde le soleil. Elle a l'impression de flotter et se sent bien. Et si c'était le début d'un temps nouveau ? Sans privation, sans dispute, sans lourdeur. Avec de la légèreté et du bonheur tous les jours ? Juste la joie d'être elle-même sans avoir peur de déranger ou d'être jugée.

Soudain, alors qu'elle dévore un *cupcake* chocolat-caramel pour se donner du courage, son oreille attrape les paroles de *Somewhere only we know*, du groupe Keane, à la radio.

Oh simple thiiiiing where have you goooone; I'm getting old and I need something to rely on... So tell me wheeeeen you're gonna let me in; I'm getting tired and I need somewhere to begiiiiin.

And if you have a minute why don't we gooooo; Talk about it somewhere only we knoooow? This could be the end of everythiiing; So why don't we go; Somewhere only we know?

Encore une fois, Melissa se plaît à croire que c'est un signe, qu'on s'adresse à elle. Même si elle se fait probablement des idées. Elle pourrait bien essayer de lire l'avenir dans un plat de jujubes, ça ne changerait rien. Grand-maman Carabella aimait voir des signes à gauche et à droite, de bon ou de mauvais augure pour deviner comment se déroulerait le reste de la journée ou pour savoir quelle décision prendre. Au fond, Melissa s'est toujours douté qu'elle ne faisait que chercher une vague confirmation de ce qu'elle savait déjà sans se l'avouer. Veronica a gardé cet aspect marginal de sa mère, avec le même esprit. Après tout, prendre des décisions uniquement avec sa tête et d'après les faits avérés, c'est ennuyeux, non ? Les appuyer sur une intuition, même bizarre, c'est bien plus intéressant.

Melissa se sent caressée par un vent d'optimisme. Exaltée, elle aimerait que Gabriel soit déjà là. Elle se sent comme le Renard qui attend la visite du Petit Prince avec impatience. Elle se secoue. Elle doit travailler et s'occuper, si elle ne veut pas passer la prochaine demi-heure à épier la fenêtre aux cinq minutes. Et puis, elle a encore plein de choses à faire avant l'ouverture du café. Elle poursuit donc la préparation des plats de la journée ; des effluves de caramel et de café remplissent bientôt l'air à leur tour.

Elle lance une rapide œillade au miroir. Ses yeux ne sont pas cernés, sa coiffure est potable. Tout va bien. Vers l'heure prévue, toujours aussi fiable et ponctuel, Gabriel frappe à la porte de l'arrière-boutique. Fébrile, Melissa ouvre.

Elle se surprend à être toujours aussi troublée et même émoustillée dès qu'elle voit ce sourire et ces grands yeux qui semblent pouvoir contenir mille étoiles à la fois. Comment ne pas être remuée et radieuse en présence d'une personne aussi lumineuse ? Même si, comme tout le monde, il a certainement sa part d'ombre et ses défauts. Mais en ce moment, cette partie, elle s'en fiche.

Un court instant, Melissa et Gabriel se tiennent face à face, sans pouvoir faire autre chose que se sourire mutuellement. Comme des vieux amis qui se retrouvent. Ce qu'ils sont, en fait.

— Meli, si tu savais comme ça me fait plaisir de te revoir enfin.

Elle sourit. Encore de belles paroles à lui faire tourner la tête. Des paroles qui font du bien. Comment se fait-il que les gens aient tant de mal en général à se dire ce genre de chose ? Pourtant, Melissa est sûre que la planète s'en porterait mieux. Même si ce type de mentalité néo-pseudo-psycho-pop ferait soupirer quelqu'un comme Mylène, qui lui suggérerait de chanter *Kumbaya* pour se moquer d'elle, elle demeure convaincue.

Émue, elle s'approche de Gabriel et lui prend le visage à deux mains.

— Laisse-moi te regarder, dit-elle. Il y a si longtemps que j'ai pris le temps de t'admirer.

Au moment où elle prononce ces paroles, elle se rend bien compte que, depuis le tout début, tout ce qui est arrivé n'est que le fruit de ses décisions à elle. Le fait d'avoir cédé à la tentation, puis sa tentative d'écarter Gabriel de sa vie. Une bonne partie de la souffrance qu'elle a éprouvée n'est que le fruit de ses propres choix. Jean-François avait raison sur un point : elle n'a plus quinze ans, mais elle a agi comme si tel avait été le cas, par moments.

« Note à moi-même, se dit-elle. Ne plus prendre de décisions aussi stupides. »

Elle caresse doucement les joues de Gabriel en le fixant du regard. Profite de chaque seconde savourée. Comme pour rattraper le temps perdu.

Puis, elle n'y tient plus. Lentement, elle se lève sur la pointe des pieds, enlace son cou et pose ses lèvres sur les siennes. Aussitôt, son corps est comme parcouru de vagues de frissons et de décharges électriques. Au même instant, Gabriel la prend par la taille et l'attire à lui.

Leurs mains se mêlent à nouveau et caressent le corps l'un de l'autre. Melissa se sent prise de bouffées de chaleur. Elle avait oublié combien c'était bon entre eux, à quel point le contact avec lui la remplissait de désir et combien elle avait soif de lui.

Incapables de s'arrêter, ils continuent de s'embrasser et de se caresser de plus belle. Melissa a l'impression que son corps est en feu. Gabriel la prend et l'assoit sur une pile de sacs de farine. En même temps, elle en accroche un avec son épaule, et il se vide en partie de son contenu sur eux. Mais ils n'en ont cure. Les lieux où ils se trouvent, le temps, ce qui se passe autour d'eux ne leur importent plus... jusqu'à ce que la porte arrière s'ouvre brusquement sur Mylène et Cassandra.

Melissa et Gabriel s'écartent rapidement l'un de l'autre, rajustant tant bien que mal leurs vêtements, déjà plutôt froissés. Melissa avait momentanément oublié que ses amies et collègues devaient arriver d'un moment à l'autre.

Mylène et Cassandra les regardent abasourdies.

— Euh... Gabriel est venu pour me parler, bafouille Melissa. Et euh... j'ai accroché un sac de farine par accident...

— ... j'ai essayé de retenir le sac et il est tombé sur nous deux, finit Gabriel.

Soudain, Mylène éclate de rire.

— C'est ça, et moi je suis Blanche-Neige ! rigole-t-elle.

— Blanche-Neige ? Sans vouloir être impolie, tu as plutôt le tempérament de la belle-mère de Blanche-Neige, rétorque Melissa.

— Pfffff... fait Mylène. Et en passant, la farine vous a trahis tous les deux, sourit-elle.

Melissa et Gabriel s'examinent un instant. Ils comprennent alors quand ils voient les traces de farine en forme de mains sur leurs vêtements. Ce qu'ils faisaient s'avère assez clair.

— Bon, bien si vous voulez vraiment « discuter », allez donc le faire en prenant un café dans la boutique. Cassandra et moi, on va s'occuper du reste, ajoute-t-elle avec une petite pointe coquine.

Melissa sourit. Comme toujours, sous ses dehors un peu rustres, Mylène est pleine de bonne volonté et de gentillesse. Melissa et Gabriel ont donc passé une partie de l'avant-midi, installés à une des tables, à parler de leur avenir et de la façon dont ils voulaient amorcer leur relation « officiellement » et coordonner leurs existences communes.

Enfin, Melissa avait l'impression de partir du bon pied.

❀ ❀ ❀

Mylène a entrepris d'aller rendre visite à Carole, la mère de Christian, en compagnie de ce dernier. Mylène lui a bien fait comprendre que s'il désirait l'avoir dans sa vie, il ne devait plus la laisser dans le noir sous aucun prétexte, que les choses devaient être claires entre eux. Elle n'a aucun problème avec l'aspect imprévisible, bohème et libertaire de Christian, puisqu'elle est comme lui. Mais plus question de la faire angoisser comme il l'a fait.

Bon joueur, Christian a accepté de se plier à ses exigences, y compris celle de se procurer un cellulaire pour être joignable en tout temps. Ce simple fait parvenait déjà à tranquilliser Mylène.

Lorsqu'elle est allée visiter Carole au centre, Mylène a été impressionnée de voir que Christian avait accroché çà et là dans sa chambre des œuvres qu'il avait faites spécialement pour elle. Des portraits de Bruno et de son père, des paysages que sa mère aimait, des bijoux qu'elle appréciait – à défaut d'apporter de véritables objets de valeur, ce qui était contre-indiqué dans ces centres.

La philosophie qu'il appliquait dans sa vie et son magasin, il continuait de l'appliquer avec sa mère.

— Le monde peut être tellement laid et plein de drames,

parfois, a répondu Christian lorsque Mylène lui a parlé des dessins sur les murs. Alors, je pense qu'il faut mettre de la beauté partout où on le peut.

Mylène avait souri à cette réponse. Pendant ces rencontres, elle avait fini par connaître un peu Carole, qui semblait avoir déjà été une personne très sympathique, affectueuse et dévouée. Malheureusement, son Alzheimer avait progressé très rapidement, lui enlevant une bonne partie de ses facultés. Avec l'AVC qui avait abîmé son cerveau en plus, la femme n'était plus que l'ombre d'elle-même. Elle ne parlait et ne bougeait plus beaucoup depuis son accident. Sa condition risquait peu de s'améliorer.

Qu'importe, Christian allait être là jusqu'à la fin, et Mylène était prête à l'épauler jusqu'au bout, même si le déclin de Carole pouvait durer encore des années. Voir la manière attentionnée et aimante dont il prenait soin de celle qui lui avait donné la vie, la façon dont il tentait de rendre ses dernières années agréables, n'avait que fortifié son amour naissant pour lui.

Elle avait trouvé l'homme qu'il lui fallait, qui avait à la fois l'âme d'un poète et d'un réaliste authentique qui ne s'embarrassait pas de fla-fla inutile –, et ce, malgré son amour pour des objets artistiques. Il la rendait heureuse, et elle n'allait pas le laisser tomber. De cela, elle en était sûre.

La vie continuait de prendre de drôles de tournants pour les trois acolytes de chez Miss Caprice.

Épilogue

Six mois plus tard...

Décembre a apporté sa cargaison de neige, de rigodons, de lumières colorées, de guirlandes scintillantes, de branches de sapin et de faux lutins. Melissa a enfin appris à apprécier la vie avec Gabriel et à se sentir moins coupable. Elle a finalement apprivoisé l'idée qu'elle avait le droit d'être heureuse, même si elle a commis des erreurs – elle aussi a droit à l'amour.

Comme Florence lorsqu'elle regarde *La Reine des neiges*, Melissa a envie de chanter *Libérée, délivrée*, comme la reine Elsa.

Libérééééée, délivrééééééée! Les étoiles me tendent les braaaaaas... Libérééééée, délivrééééééée! Non, je ne pleeeeeeure paaaas! Me voilàààààà! Oui, je suis làààààà!

Comme elle l'avait déjà décidé, elle a commencé à fréquenter Gabriel uniquement lorsque les enfants sont chez leur père, pour garder ses deux « vies » séparées. Mais depuis un mois, Gabriel a décidé de côtoyer aussi les enfants. D'abord une fois de temps en temps et pour de courtes périodes, puis de plus en plus souvent et de plus en plus longtemps.

Melissa était nerveuse à cette idée, mais ses enfants semblent s'adapter plus aisément qu'elle le croyait à la présence de cet homme dans leur vie. Il faut dire que Gabriel a un don avec les jeunes, et cette fois ne fait pas exception. Il y a peu de gens avec qui Florence et Rosalie peuvent chanter des chansons de Disney aussi souvent sans les rendre à moitié dingues. Ce fut un gros point en faveur de Gabriel.

La boutique se porte de mieux en mieux, les tables sucrées font un tabac et Cassandra est devenue pratiquement irremplaçable à la boutique. En plus d'être presque adulée par Florence, Raphaël et Rosalie, qui passent régulièrement du temps au magasin.

Anne-Marie et Viateur parlent de déménager ensemble après sept mois de relation. Lassie est attachée à eux deux, ça tombe bien. Elle a grignoté deux fauteuils et quelques oreillers, mais grâce aux nombreuses promenades qu'elles font ensemble, Anne-Marie a retrouvé la forme : un autre atout pour Lassie, en plus de ses yeux piteux, qui l'aident toujours à se faire pardonner.

Mylène et Christian ont leur relation toujours aussi libre, où chacun fait ce qu'il veut, mais en toute transparence. Une entente qui leur convient parfaitement. Mylène a même commencé à sérieusement s'intéresser aux antiquités, même si Anne-Marie, sans méchanceté, lui répète qu'elle a autant le sens de l'esthétique qu'un homme du Neandertal.

Melissa est même parvenue à faire bâtir sa fameuse terrasse devant le magasin, juste au bord du trottoir, là où tous les passants peuvent la voir. Et ce, même si la fin de l'été approchait et que son utilité immédiate serait de courte durée. Veronica s'en est bien entendu mêlée, suggérant le meilleur détaillant de tuiles de béton – italiennes, il va sans dire – pour la terrasse, et a fortement encouragé Melissa à employer Stéphane, pour ses compétences et ses contacts en design industriel. Un peu plus et elle allait proposer une réplique d'une fontaine du Vatican au milieu.

Melissa a souvent une petite pensée pour son père. Après

tout, il est indirectement responsable de sa prise de conscience et de son succès. Sa mère dirait sûrement que ce n'est pas un hasard et que d'en haut, il veille sur elles.

Le soir du 24 décembre, Melissa a décidé de recevoir sa famille ainsi que ses amies directement à la boutique, après les heures d'ouverture, pour briser la tradition. Afin de célébrer non seulement l'avenir de plus en plus certain de Miss Caprice, mais aussi sa nouvelle vie, elle a également invité Cassandra à se joindre à eux.

Anne-Marie s'est surpassée en décoration, avec un look plus familial que l'an dernier. Les tentures et les rubans perlés rouges et verts pendent de partout, agrémentés de tulle blanc. Des vases de verre remplis de bonbons vermeils côtoient les flocons dentelés, les plumes écarlate et vert forêt, ainsi que les rameaux de sapin et de gui. Au fond du magasin, le sofa rococo et les bergères se sont vus affublés d'un manteau de foyer antique décoratif, déniché chez Christian.

Melissa a concocté de petits gâteaux chocolatés ou vanillés, aux glaçages à la menthe ou à la cannelle. Un village et un train en biscuit se sont ajoutés à l'ensemble, avec des *cake pops* en forme de sapin et de tuques.

Enfin, des boissons roses à base de crème de guimauve et de fromage à la crème sont servies accompagnées de cubes de chocolat remplis de morceaux de canne de bonbon, pour remuer la boisson et y laisser fondre le chocolat. Des lutins accrochés aux murs et au plafond mettent la touche finale.

Raphaël et Rosalie en sont restés perplexes, le seul lutin qu'ils aient connu étant celui qui joue des mauvais tours avant Noël dans leur maison. Avant que Veronica ne vende la mèche trop vite et brise leurs illusions, Cassandra leur a rapidement expliqué que les lutins venaient simplement se reposer et manger à la boutique avant de retourner dans leurs foyers respectifs pour continuer leurs farces. L'explication a semblé les satisfaire.

Christian a apporté un vieux tourne-disque et des vinyles, pour faire jouer un étrange pot-pourri composé entre autres des albums festifs classiques, tels que le *Andy Williams Christmas Album*, l'album de Noël de Ginette Reno, celui de Nat King Cole, et... celui des Beach Boys ! Un clin d'œil que seule Mylène déchiffre et dont elle rit à gorge déployée.

Melissa, toujours affairée dans sa cuisine, regarde Leo apporter les plats vers les tables avec Cassandra. Elle considère furtivement la boutique et la vitrine, plus loin. La neige tombe. Raphaël, à demi étendu sur le sofa, continue de crier à sa grand-mère : « Oui, mais moi, je voulais porter mon chandail du Canadieeeeeeeen ! » Cette dernière tente de convaincre Christian de prendre plus de meubles italiens dans son magasin. Florence essaie de se fabriquer une cape en s'enroulant dans les rideaux de la vitrine. Rosalie s'apprête à grimper sur le dossier d'un fauteuil pour attraper l'étoile au faîte du sapin. Gabriel a sorti sa guitare et chante *You are so beautiful* de Joe Cocker, par-dessus Frank Sinatra qui souhaite à tous un *Jolly Christmas*.

Le chaos et la cacophonie les plus complets règnent dans le magasin. Bref, c'est un party de Noël réussi.

Il y a un an et demi, Melissa n'aurait jamais cru que sa vie ressemblerait à cela. Il y a un an et demi, quand elle dévoilait la pancarte de Miss Caprice à ses amies, elle ne savait pas qu'elle poserait un geste qui transformerait son existence à tout jamais. Elle n'aurait pas deviné non plus ce que serait son prochain party de Noël.

Mais en ce moment même, alors que ceux qu'elle aime

sont réunis dans ce désordre sympathique, dans le lieu qui a concrétisé son rêve, elle ne regrette rien malgré les difficultés.

Elle sait qu'elle est enfin à sa place, au bon moment et avec les bonnes personnes. Et que, aussi imparfaite soit sa vie, elle ne la changerait pour rien au monde. Elle est très bien ainsi.

FIN

Nouvelles dans des collectifs

« La folle journée d'Amélie », dans le collectif,
Histoire de fous, Éditions Vents d'Ouest, collection Girouette,
Gatineau, 2007.

« La nuit de Samuel », dans le collectif, *Bye-bye les parents*,
Éditions Vents d'Ouest, collection Ado, Gatineau, 2006.

« Par la bave du crapaud d'oncle Robert ! », dans le collectif, *Les baguettes en l'air !*, Éditions Vents d'Ouest, collection Girouette,
Gatineau, 2005.

Hôtel Princess Azul

Radiée pour une période de deux ans par l'Ordre des psychologues pour avoir injurié et molesté un client, Geneviève Cabana se retrouve, à 48 ans, agente à destination dans un *resort* de la République dominicaine. Dans cette série de romans qui nous transportent illico sous les tropiques, faites la connaissance de la maladroite Geneviève et d'une foule de personnages colorés à travers leurs péripéties. Bienvenue au chic Princess Azul, où les fous rires, les malaises et les désastres… sont tout inclus !

Naturellement sucré

Le sucre raffiné est désormais l'ennemi numéro 1 de la santé. Devons-nous pour autant nous résigner à éliminer les desserts de nos menus ? Certainement pas ! Dans un livre aussi séduisant qu'appétissant, Eliane Michaud propose pas moins de 100 recettes naturellement sucrées avec des ingrédients naturels aux bienfaits reconnus, comme le miel, le sirop d'érable, les dattes, la noix de coco et le stévia. Pour se sucrer le bec… sans culpabilité !

MARQUIS

Québec, Canada

Achevé d'imprimer le 26 août 2015